LES JARD

Né au Liban en 1949, Ami ... *Après des études d'écono* ... *journalisme. Grand reporte* ... *des missions dans plus de soixante pays. Ancien directeur de l'hebdomadaire* An-Nahar International, *ancien rédacteur en chef de* Jeune Afrique, *il consacre aujourd'hui l'essentiel de son temps à l'écriture de ses livres.*

Amin Maalouf est l'auteur des Croisades vues par les Arabes *(Editions Jean-Claude Lattès, 1983), devenu un classique traduit en plusieurs langues, et de* Léon l'Africain *(Editions Jean-Claude Lattès, 1986). Il est également traduit dans le monde entier.* Samarcande *a obtenu le Prix des Maisons de la Presse 1988.*

Les Jardins de lumière, c'est l'histoire de Mani, un personnage oublié, mais dont le nom est encore, paradoxalement, sur toutes les lèvres. Lorsqu'on parle de « manichéen », de « manichéisme », on songe rarement à cet homme de Mésopotamie, peintre, médecin et prophète, qui proposait, au IIIe siècle de notre ère, une nouvelle vision du monde, profondément humaniste, et si audacieuse qu'elle allait faire l'objet d'une persécution inlassable de la part de toutes les religions et de tous les empires.

Pourquoi un tel acharnement? Quelles barrières sacrées Mani avait-il bousculées? Quels interdits avait-il transgressés?

« Je suis venu du pays de Babel, disait-il, pour faire retentir un cri à travers le monde. »

Plus que jamais, en cette époque déroutante qui est la nôtre, son cri mérite d'être entendu. Et son visage d'être redécouvert.

Paru dans le Livre de Poche :

LÉON L'AFRICAIN.
SAMARCANDE.

AMIN MAALOUF

Les Jardins de lumière

ROMAN

LATTÈS

La pierre que les bâtisseurs ont rejetée,
c'est elle qui sera la pierre d'angle.

Psaumes

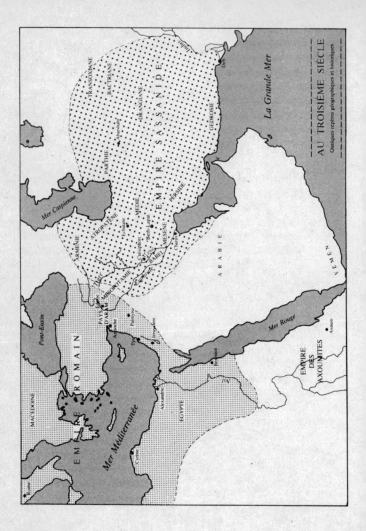

AU TROISIÈME SIÈCLE
Quelques repères géographiques et historiques

PROLOGUE

A l'inverse du Nil, que l'on peut descendre porté par le courant ou remonter au gré des voiles, le Tigre est un fleuve à sens unique. En Mésopotamie, les vents s'écoulent, comme les eaux, de la montagne vers la mer, jamais vers l'intérieur des terres, au point que les barques doivent s'alourdir à l'aller d'ânes et de mulets qui au retour les remorqueront vers leur bourg d'attache, coques branlantes et penaudes sur les chemins secs.

Dans l'extrême nord, où il prend source, le Tigre indompté dévale entre les rocs, seuls quelques bateliers arméniens osent l'enfourcher, les yeux braqués sur les bouillonnements de l'eau fourbe. Etrange artère où les passants ne se croisent pas, ne se dépassent pas, n'échangent ni vœux ni consignes. De là cette impression grisante de naviguer seul, sans démon protecteur, sans autre escorte que les dattiers des rives.

Puis, en atteignant la ville de Ctésiphon, métropole du pays de Babel et résidence des rois parthes, le Tigre s'assagit, les gens peuvent l'approcher sans égards, il n'est plus qu'un gigantesque bras fluide que l'on traverse d'une berge à l'autre dans de rondes couffes à fond plat où s'entassent hommes et marchandises, qui s'enfoncent jusqu'au bord et parfois toupillent sans pourtant se noyer, vulgaires paniers en jonc tressé qui ôtent au fleuve du Déluge tout quant-à-soi. Il est alors si débonnaire qu'on y voit barboter de sinistres couples enlacés : des peaux de bêtes décapitées, évidées, recousues puis gonflées, auxquelles s'agrippent des nageurs corps à corps comme pour une danse de survie.

L'histoire de Mani commence à l'aube de l'ère chrétienne, moins de deux siècles après la mort de Jésus. Sur les bords du Tigre s'attarde encore une foule de dieux. Certains ont émergé du déluge et des premières écritures, les autres sont venus avec les conquérants, ou avec les marchands. A Ctésiphon, peu de fidèles réservent leurs prières à une idole unique, ils voguent de temple en temple au gré des célébrations. On accourt au sacrifice de Mithra pour mériter sa part de festin ; on cherche à l'heure de la sieste un coin d'ombre dans les jardins d'Ishtar ; et, en fin de journée, on vient rôder autour du sanctuaire de Nanaï pour guetter l'arrivée des caravanes ; c'est auprès de la Grande Déesse que les voyageurs trouvent étape pour la nuit. Les prêtres les accueillent, leur offrent l'eau parfumée, puis les invitent à s'incliner devant la statue de leur bienfaitrice. Ceux qui viennent de loin peuvent donner à Nanaï le nom d'une divinité familière, les Grecs l'appellent parfois Aphrodite, les Perses Anahita, les Egyptiens Isis, les Romains Vénus, les Arabes Allat, pour chacun elle est mère nourricière, et son sein généreux sent la chaude terre rouge qu'irrigue le fleuve éternel.

Non loin de là, sur la colline qui domine le pont de Séleucie, se dresse le temple de Nabu. Dieu de la connaissance, dieu de la chose écrite, il veille sur les sciences occultes et patentes. Son emblème est un stylet, ses prêtres sont médecins et astrologues, ses

8

fidèles déposent à ses pieds tablettes, livres ou parchemins, qu'il agrée plus que toute autre offrande. Aux jours glorieux de Babylone, le nom de ce dieu précédait celui des souverains, qui s'appelaient ainsi Nabunassar, Nabupolassar, Nabuchodonosor. Aujourd'hui, seuls les lettrés hantent le temple de Nabu, le peuple préfère le vénérer à distance ; quand on passe devant son portique en se rendant auprès d'autres divinités, on presse le pas, on risque vers le sanctuaire des regards mal assurés. Car Nabu, dieu des scribes, est également le scribe des dieux, qui seul a charge d'inscrire dans le livre de l'éternité les faits passés et à venir. Certains vieillards, en longeant le mur ocre du temple, se voilent précipitamment la face. Peut-être Nabu a-t-il oublié qu'ils sont encore en ce monde, pourquoi le lui rappeler ?

Les lettrés se rient des frayeurs de la multitude. Eux qui chérissent le savoir plus que la puissance ou la richesse, plus même que le bonheur, ils se flattent de vénérer Nabu plus que tout autre dieu. Le mercredi, jour consacré à leur idole, ils se réunissent dans l'enceinte du temple. Copistes, négociants ou fonctionnaires royaux, ils forment de petits cercles animés et diserts qui déambulent, chacun selon ses habitudes. Les uns empruntent l'allée centrale, contournent le sanctuaire, pour aboutir au bassin ovale où nagent les poissons sacrés. Les autres préfèrent l'allée latérale, mieux ombragée, qui mène à l'enclos où sont retenus les animaux du sacrifice. D'ordinaire, gazelles, agneaux, paons et chevreaux sont lâchés dans les jardins ; seuls restent enfermés quelques taureaux et deux loups captifs ; mais, à la veille des cérémonies, les esclaves rattachés au temple rassemblent les bêtes pour dégager les allées et prévenir tout braconnage.

Parmi les promeneurs du mercredi, on reconnaît aisément Pattig. Ses jambes qui s'enfilent dans un fuseau de soie verte, plissé à la mode persane, ses maigres bras qui voltigent sous cape de brocart et, surplombant cette silhouette frêle, ainsi drapée de couleurs vives, une tête qui semble volée à quelque statue de géant : barbe brune abondante, bouclée comme une grappe, chevelure épaisse et bouffante retenue au front par un bandeau de serge brodé à l'insigne de sa caste, celle des guerriers. Ce n'est pourtant qu'une survivance, car Pattig n'exerce plus ni la guerre ni la chasse. Dans ses yeux, toute violence s'est éteinte, et un tremblement agite constamment ses lèvres, comme si une question longtemps contenue s'apprêtait à jaillir.

Bien qu'il ait dix-huit ans à peine, ce fils de la haute noblesse parthe serait entouré d'une infinie considération s'il ne portait dans le regard une candeur enfantine qui le dépouille de toute majesté. Comment ne pas accueillir avec des sourires condescendants celui qui fait irruption devant un inconnu et se présente en ces termes : « Je suis un chercheur de vérité ! » ?

C'est précisément avec ces mots que, ce mercredi, Pattig s'est adressé à un personnage tout habillé de blanc qui se tient à l'écart, incliné au-dessus du bassin ovale, portant à la main une longue canne étranglée de nœuds et surmontée d'un pommeau en traverse qu'il tapote d'un mouvement protecteur.

— Chercheur de vérité, reprend l'homme sans moquerie apparente. Comment ne pas l'être en ce siècle où tant de dévotion côtoie tant d'incroyance !

Le jeune Parthe se sent en terre amie.

— Mon nom est Pattig. Je suis originaire d'Ecbatane.

— Et moi Sittaï, de Palmyre.

— Ton habit n'est pas celui des gens de ta ville.

— Tes propos ne sont pas ceux des gens de ta caste.

L'homme a accompagné sa réplique d'un geste d'agacement. Pattig, qui n'a rien remarqué, poursuit :

— Palmyre ! Est-il vrai qu'on y a érigé un sanctuaire sans statue, dédié « au dieu inconnu » ?

L'autre laisse s'écouler un long moment, avant de répondre avec une lassitude appuyée :

— On le dit.

— Ainsi, tu n'aurais jamais visité ce lieu ! Il y a longtemps, sans doute, que tu as quitté ta ville.

Mais le Palmyrénien se contente d'un raclement de gorge. Ses traits se sont durcis, il regarde au loin comme pour discerner un ami retardataire, et Pattig n'insiste plus. Il souffle un mot d'adieu et rejoint le cercle le plus proche, tout en continuant du coin de l'œil à surveiller l'homme.

Celui qui s'est nommé Sittaï est toujours à la même place, seul, jouant avec sa canne. Lorsqu'on lui offre une coupe de vin, il la prend, en hume le parfum, fait mine de la porter à ses lèvres, mais, remarque Pattig, dès que le serviteur s'est détourné, il verse la boisson au pied d'un arbre jusqu'à la dernière goutte ; quand on lui présente une brochette de sauterelles grillées, l'attitude est la même : il commence par refuser et, puisqu'on insiste, il en prend une, la laisse bientôt tomber derrière lui, puis d'un coup de talon l'enfonce dans le sol, avant de se pencher au-dessus du bassin pour se rincer les doigts.

Absorbé par ce spectacle, Pattig n'écoute plus ses interlocuteurs qui, irrités, s'écartent de lui. Seule le distrait la voix d'un jeune prêtre venant clamer que la cérémonie va commencer et invitant les fidèles à se hâter vers le grand escalier qui mène au sanctuaire. Certains ont encore à la main une coupe ou un rhyton,

11

ils devisent en marchant, mais leurs pas bientôt s'accélèrent, nul ne voudrait manquer les premiers moments de la célébration.

Pas aujourd'hui, surtout. Une rumeur s'est en effet répandue, d'après laquelle Nabu se serait agité la veille sur son assise, signe manifeste de son désir de se mouvoir. On aurait même vu des gouttes de sueur grossir sur ses tempes, son front, sa barbe, et le Grand Prêtre lui aurait promis à genoux d'organiser une procession ce mercredi au coucher du soleil. Selon une antique tradition, Nabu conduit lui-même ses cortèges ; les prêtres se contentent de le porter à bout de bras, très haut au-dessus de leurs têtes, et le dieu, par d'imperceptibles poussées, leur indique la direction à prendre. C'est parfois une danse qu'il leur fait exécuter, parfois un long trajet rectiligne qui les mène en un lieu où il exige qu'on le dépose. Ses moindres mouvements sont autant d'oracles que les devins tonsurés se font fort d'interpréter ; car l'idole parle de récoltes, de guerres, d'épidémies, adressant parfois à tel ou tel personnage des signes de joie ou de mort.

Tandis que les fidèles pénètrent par groupes dans le sanctuaire, et que se gonfle déjà le chant des officiants, Sittaï, demeuré seul au-dehors, arpente le parvis qui mène du grand escalier à la porte orientale.

Le soleil n'est plus qu'une crête de brique ardente, loin au-delà du Tigre, les porteurs de torches font arc autour de l'autel, les prêtres encensent la statue de Nabu, les chantres récitent une incantation, s'accompagnant d'une timbale monotone :

Nabu, fils de Mardouk, nous attendons tes paroles !
De toutes les contrées, nous sommes venus te
                                        [contempler !
Quand nous demandons, c'est toi qui réponds !

12

Quand nous cherchons refuge, c'est toi qui protèges !
Tu es celui qui sait, tu es celui qui dit !
Qui plus que toi mérite d'être suivi ?
Qui plus que toi mérite nos offrandes ?
Nabu, fils de Mardouk, planète resplendissante,
Ta place est grande parmi les dieux.

Nabu sourit à la lueur tremblante des torches, ses yeux semblent couver l'affluence des fidèles. Il trône debout, sa barbe s'allonge jusqu'au milieu de sa poitrine qu'enserre un corset moulant, sa tunique de bois veinulé s'évase, formant socle. Six prêtres s'approchent, déplacent la statue, l'installent sur une civière en bois qu'ils hissent sur leurs épaules, puis haut au-dessus de leurs têtes. Tandis que le cortège se forme, le dieu s'élève à chaque pas, jusqu'à flotter dans les airs. Ses porteurs le trouvent bien léger, leurs mains tendues l'effleurent à peine, il semble voltiger au-dessus de la foule qui se presse avec des cris d'extase. Les porteurs tournent sur eux-mêmes, puis dessinent un cercle plus large avant de cingler vers la sortie. Les fidèles s'écartent.

Maintenant le cortège est dehors, sur le petit parvis. Le dieu effectue une courte danse autour du puits des eaux lustrales et s'élance vers l'escalier. C'est alors qu'un premier prêtre trébuche, s'évertue à retrouver l'équilibre, avant que le suivant ne tournoie à son tour et ne s'affale. Lâchée, la statue semble bondir vers l'escalier monumental qu'elle dévale en sautillant, suivie des yeux par la foule pétrifiée.

Tout guerrier, tout Parthe qu'il est, Pattig ne peut retenir ses larmes. Ce n'est pas le funeste présage qui l'accable. Pour lui il s'agit d'autre chose, c'est sa ferveur qui a été insultée. Il a voulu croire en Nabu, il éprouvait le besoin de le contempler, semaine après semaine, massif sur son trône, infaillible, sans âge, souriant du déclin des empires, se jouant des calamités. Et brusquement cette chute !

Cependant, une idée surgit qui l'empêche de s'abandonner aux lamentations. Mettant genou à terre sur le lieu du drame, il n'a aucun mal à repérer, plantée entre deux dalles de marbre, l'extrémité d'un bâton. Il l'extirpe. L'examine. A n'en pas douter, le bout supérieur en a été scié. « Maudit Palmyrénien ! » murmure Pattig qui revoit Sittaï se promenant sur le parvis, s'immobilisant et plantant sa canne dans le sol, avant de la tordre et de l'arracher d'un geste brusque, comme on le ferait d'une mauvaise herbe. Pattig se redresse, il cherche des yeux, alentour, l'homme aux vêtements blancs. En vain. « Maudit Palmyrénien ! » gronde-t-il encore, tenté de hurler « au meurtrier », « au déicide », de lancer la foule échauffée à la poursuite du sacrilège.

Mais voici les prêtres qui remontent, portant avec d'inutiles précautions les morceaux brisés de la statue, un morceau de bras encore soudé à l'épaule, une touffe de barbe accrochée à un lobe d'oreille. La colère de Pattig s'est muée en une tristesse résignée. Il en veut presque à Nabu d'offrir un tel spectacle. Et il s'éloigne, prêt à errer jusqu'à l'aube dans les sentiers du temple. D'instinct ses pas retrouvent le chemin du bassin ovale. De ses yeux encore embués, il regarde vers l'endroit où le maudit homme se tenait.

Il est là, Sittaï. Sur la même dalle. Dans la même posture. Toujours aussi blanc de la coiffe aux sandales. Sa main tapote le pommeau d'une canne singulièrement raccourcie. Pattig vient se planter devant lui, il le saisit par la tunique, le secoue.

— Malheur à toi, Palmyrénien ! Pourquoi as-tu fait cela ?

L'homme ne laisse transparaître ni surprise ni inquiétude, il ne cherche pas à se dégager. Son débit est calme et sûr.

— Si Nabu a vraiment guidé les pas de ses prêtres, c'est donc lui qui les a fait trébucher. Ou bien ignorait-il, malgré son omniscience, que j'avais brisé ma canne en cet endroit ?

— Pourquoi en veux-tu au dieu Nabu ? T'aurait-il puni de quelque façon ? Aurait-il refusé de sauver un fils malade ?

— En vouloir à cette poutre sculptée ? Elle ne peut ni affliger ni guérir. Que pourrait Nabu pour toi ou moi s'il ne peut rien pour lui-même ?

— Voilà maintenant que tu blasphèmes. Ne respectes-tu pas la divinité ?

— Le dieu que j'adore ne tombe pas, ne se fracasse pas, il ne craint ni ma canne ni mes sarcasmes. Lui seul mérite une ferveur comme la tienne.

— Quel nom porte-t-il ?

— C'est lui qui donne leurs noms aux êtres et aux choses.

— Est-ce pour lui que tu as brisé la statue ?

— Non, c'est pour toi, homme d'Ecbatane. Toi qui cherches la vérité, l'attends-tu encore de la bouche de Nabu ?

Pattig lâche prise et va s'asseoir au bord du bassin, l'air absent. Déjà vaincu. Sittaï s'avance vers lui et pose la paume de sa main à plat sur sa tête. Geste de possession qu'accompagnent ces mots :

— La vérité est une maîtresse exigeante, Pattig, elle ne tolère aucune infidélité, toute ta dévotion lui est due, tous les moments de ta vie sont à elle. Est-ce bien la vérité que tu cherches ?

— Rien d'autre !

— La désires-tu au point de tout quitter pour elle ?

— Tout.

— Et si c'est à toi qu'on demandait demain de briser une idole, le ferais-tu ?

Pattig sursaute, se ravise.

— Pourquoi m'en prendrais-je à Nabu ? Dans ce temple on m'a accueilli comme un frère, j'ai partagé leur vin et leurs quartiers de viande. Et quelquefois, autour de ce bassin, des femmes m'ont ouvert les bras.

— A compter de ce jour, tu ne boiras plus de vin, tu ne mangeras plus de viande, tu n'approcheras plus aucune femme !

— Aucune femme ? J'ai laissé une épouse dans mon village de Mardinu !

C'est une supplication, Pattig a les idées en déroute. Mais Sittaï ne lui laisse aucun répit :

— Tu devras la quitter.

— Elle doit accoucher dans quelques semaines. J'ai hâte de contempler mon premier enfant ! Quel père serais-je si je les abandonnais ?

— Si c'est bien la vérité que tu cherches, Pattig, tu ne la trouveras pas dans l'étreinte d'une femme, ni dans les vagissements d'un nouveau-né. Je te l'ai dit, la vérité est exigeante ; la désires-tu encore, ou as-tu déjà renoncé ?

*
**

Lorsque Mariam, courant jusqu'au chemin haut à sa rencontre, se jette à son cou, haletante, et qu'il la repousse froidement des deux mains, elle se dit que, par pudeur, son mari ne veut pas que l'étranger qui l'accompagne soit témoin de leurs effusions.

Elle est bien un peu froissée, tout de même. Mais elle se garde de le montrer et fait porter aux deux hommes bacs d'eau et serviettes pour qu'ils puissent laver la

16

poussière des routes. Elle-même s'est éclipsée à la faveur d'une tenture. Quand elle réapparaît, une heure plus tard, c'est un vrai festin qu'elle convoie vers la terrasse. Tandis qu'elle s'avance, portant les prémices, deux coupes du meilleur vin du sol de Mardinu, un serviteur la suit, les bras encombrés d'un vaste plateau de cuivre où se superposent plats et terrines. Tout entier à l'écoute de l'homme en blanc qui lui parle à mi-voix, Pattig ne les a pas entendus s'approcher.

Mariam fait signe au serviteur de ne faire aucun bruit en alignant les mets sur la table basse. Si deux plats s'entrechoquent, elle esquisse une grimace ; mais, l'instant d'après, elle se rassure au spectacle de ces gâteries dont Pattig est friand, jaunes d'œufs durs couronnés d'une goutte de miel, lamelles de faisan à la purée de dattes. Les jours où son homme se rend à Ctésiphon, c'est ainsi qu'elle s'occupe, s'ingéniant à lui préparer les mets les plus savoureux ; de la sorte, il aura toujours hâte de revenir, et s'il est avec des amis, plutôt que d'aller s'oublier dans quelque taverne, il les ramènera fièrement chez lui, sûr qu'ils y seront mieux traités que les commensaux d'un roi.

Après un dernier coup d'œil pour vérifier que tout est en place, Mariam va s'asseoir sur un coussin à l'autre bout de la pièce. Quand son mari est seul, elle dîne parfois avec lui ; jamais quand il a des invités. Mais elle ne s'éloigne guère, soucieuse de vérifier à chaque instant que les convives ne manquent de rien.

S'étirent quelques longues minutes. Tout à leur bavardage, Pattig et Sittaï n'ont pas encore tendu la main vers la table. Ont-ils seulement remarqué le festin qui s'offre à eux, en ont-ils senti le fumet qui emplit la terrasse ? Mariam se désole en silence. Même s'ils se sont arrêtés en route pour se restaurer, ils devraient au moins, et par pure politesse, prendre une boulette, une olive, une petite gorgée de ces coupes qu'elle a placées juste devant eux.

Mais voici que l'invité sort de sous sa tunique une espèce d'écharpe, qu'il l'étale sur ses genoux, en retire un pain brunâtre qu'il brise et dont il porte un morceau à sa bouche. Mariam en oublie de respirer. Ainsi, cet individu négligerait tout ce qu'elle a préparé pour mâchonner un vulgaire bout de pain ! D'autant que ce n'est pas fini. Voilà qu'il déroule davantage l'écharpe, en sort deux petits concombres rabougris et les trempe dans une carafe d'eau avant d'en donner un à son hôte. Pattig, visiblement embarrassé, garde le légume en main, mais le Palmyrénien croque ostensiblement le sien.

N'y tenant plus, Mariam s'avance vers l'étrange personnage.

— Y a-t-il dans ce repas quelque chose qui incommode notre invité ?

L'homme ne dit rien. Son regard s'évade. Et c'est Pattig qui intervient :

— Notre visiteur ne peut manger de cette nourriture.

Mariam contemple la table avec désolation.

— De quelle nourriture parles-tu ? Il y a là tant de choses différentes. Des plats cuits à l'huile, d'autres à la graisse, d'autres grillés ou bouillis, des viandes, des légumes crus, et même des concombres. Notre invité ne peut-il toucher à rien de tout cela ?

— N'insiste pas, Mariam, va-t'en, tu importunes notre visiteur.

— Et toi, Pattig, n'as-tu pas faim après la route ?

D'un mouvement de la main, son mari reproduit ce même geste d'éloignement qu'il a eu à son arrivée. Avant d'ajouter :

— Emporte tout cela, Mariam, ni lui ni moi n'avons

18

faim, nous ne désirons aucune nourriture. Ne peux-tu donc nous laisser seuls ?

Elle n'a pas attendu de quitter la pièce pour éclater en sanglots. Elle court vers sa chambre en retenant son ventre comme s'il allait rouler à ses pieds. La vieille Utakim, sa servante, sa seule amie, qui s'est empressée de la rejoindre, la trouve assise à terre, hébétée, le souffle chaud et geignant.

— C'est donc vrai ce que l'on dit des hommes, il suffit d'un maléfice, d'une rencontre, d'un élixir, pour que leur amour s'en vienne, pour que leur amour s'en aille !

Utakim a vu naître Mariam. Quand sa mère est morte en couches c'est elle qui l'a allaitée, et la veille de ses noces c'est elle qui l'a habillée et fardée. Qui mieux qu'elle saurait la consoler ?

— Tu le connais, ton homme, dès qu'une idée le préoccupe, il en oublie de manger, il se met à pâlir, à maigrir, on le croirait amoureux. Ne sais-tu pas qu'il est ainsi ? Aujourd'hui, il a ce visiteur, il se nourrit de ses mots, demain il l'aura oublié, il sera redevenu un amant insistant, un père impatient. C'est ainsi qu'il a toujours été, c'est ainsi que tu l'as aimé.

— Ses yeux, Utakim, tu n'as pas vu ses yeux ! D'habitude, il me suffit de les croiser un instant pour oublier douleurs et inquiétudes. Si ses yeux m'avaient parlé, j'aurais négligé les mots de ses lèvres et les gestes de ses mains. Mais ses yeux ne m'ont rien dit, ce soir.

Utakim la reprend, désinvolte :

— Ne sais-tu pas qu'un homme n'est jamais tendre en présence d'un étranger ? Bientôt le visiteur ira dormir et notre maître viendra te retrouver. Allons, laisse-moi défaire tes tresses !

Mariam s'abandonne aux mains qui n'ont cessé de la

bercer. La nuit tombe déjà, et son homme viendra. Jamais par le passé il n'a déserté son flanc. Elle s'est couchée, la tête sur un coussin, les pieds nus sur un autre, plus élevé. Utakim s'est assise du bout des fesses sur un coffre de chevet, elle retient les doigts de sa maîtresse, qu'elle caresse lentement et porte parfois à ses lèvres. De son regard aimant elle embrasse le visage rosâtre qu'encadre la chevelure aux reflets mauves. Elle voudrait lui dire : « Je te connais bien, Mariam. Tu as les mains lisses des filles de rois, et le cœur fragile de celles qu'un père a trop aimées. Enfant, on t'a entourée de jouets ; nubile, on t'a couverte de bijoux et donnée à l'homme de ton choix. Puis tu es venue vivre sur cette terre d'abondance, ton mari t'a prise par la main. Comme au premier jour, vous marchez ensemble dans les vergers qui vous appartiennent, chaque saison il y a mille fruits à cueillir. Et ton ventre porte déjà l'enfant. Pauvre fillette, tu vis si heureuse, et depuis si long-temps, qu'il te suffit de soupçonner dans les yeux de ton homme la moindre absence, l'éloignement le plus passager, pour que tu perdes pied et qu'autour de toi le monde s'assombrisse. »

Utakim redessine des deux pouces les sourcils moites de celle qui sera toujours, pour elle, une fillette. Et Mariam, qui commençait à s'assoupir, rouvre les yeux et implore la servante, qui va aux nouvelles.

— Ils parlent, ils n'arrêtent pas de parler. Ou plutôt, c'est le visiteur qui disserte, et notre maître évite de l'interrompre.

Si sa tête avait été moins embrumée, Mariam aurait décelé dans la voix d'Utakim le tremblement du mensonge. Celle-ci a bien entendu les bruits d'une conversation, mais les deux hommes ne sont plus sur la terrasse, et Pattig a fait étendre une natte dans la chambre des invités pour y passer la nuit.

A son tour, Utakim s'inquiète à en perdre le sommeil, mais elle fait semblant de dormir, une vieille ruse de nourrice qui agissait à merveille sur Mariam enfant, et qui demeure efficace. Il est vrai que, toute épouse et future mère qu'elle soit, sa maîtresse n'a guère plus de quatorze ans. Très vite sa respiration se fait plus lente, plus régulière, même si un hoquet vient rappeler de temps à autre que la fillette s'est endormie inconsolée.

Sur le mur, la lampe achève de consumer son huile quand Mariam se redresse d'un bond.

— Mon fils ! On m'a pris mon fils !

Elle hurle et s'agrippe rageusement aux draps. Utakim la retient fermement par les épaules.

— Tu as fait un cauchemar, Mariam ! Personne n'a pris ton enfant, il est là, dans ton ventre, bien à l'abri, et nous ne savons toujours pas s'il sera fils ou fille.

Mariam ne s'apaise pas.

— Un ange m'est apparu, il volait et bourdonnait comme une énorme libellule, puis il s'est posé devant moi. Au moment où j'ai voulu fuir, il m'a dit de ne pas avoir peur, et d'ailleurs il avait l'air si doux que je l'ai laissé m'approcher. Quand soudain, en un éclair, il a tendu des mains griffues comme des serres, happé l'enfant de mes entrailles pour s'envoler avec lui vers le ciel, si haut que je ne les ai bientôt plus discernés.

Utakim ne trouve plus les mots qui consolent. Elle sait qu'un songe n'est jamais innocent et se promet d'aller interroger sur son présage les anciens du pays.

Par une lucarne grillagée entre la première clarté du jour. Mariam sanglote. Son homme n'est pas venu. La servante se lève, et d'un pas rageur pénètre dans la chambre des invités. Sittaï, déjà réveillé, prie à genoux ; Pattig dort. Elle le secoue, simulant l'affolement :

— Ma maîtresse se sent mal ! Elle a besoin de toi !

Le visage encore brouillé par le sommeil, Pattig accourt auprès de l'épouse qui, en le voyant, s'abandonne aux gémissements.

— J'ai fait un songe effrayant, je t'ai appelé, et tu n'es pas venu.

— Je n'ai rien entendu.

— Pourquoi es-tu si lointain, Pattig ? Pourquoi me fuis-tu ?

Si, dans la spontanéité du réveil, il s'était précipité au chevet de sa femme, en retrouvant ses esprits Pattig a retrouvé toute sa froideur de la veille. Visiblement mal à l'aise dans la chambre de Mariam, le voilà qui soudain évite de s'asseoir sur le lit, son propre lit nuptial, le voilà incapable de détacher son regard de la porte comme s'il craignait de voir arriver son censeur. Et aux reproches de son épouse, il se durcit.

— Quand on reçoit un visiteur, déclare-t-il, on doit rester à ses côtés, ignores-tu cela ?

— Qui est cet homme ? Il me fait peur.

— Il te ferait moins peur si tu étais capable de recevoir ses paroles de sagesse.

— De quelles paroles s'agit-il ? Cet homme ne m'a pas parlé une seule fois !

— Ce qu'il dit, une femme ne peut le comprendre.

— Que dit-il de si important ?

— Il me parle de son dieu, le dieu unique, il a promis de me conduire vers lui. Mais je dois le mériter, expier mes années d'idolâtrie. Je ne mangerai plus la nourriture des impies, je ne boirai plus de vin, plus jamais je ne m'étendrai aux côtés d'une femme. Ni toi, ni aucune autre.

— Je ne suis ni un aliment, ni une boisson ! Je suis la mère de ton enfant. Ne disais-tu pas aussi que j'étais ta compagne, ton amie ? Dois-tu également quitter tous les humains pour vivre comme un ermite ?

— Je vivrai dans une communauté de croyants où il n'y a que des hommes. Aucune femme n'y est admise.

— Même ton épouse ?

— Même toi, Mariam. C'est un dieu exigeant.

— Quel est donc ce dieu jaloux d'une femme ?

— Ce dieu est mon dieu et, si tu veux blasphémer, je sortirai d'ici à l'instant et tu ne me reverras plus !

— Pardonne-moi, Pattig.

Ses chaudes larmes d'enfant coulent en silence, son esprit est vide de toute attente, elle pose timidement le front sur le bras de l'homme, doucement, sans appuyer, se faisant aussi légère qu'une mèche de ses cheveux. Revivra-t-elle jamais avec l'époux ces moments de paix où la chaleur est fraîcheur, où la moiteur est parfum, où l'éveil est oubli. D'une main encore maladroite, mais déjà attendrie, Pattig lui effleure la chevelure ; dans le silence et la pénombre, il retrouve les gestes d'affection qui lui sont naturels ; de ses yeux aussi quelques larmes s'échappent.

Cependant qu'à travers la porte laissée ouverte s'engouffre la voix de Sittaï qui, sa prière achevée, réclame son hôte.

— Pattig ! appelle-t-il, il nous faut partir, la route est encore longue.

L'époux ne devrait-il pas maudire le gêneur ? Non, c'est Mariam qu'il repousse avec brusquerie. Déjà il court, sans plus se retourner.

PREMIÈRE PARTIE

La palmeraie
des Vêtements-Blancs

*Au milieu de ces hommes
j'ai cheminé avec sagesse et ruse...*

Mani

I

L'enfant que Mariam attendait, c'était Mani.

On dit qu'il est né en l'an 527 des astronomes de Babel, le huitième jour du mois de Nissan — pour l'ère chrétienne le 14 avril 216, un dimanche. A Ctésiphon trônait Artaban, le dernier souverain parthe, et à Rome sévissait Caracalla.

Son père était déjà parti. Pas si loin par la route, mais vers un monde étrange et clos. En aval de Mardinu, à deux journées de marche le long du grand canal creusé par les anciens à l'est du Tigre, se trouvait la palmeraie sur laquelle Sittaï régnait en maître et guide. Ils y vivaient une soixantaine, hommes de tous âges, de toutes origines, hommes aux rites outranciers que l'histoire aurait négligés si leur chemin n'avait un jour croisé celui de Mani. A l'imitation d'autres communautés apparues en ce temps-là au bord du Tigre, et aussi de l'Oronte, de l'Euphrate ou du Jourdain, ils se proclamaient à la fois chrétiens et juifs, mais les seuls vrais chrétiens et les seuls vrais juifs. Ils prédisaient aussi que la fin du monde était proche ; nul doute qu'un certain monde se mourait…

Dans la langue du pays, ils se nommaient « Hallé Hewaré », des mots araméens qui veulent dire « Vêtements-Blancs ».

Ces hommes avaient choisi le voisinage de l'eau, ils en attendaient pureté et salut, invoquaient Jean-Baptiste et Adam, Jésus de Nazareth et Thomas qu'ils disaient son jumeau, et plus que tous un obscur prophète du nom d'Elchasaï, dont ils tenaient leur livre saint et leur enseignement : « Hommes, méfiez-vous du feu, il n'est que déception et tromperie, vous le voyez proche alors qu'il est loin, vous le voyez loin alors qu'il est proche, le feu est magie et alchimie, il est sang et torture. Ne vous assemblez pas autour des autels où s'élève le feu des sacrifices, éloignez-vous de ceux qui égorgent les créatures en croyant faire plaisir au Créateur, séparez-vous de ceux qui immolent et qui tuent. Fuyez l'apparence du feu, suivez plutôt la voie de l'eau, tout ce qu'elle touche retrouve sa pureté première, c'est de l'eau que naît toute vie. Si l'un de vous est mordu par quelque bête malfaisante, qu'il se hâte vers le cours d'eau le plus proche, qu'il s'y plonge en invoquant avec confiance le nom du Très-Haut ; si l'un de vous est malade, qu'il se trempe sept fois dans la rivière, la fièvre se dispersera dans la fraîcheur de l'eau. »

Le lendemain de son arrivée dans la palmeraie, Pattig avait été conduit en cortège vers le chapiteau des baptêmes. La communauté entière l'accompagnait. Il y avait là quelques rares enfants, quelques têtes chenues, mais pour la plupart, ils semblaient avoir entre vingt et trente ans. Chacun s'était approché du nouveau venu pour le dévisager et psalmodier à son endroit un fragment de prière.

Sur un signe de Sittaï, Pattig s'était alors engagé tout habillé dans l'eau du canal, y pénétrant jusqu'au front, puis, se redressant, avait quitté un à un ses vêtements, parures du temps de l'impiété dont il s'était défait avec dégoût, attendant qu'un courant docile les emporte. Tandis qu'un chant s'élevait, le jeune homme, qui s'était retrouvé maigre et nu parmi tant d'yeux scrutateurs, cherchait de ses deux mains frissonnantes à se couvrir. Car si le soleil du printemps était déjà chaud, l'eau du Tigre gardait encore frais le souvenir des neiges du Taurus.

Mais ce n'était qu'une première épreuve. Il fallait dans le canal se plonger une deuxième fois, puis se laisser tondre la barbe et les cheveux avant qu'on ne vous enfonce la tête une ultime fois sous la surface de l'eau, pendant que retentissaient ces mots : « L'homme ancien vient de mourir, l'homme nouveau vient de naître, trois fois baptisé dans l'eau purificatrice. Sois le bienvenu parmi tes frères. Et tant que tu vivras, garde ceci en mémoire : notre communauté est comme l'olivier. L'ignorant cueille son fruit, y mord ; le trouvant amer, il le jette au loin. Mais ce même fruit, cueilli par l'initié, mûri et soigné, révélera un goût exquis, et fournira, de plus, huile et lumière. Telle est notre religion. Si tu perds courage au premier goût d'amertume, tu n'atteindras jamais le Salut. »

Pattig avait écouté avec contrition, passé la main sans regret dans ses cheveux ras et sur son reste de barbe, s'était promis de tourner le dos à sa vie passée et de se plier sans un frémissement de doute aux règles de la communauté. Il savait pourtant que, dans la palmeraie, le temps n'était qu'un chapelet de contraintes. D'abord la prière, le chant et les actes rituels, baptêmes quotidiens, furtifs ou solennels, aspersions et ablutions diverses, la moindre souillure réelle ou soupçonnée étant prétexte à des purifications renouvelées ; puis venait l'étude des textes saints, l'Evangile selon Thomas, l'Evangile selon Philippe, ou l'Apocalypse de Pierre, cent fois relus et commentés par Sittaï, inlassablement copiés par ceux des « frères » qui se distinguaient par la plus adroite calligraphie ; à ces obligations, qui flattaient la ferveur de Pattig et son insatiable curiosité, s'en ajoutaient d'autres qui n'étaient nullement de son goût.

Les Vêtements-Blancs se vantaient, en effet, d'avoir les terres les mieux entretenues et les plus fécondes du voisinage, elles leur prodiguaient leur nourriture, ainsi qu'un surplus abondant qu'ils allaient vendre dans les localités environnantes. Cette dernière activité, Pattig l'avait en horreur : partir de bon matin avec un chargement de melons ou de courges, étaler sa marchandise sur la place d'un village, attendre au soleil quelque client teigneux, essuyer mille quolibets... Comment ce fils de la noblesse parthe pouvait-il le supporter ? Il s'en ouvrit un jour à Sittaï, mais la réponse de celui-ci fut sans appel : « Je sais que tu aimes la prière et l'étude, tu y trouves ton plaisir. Le travail des champs et la vente de nos fruits au village sont les seules activités que tu t'imposes pour le plaisir du Très-Haut, et tu voudrais en être dispensé ? » La question était entendue. Pendant de longues années, Pattig s'épuiserait à labourer les champs de la communauté, alors qu'à deux étapes de là, au bord de ce même canal, ses propres paysans labouraient les terres qui lui appartenaient mais dont il avait renoncé à se nourrir.

Car les Vêtements-Blancs se pliaient à de strictes observances alimentaires ; non contents de s'interdire la viande et les boissons fermentées, et de se livrer à des jeûnes fréquents, ils ne portaient jamais à la bouche ce qui venait de l'extérieur. Ils ne mangeaient que le pain sans levain sorti de leur four, quiconque rompait du pain grec était à leurs yeux impie. De la même manière, ils ne consommaient que les fruits et légumes produits par leur terre, parlant à leur sujet de « plantes mâles », tout ce qui était cultivé ailleurs étant dit « plante femelle » et défendu aux membres de la secte.

Pourquoi s'étonner d'une telle appellation ? Ce qui est femelle est interdit, ce qui est interdit est femelle, il y avait là pour ces hommes une équivalence parfaite. Dans les sermons de Sittaï, ce mot revenait sans arrêt, dans le sens de « néfaste », « diabolique », « trouble », ou « périlleux pour l'âme ». Lui-même évitait de nommer les femmes des Ecritures, sinon pour illustrer la calamité dont elles avaient pu être cause. Il évoquait volontiers Eve et Bethsabée et surtout Salomé, mais rarement Sarah, Marie ou Rebecca. Pattig apprit très tôt qu'à la palmeraie il était mal venu de mentionner son épouse ou sa mère ; même le mot « naissance » n'était convenable que si l'on parlait du baptême ou de l'entrée dans la communauté ; sinon, il valait mieux dire « venue ». Prohiber le mariage était pourtant inusité dans les communautés du fil de l'eau ; Jean Baptiste n'avait-il pas pris femme ? Mais Sittaï avait voulu établir une règle plus rigoureuse dont ses adeptes s'enorgueillissaient : quand, pour atteindre le Ciel, on a choisi la voie étroite, le plus méritant n'est-il pas celui qui souffre le plus et s'abstient et se prive ?

C'est pourquoi Pattig ne chercha même pas à savoir si Mariam avait accouché en son absence, et de quel enfant il était désormais père. Comment demander à Sittaï la permission de se rendre auprès du nouveau-né sans lui donner à croire qu'il avait des remords, des hésitations, ou qu'il songeait à renouer avec sa vie antérieure ? Alors il se résigna, sa curiosité s'étiola, il finit par ne plus y penser, ou si peu.

Aussi, quelle ne fut sa surprise quand Sittaï lui-même, au bout de quelques mois, lui ordonna de se rendre chez les siens :

— Si c'est une fille qui est venue au monde, qu'elle

reste avec sa mère ; mais si c'est un garçon, sa place est parmi nous, tu ne peux le laisser pour toujours entre des mains impures.

Pattig prit la route de Mardinu, chaperonné, il est vrai, par deux « frères ».

Arrivé devant sa maison, il s'immobilisa à l'extérieur de la grille pour crier :

— Utakim !

La servante, qui sortit pieds nus, un lange à la main, dut approcher le visiteur de près pour reconnaître sa tête, tondue et comme réduite. Pattig se laissait dévisager.

— Dis-moi, Utakim, ta maîtresse a-t-elle accouché ?

— Tu ne voudrais pas que pendant treize mois elle reste enceinte !

Les compagnons de Pattig sourirent. Lui-même se contentait de poser ses questions :

— Est-ce un garçon ?

— Oui, un gros garçon affamé et braillard.

A l'évocation du nouveau-né, le visage de la servante s'éclaira d'une jovialité soudaine que Pattig ne daigna pas remarquer.

— Lui a-t-on donné un nom ?

— Il s'appelle Mani, comme tu l'avais décidé.

— Dis à ta maîtresse que je viendrai prendre mon fils dès qu'il sera sevré.

Son message délivré, il se retournait pour partir avec des gestes de somnambule quand Utakim hurla :

— Sais-tu seulement si ma maîtresse a survécu ?

L'effet fut immédiat. Il sursauta, revint sur ses pas, visiblement contrarié de ne pouvoir achever sa mission comme il l'avait projeté ; il lui fallut faire effort sur lui-même pour articuler :

— Mariam se porte-t-elle bien ?

32

Ce fut alors au tour d'Utakim de se détourner, la mine soudain accablée. Sans un mot de plus, elle se dirigea d'un pas pesant vers la maison, tandis que Pattig s'agitait, l'appelait, la sommait de s'arrêter, de lui répondre. Mais la servante était devenue sourde. Lui hésita, consulta du regard ses deux compagnons qui, s'inquiétant de la tournure des événements, lui conseillèrent de s'en aller. Mais comment le pouvait-il ? il lui fallait savoir ce qu'il en était. Il franchit la clôture, se précipita vers la maison comme si elle était redevenue sienne.

A cet instant, Mariam, qui s'activait dans le potager, derrière les cuisines, accourut, la main en porte-voix ; Utakim, affolée, avec des gestes désespérés lui fit signe de se taire, de disparaître. Elle aurait voulu que Pattig pénétrât dans la maison, qu'il échappât un moment à ses gardes, mais Mariam ne la vit pas. Déjà elle criait le nom de son mari qu'elle croyait revenu. Déjà, rassuré de la savoir en vie et n'en demandant pas plus, il se sauvait pour rejoindre ses « frères ».

Tous trois s'éloignèrent en ramassant les pans de leurs trois robes blanches. Mariam sut qu'elle ne pourrait plus les rattraper.

Dans la tourmente qui désormais l'emportait, la jeune mère ne savait à quel dieu se vouer, même si elle excluait, d'emblée, celui de Sittaï. Devait-elle emporter son fils loin d'ici, vers la Médie, sa patrie d'origine ? Mais pour vivre dans quelle maison ? Son père était mort et ses frères s'étaient partagé le domaine. Elle ne pouvait raisonnablement quitter sa propriété, ses terres, ses serviteurs, renoncer à tout espoir de récupérer son époux pour aller errer sur les routes à la recherche de celui ou de celle qui voudrait bien la recueillir.

Alors, que faire ? Allaiter son fils en attendant qu'un père imprévisible vienne le lui arracher à jamais ?

Ces temps d'angoisse pour Mariam étaient aussi des temps de désolation pour la Mésopotamie. On avait pourtant parlé de paix, cette année-là, entre Romains et Parthes. L'empereur Caracalla avait même demandé la main de la fille d'Artaban, qui avait consenti. Une cérémonie devait les réunir à Ctésiphon, au temple de Mithra, la seule divinité qui fût vénérée avec une égale dévotion par les deux souverains. La ville s'apprêtait donc à fêter et la paix et les noces.

Un jour donc Caracalla arriva, vêtu de sa longue blouse gauloise, serré de près par ses prétoriens, suivi par ses phalanges. Mais à peine avaient-ils traversé le pont de Séleucie qu'un cri fusa de leurs rangs. C'était le signal convenu pour que chaque Romain se jette, sabre brandi, sur le Parthe le plus proche. Les fils de la noblesse, fardés et gainés dans leurs tenues d'apparat, furent massacrés, dont plusieurs membres du clan Kamsaragan auquel appartenait Mariam ; puis ce fut le tour des citadins, tant d'hommes, de femmes et d'enfants qui se bousculaient pour être témoins de ces mémorables retrouvailles. Les Romains pillèrent, incendièrent palais et temples, celui de Nabu en premier, comme pour accomplir le funeste oracle de la statue.

C'est alors qu'Artaban et les chefs des sept grandes familles rassemblèrent, dit-on, leurs troupes dans le parc d'Aspanabr afin de repousser les envahisseurs. Mais à quoi bon ? il ne s'agissait pas d'invasion, c'était un simple coup de main, bien dans le style de Caracalla. Au bout d'une heure les Romains quittaient déjà la cité pour s'en aller rejoindre le gros de leurs troupes qui campait à l'extérieur des murs, autour du col de Mahozé. Les Immortels, le corps d'élite, auraient voulu se lancer à leur poursuite, mais Artaban les retint, craignant un traquenard, persuadé que l'action de Caracalla ne visait qu'à exciter l'armée parthe pour qu'elle sorte de la ville et se fasse tailler en pièces.

Au bout de trois jours, déçus sans doute que l'affrontement n'ait pas eu lieu, les Romains entreprirent de se venger. Pendant des semaines et des mois, pendant toute la première année de la vie de Mani, l'ouragan Caracalla dévasta la Mésopotamie, brisant les sarcophages des rois anciens, brûlant les champs de blé, arrachant la vigne, décapitant paysans et palmiers.

C'est miracle si Mardinu fut épargné. Les troupes romaines étaient arrivées aux confins du village, Mariam s'était enfermée dans la maison avec son fils, avec Utakim, ses serviteurs et quelques paysans esclaves. Ils attendaient l'inévitable. Mais l'inévitable s'était détourné. Un jour, le bruit courut, propagé on ne sait comment à travers les ruelles désertes : Caracalla était mort, tué à Harran, au nord de la Mésopotamie, tué par ses propres soldats. De Rome à Ctésiphon, le meurtre fut accueilli sans débordements de tristesse.

Tout au long de cette année de tourmente, Pattig ne s'en vint jamais fouler le sol de Mardinu, jamais il ne vint aux nouvelles. Il ne refit apparition que bien plus tard, alors que Mani venait d'achever sa troisième année. Comme précédemment, il se présenta avec deux « frères » gardiens ; comme précédemment, il resta à l'extérieur de la grille.

— Utakim ! Je suis venu prendre mon fils.

La servante ne se montra guère accueillante. Adossée à la porte, elle lui parla de loin, de l'autre bout de la petite cour, avec la voix messagère des gens de la campagne.

— Mariam lui donne le sein. Tu peux attendre dehors. A moins que tu ne veuilles entrer pour les voir.

A la seule pensée de se retrouver devant sa femme dévêtue, en train d'allaiter son fils, Pattig rougit, tourna vers ses compagnons un regard obligé, comme pour se disculper, tout en cherchant à garder contenance.

— Je ne vais pas entrer, Utakim, ce n'est pas la peine. Crois-tu qu'elle va l'allaiter longtemps encore ?

— Ta femme vient tout juste de lui donner le sein. Quand il l'aura épuisé, elle lui tendra l'autre. Il faudra du temps.

— Je ne parle pas seulement d'aujourd'hui, s'impatientait Pattig. L'enfant entre dans sa quatrième année, je veux savoir combien de temps encore elle va le nourrir ainsi.

— Viens donc le lui demander, entre ! Elle ne peut pas se lever, pour l'heure, mais rien ne l'empêche de te parler.

— Je ne suis pas venu pour entrer dans cette maison. Ne pourrais-tu me répondre toi-même ? Il t'est bien arrivé d'allaiter dans ta jeunesse !

— J'ai vu des dizaines de mères allaiter, et je n'en connais pas deux qui soient pareilles. Certaines ont si peu de lait que leur fils quitte leur poitrine sans être rassasié ; d'autres nourrissent, des années durant, quatre enfants à la fois. Mariam est généreuse, ses seins sont amples et d'une blancheur éclatante, son lait ne sera pas tari de sitôt.

— Pourtant, il faudra bien sevrer l'enfant un jour !

— Tu as raison, maître, il ne serait pas bon pour lui qu'il tète trop longtemps ; avant le Norouze, il faudra le sevrer.

— Le prochain Norouze ? Mais la fête vient tout juste de passer, je devrais attendre encore un an !

— Il est possible que Mani soit sevré avant, mais à

quoi bon faire dix voyages pour rien ? Si tu viens au Norouze, l'enfant sera habillé pour partir et ses affaires seront prêtes, c'est chose promise.

Pattig venait à peine de s'éloigner et de s'engager sur le chemin haut à l'ombre des amandiers aux branches enneigées de pétales, que les « frères » l'accablèrent :

— Tu dois être bien naïf pour te laisser abuser ainsi par cette vieille sorcière aux pieds nus. Nous avons peiné deux longues journées sous le soleil, nous en avons deux autres devant nous pour le retour, et tu te fais congédier sur quelques mots doucereux. Que va dire *mar* Sittaï, notre père ? Même s'il nous fallait attendre, tu devais au moins insister pour voir l'enfant, ne serait-ce que pour t'assurer qu'il est encore ici !

Trop éprouvé pour s'en tenir à une quelconque décision, Pattig consentit à revenir sur ses pas. Dans la petite cour, à l'endroit même où était adossée Utakim, Mariam était assise sur une dalle, avec dans les mains un épais éventail de menthe fraîche dont elle séparait les brins morts.

Les « frères » ricanaient de plus belle. Pattig se sentait humilié.

— Ainsi, Utakim s'est jouée de moi.

Mariam rougit.

— J'étais en train d'allaiter ton fils, il vient tout juste de finir.

— Quand je suis arrivé, il venait de commencer, il en avait pour un long moment ; et à peine ai-je tourné le dos, il a déjà fini, tu as déjà cueilli cette menthe, tu en as trié la moitié ! Pourrais-je au moins voir mon fils ?

Mariam s'étant empressée d'appeler Mani, celui-ci fit irruption dans l'encadrement de la porte. Où il s'immobilisa, observant, et se laissant observer. Dans son visage, on pouvait certes déceler les traits fins, ébauchés, si propres aux visages d'enfants. Pourtant, ce que l'on voyait en premier, c'étaient les sourcils, larges et noirs, qui se rejoignaient et s'arquaient pour former, au-dessus du nez, comme un troisième sourcil ; puis le regard, droit, direct, mais éclatant d'émotions contenues et d'infinies questions.

Et lorsque après quelques instants il s'avança en direction des inconnus, ce fut en traînant la jambe, sa jambe droite. Non comme une branche morte, mais d'une façon majestueuse, comme on traînerait derrière soi une robe de cérémonie.

— Il boite, constata Pattig sur un ton quelque peu accusateur.

— Il est né avec cette jambe torse, il boitera toute sa vie. Le veux-tu encore ?

Devinant toute la hargne que sa mère laissait transpirer dans ces paroles, l'enfant revint se blottir contre elle. Avant de pointer un doigt vers Pattig en bredouillant :

— Calacalacala.

— Que dit-il ?

— Caracalla ! C'est par ce nom qu'on fait peur aux enfants de Mardinu quand aucun père n'est là pour les faire obéir. S'ils refusent de dormir ou de manger, s'ils s'éloignent trop de la maison, s'ils salissent les draps, Caracalla viendra les égorger. Comme il a égorgé mes cousins, comme il a failli nous égorger tous ici, grands et petits, il y a deux ans à peine.

— J'ignorais que les Romains étaient arrivés jusqu'à Mardinu.

— Dans quel monde vis-tu, Pattig ?

— Dans un monde sans feu ni guerre.

Il ajouta, de nouveau impassible :

— C'est dans ce monde que Mani va grandir.

— Et moi, Pattig ? Dans quel monde vais-je vivre sans mon mari et sans mon fils ?

— Fais confiance aux desseins de Dieu. Et ne retiens plus cet enfant, donne-le-moi, je suis son père et il m'appartient.

Il s'approchait pour saisir l'enfant quand Mariam se mit à trembler. Utakim accourut.

— Tu m'as promis de revenir le prendre au prochain Norouze.

— Toi qui m'as menti et trompé, comment oses-tu me parler de promesse ?

— Je t'en supplie, Pattig, sanglotait Mariam. Là où tu vis, tu ne trouveras pas une nourrice pour l'allaiter, laisse-le-moi encore ces quelques mois, ne vas-tu pas le garder la vie entière ?

Par mille remontrances, les compagnons de Pattig lui enjoignaient d'emmener son fils sans tarder, mais lui-même faiblit à nouveau face aux larmes d'une femme qu'il avait déjà tant fait souffrir, face au regard effrayé d'un enfant qui le prenait pour un monstre sanguinaire.

Dès son retour à la palmeraie, le coupable fut convoqué par Sittaï, qui lui ordonna d'écouter à genoux ce qu'il avait à lui dire :

— Si je t'ai chargé de cette mission, c'est parce que je te croyais le plus à même de la mener à bien. Mais ne t'y trompe pas, Pattig, sache que ce fils n'est plus le tien, il appartient à notre communauté, il appartient à Dieu, sinon pourquoi l'aurait-Il fait venir au monde alors même que tu quittais ta femme et ta maison ? Ne vois-tu là aucun signe, aucun commandement du Très-Haut ? Désormais, ma décision est prise, tu n'iras plus à Mardinu, c'est moi qui ramènerai l'enfant. Demain je serai sur la route, douze frères m'escorteront, et je ne perdrai pas mon temps à parlementer avec des femmes.

II

Sans doute Mani s'est-il débattu, le jour où tous ces Vêtements-Blancs vinrent l'enlever. Sans doute a-t-il même hurlé, lorsqu'ils le plongèrent par trois fois dans l'eau du canal, qu'ils lui arrachèrent ses habits. Mais, en dépit de son jeune âge, il lui fallut se conformer à leur loi, porter la tunique blanche, manger leur nourriture, balbutier leurs gestes, imiter leurs prières. Très vite, l'enfant ne sut plus qui il était, ni par quel miracle il avait atterri au milieu de ces étrangers.

Sa mère, il ne devait plus la revoir. Pendant des années il n'allait même plus entendre parler d'elle. Et son père, peut-on dire qu'il vécut avec lui? Ils se côtoyaient, comme se côtoyaient tous les « frères » de la palmeraie, mais Mani n'était le fils de personne, il n'était que le fils de la communauté. C'est seulement à Sittaï qu'il devait dire « père », à lui seul qu'il devait obéir, tout comme Pattig lui disait « père » et lui obéissait.

Obéir, se plier, s'agenouiller, l'enfant ne pouvait faire autrement. Pourtant, dès le premier instant de sa séquestration, quelque chose en lui demeura rebelle. Comme un brin d'âme réfractaire.

Dans le plat paysage des dévots, quel autre terrier que la solitude? Mani apprit vite à la conquérir, à la cultiver, à la défendre contre tous. A l'écart de la communauté, il se ménagea un espace de répit, un royaume d'enfant qu'aucun pied d'homme ne foulait. Il y accourait dès qu'il le pouvait. C'était un lieu où le canal du Tigre serpentait au milieu d'une haie de palmiers dont certains se tenaient debout, coude à coude, serrés en demi-lune, d'autres penchés sur l'eau comme pour boire. Il fallait oser les enjamber, on se retrouvait alors dans une presqu'île de senteurs et d'ombre, mais d'une ombre qui ne chasse pas la lumière, qui l'aspire au contraire, la filtre et la distille, pour la prodiguer à ceux qui savent la recueillir. Là, Mani s'asseyait ou s'étendait, pleurait ou exultait ou rêvait. Et souvent parlait seul, à voix pleine, sans crainte de se trahir.

Mais ces moments étaient rares, le temps n'était jamais libre dans la palmeraie. On y vivait toujours entre deux rites, entre deux corvées. Constamment Mani devait s'arracher à son refuge pour se mêler sans plaisir à la foule informe des Vêtements-Blancs.

De ces hommes, qui se disaient tous « frères », aucun n'avait su être un ami. Aux yeux apeurés de l'enfant, ils étaient restés, huit années durant, d'indistincts geôliers aux habits sans gaieté et aux paroles brusques. Et si Mani singeait dévotement leurs rites au point de leur paraître identique, c'est qu'il avait goûté aux châtiments que Sittaï dispensait aux grands comme aux petits dès le moindre manquement : jeûnes forcés, flagellation, port d'eau par barriques débordantes, interminables litanies de repentir.

Parfois la pénitence était moins commune, c'était alors une occasion de sourire ou de rire fort appréciée des « frères », comme lorsque le vieux Siméon, coupable d'avoir proféré des jurons obscènes, fut condamné à grimper sur un palmier et à s'y cramponner en attendant que Sittaï l'ait autorisé à redescendre.

Mais la victime la plus assidue de cet humour pénitentiel restait Malchos, un Tyrien, le plus bedonnant des « frères », et le plus jeune si l'on en exceptait Mani. Il était même plus nouveau que ce dernier dans la communauté. Son père, un marchand à l'apparence prospère, était arrivé inopinément à la palmeraie trois ans plus tôt, sans que l'on sache, à vrai dire, les réelles motivations d'une foi si soudaine. On chuchota alors qu'il venait de connaître des revers de fortune, qu'il avait perdu famille et biens, et que, talonné par les créanciers, il avait cherché refuge en cet endroit pour cacher ses malheurs et se faire oublier. Il était mort noyé au bout de quelques mois, sans doute avait-il perdu le goût de vivre. Malchos s'était ainsi retrouvé, comme Mani, fils de personne.

Avec, pourtant, cette différence que Mani avait quitté Mardinu trop jeune, que trop d'années s'étaient écoulées depuis l'enfantine plénitude, connue entre Mariam et Utakim, des jours heureux qui reposaient enfouis dans un coin trouble de sa mémoire. Ses plus belles réminiscences d'odeurs et de saveurs demeuraient pétries dans l'amertume, dans l'insurmontable amertume de l'enfant livré, lâché, abandonné, ou tout au moins mal protégé par l'être le plus cher. Depuis, seule était présente à lui cette adversité quotidienne, enveloppante, cette muraille opaque qui se dressait de la palmeraie au ciel et au-delà de laquelle plus rien n'osait exister. Alors que Malchos, lui, avait vécu dans le vaste monde une enfance vraie dont il gardait la nostalgie et les habitudes.

Pour s'en convaincre, il suffisait de l'entendre rire. Chez les Vêtements-Blancs, le rire commençait par un raclement de gorge, culminait en un ricanement hoque-

teux et s'achevait sur une formule de mortification. Le
rire de Malchos venait d'ailleurs. Il s'épanouissait et
tonnait et se pavanait ; si nul ne lui faisait écho, il se
nourrissait de son propre souffle ; et quand on le croyait
réprimé, il jaillissait de plus belle, surtout dans les
moments d'intense recueillement collectif. Ces écarts
valaient au jeune Tyrien des châtiments à peine plus
légers que ceux qu'il subissait au retour de ses fugues ;
ce n'étaient pourtant que des absences de quelques
heures, mais Sittaï accusait l'adolescent d'en profiter
pour se gaver de toutes sortes de mets prohibés. Sans
doute n'avait-il pas tort. A voir Malchos ventru et
joufflu parmi toutes ces faces invariablement creuses, il
était clair qu'il se résignait mal à la frugalité ambiante.

Comme ce jour, à l'heure du second repas, celui du
crépuscule, où, ainsi qu'à l'ordinaire, tous les « frères »
étaient réunis dans le réfectoire, répartis sur trois
longues tables parallèles, Sittaï présidant celle du
milieu, les plus anciens l'entourant, et Malchos à l'autre
bout de la même table, tout près de la porte. Pour
commencer, on s'était mis à prier. Penser qu'il s'agissait
d'un quelconque marmottement expéditif serait mécon-
naître les us de la palmeraie. Après avoir récité
l'habituelle action de grâces, Sittaï se lança dans une
homélie traînante. Les « frères » étaient tous debout,
tête courbée, ils attendaient qu'il en ait fini pour bondir
sur la nourriture. Mais leur maître ne se pressait guère.
La faim est une ennemie, expliquait-il, plutôt que de la
satisfaire l'homme vertueux doit la dompter, comme il
devrait pouvoir dompter toutes les envies de la chair.
C'était son thème préféré à l'heure de l'appétit : le
corps, disait-il, est une mule, son cavalier est l'esprit, il
faut bien s'arrêter parfois pour nourrir la bête, mais ce
n'est pas à elle de choisir la route ni les étapes, honte et

malheur au cavalier qui se plie aux caprices de sa monture.

Les tables des Vêtements-Blancs étaient sobrement garnies : olives, concombres, amandes, navets, quelques fruits, du pain, de l'eau. Soixante paires d'yeux lorgnaient pourtant cette modeste nourriture. Le dernier repas, pris juste après la prière de l'aube, avait été suivi d'une dure journée aux champs. Cependant, il fallait garder patience, et méditer et se mortifier, puisque à la faim s'ajoutaient la honte d'avoir faim, et d'avance le remords pour chaque bouchée de plaisir.

N'y tenant plus, Malchos poussa une main tremblante vers la corbeille la plus proche, non sans avoir vérifié qu'autour de lui toutes les têtes étaient ployées et toutes les paupières rabattues. Il saisit une datte jaune, fraîche et juteuse, qu'il s'empressa de gober, avant de reprendre la mine la plus pieuse.

Il attendit quelques instants avant de se mettre à mâcher, lentement et sans bruit, le cou si rentré que sa mâchoire heurtait sa poitrine à chaque mastication. En s'enfonçant lentement dans le fruit, ses dents libéraient un jus sucré qu'il collectait sur sa langue, promenait dans sa bouche, puis laissait s'écouler dans sa gorge avec une coupable délectation.

Il s'en délectait encore lorsque le « père » acheva enfin son discours et que les « frères », avec une hâte mal contenue, prirent place comme un seul homme sur les bancs hauts. Grisé par le vacarme qui l'entourait, Malchos se mit à mâcher sans dissimulation, mais tandis qu'il s'asseyait, un instant après les autres, des yeux accusateurs le fixèrent, qui étaient ceux de son vis-à-vis, Gara, le propre neveu de Sittaï. Malchos lui adressa un sourire d'ange, mais l'homme, n'obéissant qu'au devoir, se pencha à l'oreille de son voisin et lui chuchota une accusation ; l'autre, après avoir lancé au garçon le même regard indigné, susurra la nouvelle à son propre voisin, entraînant ainsi une véritable chaîne de délation qui, d'un bout à l'autre de la table, colporta le récit du crime.

Arriva le tour de Pattig. Il écouta gravement la dénonciation, réprouva d'un froncement de sourcils l'impardonnable peccadille de l'adolescent, mais, au moment de se pencher à l'oreille de son voisin, sembla hésiter. Lui qui avait été élevé dans les mœurs de la noblesse parthe, comment pouvait-il se livrer à la plus vulgaire délation ? Pourtant, précisément parce que Sittaï lui avait trop reproché son ascendance, ses sursauts de fierté, son mépris de certaines besognes, il s'imposait à présent d'éviter toute attitude qui le distinguerait du commun des adeptes. Tel était l'esprit de la Communauté que toute compassion, toute tolérance, toute indulgence était suspecte, que tout geste magnanime paraissait entaché d'orgueil.

Incorrigible Pattig, toujours à suivre les pires voies pour les meilleures raisons du monde ! Devant Sittaï, il tremblait plus que tout autre « frère », il s'agenouillait et se frappait la poitrine et s'humiliait, alors qu'il lui aurait suffi de quitter cette palmeraie en tenant son fils par la main pour accéder à une vie souriante. Mais il n'y songeait pas. En huit ans, il n'avait pas même osé révéler à Mani le lien de sang qui les unissait, se contentant de lui destiner, de loin, des sourires énigmatiques dont le garçon s'irritait et se méfiait. Pattig n'était pourtant pas un lâche, ou alors, s'il l'était, c'était d'une lâcheté fort singulière : il était prêt à risquer sa vie, mais pas son âme. Et c'est cette pieuse couardise qui était à l'origine de toutes ses mesquineries.

Quand la grave affaire de la datte croquée par Malchos fut portée à la connaissance de Sittaï, ce dernier se leva, sombre, cérémonieux, outragé.

— Lequel d'entre nous voudrait manger en côtoyant la pourriture ? N'est-ce pas pour nous soustraire à l'impureté du monde que nous sommes venus en ce lieu béni ? Mais tous nos efforts sont perdus, tous nos sacrifices sont vains si un seul d'entre nous cède à la vile tentation, si l'impureté du monde gagne son corps et son âme, car nous sommes tous atteints par la souillure.

Alors tomba la sentence :

— Malchos, tu passeras au milieu des « frères » muni d'un bol, dans lequel chacun te jettera le noyau d'une datte qu'il aura mangée. Ce sera ta seule nourriture. Ensuite tu viendras me montrer le bol vide. Puisque c'est la datte qui t'a entraîné dans le péché, tu vas pouvoir apprécier, au-delà de son goût suave, sa réalité osseuse.

La sentence fut suivie d'un brouhaha amusé, bien que vite estompé. Dans cette assemblée qui se préoccupait tant des interdits de la bouche, les repas s'accompagnaient d'un rituel grave. On était loin, ici, des banquets de Nabu, de Dionysos ou de Mithra, de ces festins orgiaques où le corps devenait temple pour célébrer bruyamment toutes les saveurs de la terre. Le réfectoire était un lieu morne où tout plaisir, parce que coupable, devait se compenser par les privations. Tandis que l'un des « frères » faisait lecture de quelque texte saint, les adeptes, perchés sur des bancs hauts et obligés de ce fait à se courber en col de cygne au-dessus des tables, prenaient les aliments entre le pouce et l'index, les plongeaient dans une terrine d'eau en psalmodiant à chaque bouchée « Mârâme barekh ! », « Seigneur, bénis ! »

Ce fut donc dans un concert de murmures que Malchos passa avec sa sébile, et que les « frères » lui firent chacun l'aumône d'un noyau, sans dire mot, mais avec des mines de ruminants offensés et méprisants.

L'un de ces vertueux personnages, s'avisant que le noyau qu'il venait de déposer était trop mince, se dépêcha d'en ajouter un autre, satisfait de n'avoir pas failli à son rôle de justicier.

Seul se distingua Mani. Au moment de déposer son obole, plongeant résolument les doigts dans la sébile, il y ramassa une bonne poignée de noyaux qu'il glissa furtivement dans sa poche avec un plissement de lèvres bienveillant et consolateur. Malchos, de son côté, se gardant bien de manifester sa reconnaissance, regagna sa place, entama son repas incongru. Mais, de savoir qu'il avait dans cette assemblée un ami, il eut le cœur désaltéré. Les noyaux avaient gardé, lui semblait-il, un arrière-goût sucré et un délicat croquant. Certains « frères », remarquant son air serein, peu repenti, parfois même impudemment réjoui, le crurent habité par le diable.

Plus que de la gratitude, ce fut une véritable dévotion que Malchos nourrit, depuis ce jour, à l'endroit de son jeune bienfaiteur. Il se promit de le suivre partout, de le protéger contre tous, de subir à sa place mille flagellations et d'innombrables journées de jeûne. Pour quelques noyaux de dattes escamotés, pour une moue vaguement complice, il était prêt à partager avec Mani ce qu'il possédait de plus précieux au monde.

Le lendemain même de l'incident, au moment où la communauté se réunissait dans la Sainte-Maison pour le culte de l'aube, Malchos accourut avec enthousiasme. Il savait qu'il devrait, une fois de plus, ânonner l'interminable rituel, mais qu'importe, aujourd'hui un ami serait là, reproduisant au même instant, dans la même salle froide et nue, les mêmes gestes. A la sortie, et parce qu'ils cheminaient ensemble, le Tyrien, dès qu'ils se furent éloignés des autres « frères », demanda avec gravité :

— Si je te dis mon secret, promets-tu de ne jamais me trahir ?

Mani en fut agacé. S'il comprenait aisément que Malchos fût à la recherche d'un ami, lui-même n'en était plus là. Au bout de tant d'années passées parmi les Vêtements-Blancs, il avait réussi à se bâtir une solitude, cette chère et irremplaçable solitude dont il s'enveloppait comme d'une cotte de mailles. La partager, c'était la perdre. Chaque fois qu'il en avait le loisir, il aimait à retrouver son discret repaire, seul, sans autre compagnon que lui-même. Pourquoi encombrer ses oreilles d'un bourdonnement humain ? Ne voulant pas heurter l'adolescent, si souvent pris pour souffre-douleur par Sittaï comme par tant d'autres « frères », il ébaucha à son adresse un sourire bienveillant. Mais il négligea de lui répondre et pressa le pas. Cependant que le Tyrien s'accrochait à lui, le poursuivait, devant, derrière, sautillant d'une patte sur l'autre, infatigable et sourd à toutes les réticences :

— Promets de ne jamais me dénoncer !

Mani, cette fois, haussa les épaules en lâchant, désinvolte, sur le ton de qui ne se rappelle plus ce dont il était question :

— Te dénoncer ? Ai-je jamais dénoncé quelqu'un ?

Apparemment rassuré, Malchos reprit son souffle, avant de débiter, tout d'un trait, comme s'il s'agissait d'un mot unique :

— Je-connais-une-femme.

Puis, la bouche ouverte, il attendit l'avalanche de questions que son jeune ami ne manquerait pas de déverser sur lui.

Mais rien. Pas un tressautement de surprise chez Mani, pas la moindre exclamation. Malchos allait-il se vexer, se décourager? Tout au contraire. L'impassibilité de son compagnon lui apparut comme l'expression du plus total ébahissement. Il le crut subjugué, anéanti de surprise et d'admiration, il se sentit près du triomphe et s'emballa :

— Je ne resterai pas longtemps dans cette palmeraie de malheur. Dès que j'aurai mes quinze ans, je partirai. Elle viendra avec moi. Nous irons vivre à Ctésiphon. J'y trouverai une place de commis chez quelque marchand tyrien ou palmyrénien. J'accompagnerai des caravanes vers l'Egypte et l'Inde et l'Arménie. Je la vois d'ici, belle comme une statue grecque, drapée dans une longue robe de soie brodée d'or et de pierreries, qui descend lentement l'escalier de mon palais de Ctésiphon, entourée de douze esclaves blanches et noires.

Se départant de son silence, Mani entra un instant dans le jeu de son interlocuteur, rien que pour y semer le doute :

— Comment as-tu fait pour construire un palais, toi qui n'es que commis chez un marchand de Ctésiphon ?

Il en aurait fallu bien davantage à Malchos pour se laisser démonter.

— Je ne resterai pas longtemps commis, j'aurai vite ma propre affaire, avec des agents à Antioche, à Palmyre, à Pétra, à Deb, à Bérénice. Alors je pourrai me construire un palais à Ctésiphon et un autre à Tyr. Et un troisième, si je veux, dans les montagnes de Médie, où j'installerai la dame chaque fois qu'elle voudra fuir les grandes chaleurs et les épidémies.

Il ne se passait plus un jour sans que Malchos ne parlât de « la dame », avec les mots les plus exquis mais souvent aussi les plus ampoulés. Et si Mani ne l'y encourageait guère, s'il omettait toujours de l'interroger sur elle, sur son nom, ou son âge, il ne manifestait déjà plus la même indifférence, il l'écoutait souvent avec attention, partageait certaines de ses émotions ; et lorsque le Tyrien voguait dans ses bavardes rêveries, il s'embarquait parfois avec lui en silence. Il lui arrivait aussi de penser lui-même à la dame, se surprenant, dans sa solitude, à vouloir deviner à quoi elle pourrait ressembler, et sous quels arbres Malchos avait pu la connaître.

Ils avaient coutume l'un et l'autre d'aller, ainsi que tous les « frères », au marché du village voisin pour y proposer les produits de la communauté. C'était l'unique endroit où il leur était donné de rencontrer des femmes, le plus souvent des paysannes à silhouette de calebasse, alourdies de cabas, qui martelaient le sol d'un pas endolori. Elles posaient d'ailleurs un regard méprisant sur les Vêtements-Blancs, ces hommes qui n'étaient pas des hommes, ces êtres efflanqués aux pommettes pâles qui amassaient, année après année, l'or de leurs abondantes récoltes sans jamais en faire profiter femme ni enfant, cette horde fuyante et indésirée à laquelle on attribuait les vices les pires et les pratiques les plus inavouables.

Certaines, il est vrai, à voir Mani seul, accroupi au milieu de son étalage, songeur et misérable, le prenaient en pitié, lui touchaient le front en disant « mon fils », et finalement lui achetaient ses dernières nèfles avec leur dernier *pashiz* de cuivre ou de potin. Le « fils » s'efforçait d'avoir l'air absent, mais à leur tendresse sa poitrine s'échauffait, il aurait tant voulu retenir quelques moments encore ces yeux ridés qui lui avaient souri.

Parfois, de plus jeunes femmes les accompagnaient. Âgées de douze ou treize ans, masquées de fard, elles avaient cette démarche tour à tour empruntée, soumise et mutine, si caractéristique de celles dont l'enfance s'achève, dont le sort est scellé, de celles qu'on verra, l'année suivante, enceintes et lourdes, et que, l'année d'après, on confondra avec leurs mères. C'était contre elles surtout que Sittaï avait coutume de prévenir les « frères » : « Ne prenez rien d'elles de la main à la main, ne vous asseyez pas à l'endroit où elles ont pu s'asseoir, et surtout, ne vous attardez pas à les regarder, elles sont belles l'espace d'une récolte, et se fanent dès qu'elles sont cueillies. »

Etait-ce l'une d'elles, « la dame » de Malchos ?

Un jour, alors que les deux garçons revenaient d'une corvée qui les avait conduits à la lisière du village, un caillou effleura l'oreille de Mani, qui sursauta. Mais ce fut Malchos qui hurla, ramassa prestement une pierre de la grosseur d'un œuf et se mit en garde, le bras en bouclier, criant :

— Montre-toi, si tu es un homme !

En guise de réponse, leur parvint un sifflotement de gamin, et, entre les branches d'un pêcher, ils aperçurent une petite main qui s'agitait. Rassuré, Malchos renvoya le projectile par-delà son épaule en crachant un juron.

— Tu le connais ? s'étonna Mani.

— Peut-être, répondit Malchos, qui aurait visiblement préféré se trouver ailleurs.

— Qui est-ce ?

— Une fille.

Quand elle fut devant eux, Mani vit que ses genoux portaient encore les traces de chutes récentes, que ses cheveux clairs étaient ramassés dans un bonnet effiloché et qu'en guise de bijou elle arborait un collier de queues de cerises tressées. Dans la main qui ne lançait pas les cailloux, elle tenait une pêche, volée à l'instant dans le verger de la Communauté, et qu'elle mordait de toutes ses dents. Elle releva le pan de sa blouse pour s'essuyer le menton. Ce n'était qu'une petite fille.

— Je ne t'ai pas blessé, j'espère, dit-elle à Mani.

— Il n'y a pas de sang, répondit Malchos. Mais tu aurais pu lui crever un œil !

— Comment t'appelles-tu ? reprit la gamine.

— Mani, répondit encore Malchos.

— L'ami inséparable dont tu m'as parlé ?

Elle avait dit cela en s'approchant de Mani dont elle scrutait ostensiblement le visage.

— Tu m'as dit qu'il lisait beaucoup, qu'il avait une belle écriture, trois sourcils et une jambe torse. Tu as oublié de me dire qu'il était muet.

Dignement, Mani reprit sa marche. Malchos l'appela, la fille lui courut après.

— Je m'appelle Chloé. Nous jouons souvent, Malchos et moi, tu pourras venir avec nous.

Mani poursuivit sa route, et Chloé haussa les épaules. Malchos resta un moment en arrière, puis courut rattraper son ami.

— Je n'aurais pas dû lui dire à propos de ta jambe. Excuse-moi. Je lui avais tellement parlé de toi, et je voulais qu'elle te reconnaisse si un jour elle te voyait passer.

— Tu n'as pas à t'excuser pour si peu, je n'ai jamais songé à garder mon infirmité secrète.

Loin de paraître froissé, Mani afficha, au contraire, une mine exagérément réjouie. Avant de lâcher :

— Ainsi, c'est elle, la dame dont tu m'as tant parlé. Je suppose que si tu me l'as si fidèlement décrite, c'est également pour que je puisse la reconnaître si un jour je la voyais passer. C'est donc elle que tu comparais à une statue grecque ?

— C'est elle ! crâna Malchos.

— Il est vrai qu'il y a des statues de toutes dimensions...

Mais en disant cela, et comme pour atténuer l'effet de ses propres railleries, il entoura d'un bras amical les épaules du Tyrien. Et ce dernier s'enhardit :

— Admettons, je t'ai caché des choses, mais je n'ai dit aucun mensonge. Si je voyais sur ce prunier un bourgeon fleuri et que je dise « voici une prune », est-ce que j'aurais menti ? Pas du tout, j'aurais simplement précédé la vérité d'une saison.

III

« La dame », ce demi-garçon sifflotant, s'appelait donc Chloé. Pourtant, dans son village, celui dont les terres avoisinaient celles de la palmeraie, personne n'avait jamais songé à l'appeler ainsi. Ni les femmes qu'elle aidait à éventrer les figues pour les faire sécher sur les toits, ni les paysans qui la laissaient cueillir sur leurs arbres le fruit qu'elle voulait croquer. Partout elle entrait sans frapper, tant qu'elle pouvait encore se le permettre, tant qu'elle n'avait pas accédé à l'encombrante dignité de nubile. Ils l'aimaient, Chloé, voleuse et généreuse, mais voleuse de pommes et généreuse en sourires. Pour eux, elle était, elle serait toujours, « la fille du Grec ».

Elle appartenait, en effet, à l'une de ces familles de colons dont l'ancêtre était venu jadis guerroyer en Orient dans l'armée d'Alexandre puis, à la mort du Macédonien, ayant choisi de demeurer en terre conquise, avait pris ferme et femme pour faire souche. Le père de Chloé portait encore fièrement le nom de son aïeul, Charias, et croyait vivre encore, comme lui, dans le sillage d'Alexandre. Les rares instants de passion qu'il lui arrivait de traverser, c'était lorsqu'il se ménageait un auditoire pour raconter, une fois de plus, la grande bataille d'Arbèles, quand l'armée du Conquérant avait taillé en pièces les troupes de Darius, quand tant de braves s'étaient retrouvés, les Thraces, les Odrysiens, les cavaliers péoniens, les archers crétois, les mercenaires d'Andromaque, la Phalange et les Compagnons. Surtout, ces irremplaçables Compagnons dont le père de Chloé parlait avec familiarité, singeant l'un, sermonnant l'autre, jusqu'à cet instant crucial de son récit où il faisait intervenir son aïeul, disant « nous, Charias », et se régalant alors du trouble qu'il lisait dans les yeux de son auditeur.

La bataille d'Arbèles avait eu lieu, faut-il le rappeler, vingt générations plus tôt, mais qu'importe, le temps n'est que le fût où les mythes mûrissent, celui d'Alexandre plus que tout autre, et surtout en Mésopotamie, sur cette terre qui l'avait vu triompher puis mourir. Jeune elle l'avait enseveli, jeune elle l'avait gardé, éternel fiancé sans rides, et le nombre de ses années, trente-trois, est resté l'âge de l'immortalité. C'est lui, Alexandre, qui présidait à l'écoulement du temps. Les astronomes de Babel n'avaient-ils pas choisi la date de sa mort comme début de l'ère nouvelle ? Depuis, bien des rois s'étaient succédé, mais ils n'avaient fait que régner dans l'ombre du Macédonien ; les premiers étaient ses propres lieutenants, ensuite leurs descendants puis, lorsque le pouvoir était échu aux Parthes, leurs souverains avaient pris soin d'adjoindre constamment à leurs noms le titre de « Philhéllène », « Ami des Grecs », pour s'affirmer eux aussi les légitimes gardiens du noble héritage d'Alexandre.

Si le roi des rois en personne éprouvait, cinq siècles après, le besoin d'invoquer le souvenir du Conquérant, pouvait-on s'étonner de voir le père de Chloé cultiver sa parcelle de légende, lui qui ne possédait plus la moindre apparence de grandeur, ni terres, ni or, ni chevaux, ni servantes ? C'était un vieil homme fluet à la barbe de rouille qui errait dans une maison immense mais délabrée ; il y vivait seul avec Chloé, qu'il avait eue sur le tard d'une esclave aujourd'hui disparue. Père et fille n'en occupaient qu'une aile encore trop vaste pour eux, le reste n'étant que toits écroulés, murs défoncés, portes arrachées par la corrosion et les vers.

La fillette hantait ces ruines, caches inépuisables, reliefs de poussière et de pierre qu'elle piétinait sans nostalgie. Malchos était venu y jouer parfois lors de ses fugues, et, par une chaude journée de *tammouz,* il avait persuadé Mani de l'y accompagner. Ils étaient de corvée au marché du village et un négociant de Nippur avait acheté d'entrée toute la charge, leur offrant ainsi le loisir de flâner. Ils espéraient tomber sur Chloé ; c'est son père qui rôdait, pensif, un bâton à la main.

— De qui êtes-vous les fils, mes enfants ?

— Nous sommes venus voir Chloé, préféra dire Mani.

— Ma fille ?

— Oui, Dieu la bénisse.

— Dieu la bénisse ! Dieu la bénisse ! répéta Charias, pris d'une jovialité quelque peu édentée.

Il contemplait de haut en bas le drôle de garnement qui s'exprimait de la sorte.

— Viens plus près que je te voie, mon enfant, ne serais-tu pas l'un de ces fous de la palmeraie ?

Mais le Grec vit dans les traits de l'adolescent une telle douceur, une telle innocence et une si mélancolique gravité qu'il finit par se rassurer.

— Vous ne me paraissez pas bien redoutables. Suivez-moi, ma fillette ne doit pas être loin. Vous aurez du sirop de mûres. Ça vous rafraîchira le crâne.

Enjambant débris et décombres, ils se retrouvèrent dans l'aile habitée de la maison. Chloé n'y était pas encore, mais son père s'en souciait peu, bien trop ravi d'avoir mis la main sur un auditoire frais et candide devant lequel il pourrait conter une fois de plus les exploits de l'ancêtre et la gloire d'Alexandre. Il parlait avec force gesticulations, dans le dialecte araméen du pays, mais dûment émaillé de mots grecs, surtout pour les termes militaires. Malchos l'écoutait avec fascination. A l'inverse de son jeune ami qui, peu sensible aux prouesses guerrières, se laissait distraire par de curieuses traces sur le mur.

Cela aurait pu n'être que des salissures qu'un propriétaire plus fortuné aurait fait recouvrir de chaux. Mais l'œil de Mani y discernait des lignes et des couleurs. S'en approchant, il se mit à gratter superficiellement de son ongle une poudre bleuâtre qu'il étala sur le dos de sa main, puis se mit à retracer d'un index fébrile les contours délavés. Charias qui, depuis un moment, le suivait du regard, interrompit son récit pour répondre à ses questions informulées :

— C'est un artisan de Doura-Europos qui a peint cette scène. Les couleurs étaient éclatantes, dit-on, et rehaussées de feuilles d'or. Dans cette maison domaniale, bien des visiteurs illustres se sont arrêtés. Ici même, dans cette salle, ils tenaient leurs festins, les plus joyeux et les mieux arrosés de Mésopotamie, tu peux me croire.

Plusieurs semaines s'écoulèrent avant que les deux garçons n'aient à nouveau l'occasion de se rendre chez Charias. Où la même scène se répéta : dans la vaste salle qui jadis, selon les dires du Grec, abritait les fastueux banquets, Malchos écoutait sans déplaisir un épisode de la chevauchée macédonienne, pendant que Mani, à quelques pas de là, assis en tailleur face au mur, le menton en avant, s'absorbait dans la contemplation d'une fresque qu'il était le seul à percevoir.

Tandis que Chloé voguait d'un coin à l'autre au gré de ses lassitudes, écoutant un brin d'épopée, puis cherchant en vain à deviner dans les yeux émerveillés de Mani l'insondable vision qui l'éblouissait.

Ce fut au cours de ces longs moments de silence et de ravissement que Mani sentit monter en lui pour la première fois l'irrépressible désir de peindre. Désir étrange pour un Vêtement-Blanc, désir impie, désir coupable. Dans ce milieu réfractaire à toute beauté, à toute couleur, à toute élégance des formes, dans cette communauté pour laquelle la plus modeste icône trahissait un culte idolâtre, par quel miracle purent éclore le talent et l'œuvre de Mani ? Mani qui apparaît, avec le recul des siècles, comme le véritable fondateur de la peinture orientale, lui dont chaque trait de pinceau allait faire naître, en Perse et aussi en Inde, en Asie centrale, en Chine, au Tibet, mille vocations d'artiste. Au point que, dans certaines contrées, on dit encore « un Mani » quand on veut dire, avec des points d'exclamation, « un peintre, un vrai ».

À l'heure de prendre congé, ce jour-là, le gamin qu'il était eut un geste curieux, qui aurait paru drôle s'il n'avait été gorgé d'émotion. S'inclinant avec raideur devant le père de Chloé, il sollicita de lui l'autorisation de restaurer la peinture murale. Charias se garda bien de rire, car il sentit le garçon au bord des larmes. Il ne put que bredouiller une acceptation embarrassée, à laquelle Mani répondit par une adulte poignée de main.

En le regardant s'éloigner tout boitillant, le Grec demeurait partagé entre la gêne d'avoir confié pareille tâche à un enfant et, malgré tout, le sentiment qu'il avait affaire à un être bien particulier qui, pour quelque raison, le troublait, lui, le vieux Charias, et même l'intimidait.

Pendant les semaines qui suivirent, Mani s'adonna aux préparatifs. Les pinceaux d'abord, façonnés de ses mains avec des roseaux à l'extrémité desquels il attachait, obtenus au village, des poils de chèvre pour un toucher caressant, ou des poils drus de lièvre. Puis les couleurs, voilées ou criardes, qu'il découvrait ou composait lui-même avec passion et ingéniosité : du sable, il séparait les grains d'ocre ou de brique ; en pilant des coques d'œufs, il retrouvait le teint de l'ivoire ; avec des pétales, des baies, ou des pistils, il complétait reflets et nuances ; pour les fixer, il les mélangeait à la résine qu'il avait prélevée sur les troncs d'amandiers.

Quand s'offrit l'occasion d'une nouvelle visite aux Grecs, Mani se présenta avec sa panoplie qu'il se mit à déballer sans précipitation. Dans la fournaise de l'été mésopotamien, peintures et résines dégageaient toute une palette d'odeurs. Alors Charias et Malchos s'en allèrent sur la terrasse deviser comme père et fils à l'ombre d'un palmier épanoui, tandis que Chloé découpait des quartiers de pastèque pour qu'ils y plongent leur bouche assoiffée.

S'approchant de Mani pour le servir, elle n'aperçut que des couleurs emmêlées, du bleu nuage en guise de fond, puis des plages indécises, terreuses ou sanguines. Elle resta debout derrière lui, à regarder. Et lentement, dans l'enchevêtrement des lignes et des lueurs, elle crut discerner un visage. Les doigts de Mani tournaient autour et, à chaque passage, en affirmaient les traits. Un personnage parut, on aurait dit un voyageur qui émergeait d'un brouillard d'automne, ses sourcils, son nez, ses lèvres semblaient traverser le mur pour reprendre place au banquet des vivants.

Subjuguée, Chloé s'approcha encore de l'adolescent, qui s'interrompit, recula d'un pas pour admirer son

60

personnage. Il avait le visage en eau. D'un geste naïf la fille du Grec souleva le bord de sa blouse pour éponger goutte à goutte la sueur condensée sur les tempes, au contour des yeux, et sur le frêle duvet où quelques gouttelettes là aussi perlaient comme la rosée que retient l'herbe. L'agréable odeur de Chloé, cet espiègle parfum de fruit, Mani aimait à la sentir, mais en cet instant il ne la sentait plus, il la respirait, elle emplissait l'air autour de lui, elle l'enveloppait, l'envahissait. Chaque fois que le vêtement de la fille lui frôlait le visage, ses gestes à lui s'engourdissaient, son souffle s'amenuisait, ses yeux se rétrécissaient. Bientôt il ne vit plus rien d'autre que son pinceau, ce bout de roseau qu'il tenait bêtement relevé à la hauteur de ses lèvres. Son regard s'y accrocha, comme si tout le reste avait subitement cessé d'exister. De tous ses membres, de son corps tout entier, il ne sentait plus, il ne reconnaissait plus que cette main qui tenait le pinceau, qui le serrait, s'y cramponnait, éperdument. Et quand la fille du Grec s'écarta pour qu'il puisse reprendre son œuvre, elle le vit immobile, le pinceau suspendu, comme s'il s'apprêtait à poser une dernière touche de couleur.

Alors Chloé fit signe à son père de s'approcher sans bruit. Mais, en entrant dans la pièce, Charias laissa éclater son bonheur :

— C'était ainsi ! Du temps de mes ancêtres, ce coin de mur devait être exactement ainsi.

Pour lui, à l'évidence, il ne pouvait y avoir meilleur compliment. La figure ranimée sous les pinceaux semblait témoigner pour l'époque glorieuse qu'il avait coutume d'évoquer.

— Qui est ce personnage ? demanda Malchos.

— Jean le Baptiste, prononça Mani comme s'il déchiffrait le nom sur le mur.

— Pas du tout, railla le Grec, il n'y a jamais eu de

Baptiste dans cette salle. Ce serait plutôt la déesse Demeter, Mère de l'Orge, ou Artémis Chasseresse, ou peut-être le dieu Dionysos, ceux à qui étaient consacrés tous nos banquets. Ou même...

Il se rapprocha de l'image réapparue.

— Il y avait aussi le dieu Mithra, le peintre venu de Doura-Europos était au fait de tous ses Mystères. C'est lui qui est représenté ici, j'en suis sûr maintenant. Regarde, on trouve encore la trace des rayons de soleil dessinés autour de sa face !

— Mithra, murmura Mani, saisi de terreur, qui lâcha son pinceau et, sans un signe d'adieu, sortit en courant.

— Maudit ! Maudit ! Maudit ! ne cessait-il de répéter.

Ne lui avait-on pas appris depuis l'enfance à fuir les Grecs, ne lui avait-on pas interdit de manger leur pain et d'entrer dans leurs demeures ? Par quelle folie d'orgueil s'était-il arrogé le droit de passer outre ? Et le voilà désormais en train de peindre des idoles. Impie, infidèle, maudit.

Où aurait-il pu se réfugier, sinon dans sa presqu'île, que Malchos lui-même ne connaissait pas. Il aurait voulu s'y enfermer, s'y oublier, s'y ensevelir, et que jamais personne ne retrouve son corps. Sans reprendre son souffle, il se pencha au-dessus de l'eau pour apaiser ses yeux.

Il était maintenant allongé, les coudes appuyés sur le lit du canal, le visage collé à la surface de l'eau, ses amples maniques flottant comme des voiles naufragées. Un long moment il y resta engourdi, peut-être assoupi. Quand il regarda à nouveau, il vit son image qui se reflétait, d'abord brouillée, mais de plus en plus limpide à mesure que la face de l'eau se déridait. Jamais il n'avait vu son visage d'aussi près. A ses lèvres entrouvertes s'accrochait une goutte d'eau.

Il dit une fois encore « Maudit ! ». Mais ses lèvres dans l'eau demeurèrent immobiles.

Alors qu'il pensait les crisper en une moue désolée, les lèvres dans l'eau ne se crispaient pas. Elles souriaient. Et ses lèvres lentement les imitaient. Ce n'était plus l'eau qui reflétait son image, c'était son visage qui mimait cet autre lui-même qu'il apercevait dans l'eau.

Et des mots soudain s'écoulèrent de ses lèvres, des mots qui n'étaient pas de lui, mais qu'il prononçait pourtant de sa voix :

— Salut à toi, Mani, fils de Pattig !

Sa mâchoire trembla et s'endolorit. Il aurait voulu répondre, poser des questions, mais ses mots, ses mots à lui, restaient dans sa gorge, tandis que les mots de l'autre sortaient de sa bouche apprivoisée :

— Salut à toi, Mani, de ma part, et de la part de Celui qui m'a envoyé.

Cette étrange scène au bord de l'eau, c'est Mani lui-même qui la raconte. Pour lui, comme pour ceux qu'on appellera un jour les manichéens, elle marque le commencement de sa Révélation. Ainsi naissent les croyances, diront certains : un glissement de l'imaginaire au virage de la puberté ; une rencontre avec la femme, la femme interdite ; et le désir déborde...

Sans doute. Dans ce miroir d'enfant Mani avait besoin de se contempler pour recoller les morceaux de sa mémoire éclatée. La vérité sur sa naissance, sur sa venue dans la palmeraie, il la soupçonnait, il en avait recueilli des bribes, mais qu'il n'osait mettre bout à bout ; il a fallu que cette « voix » vienne l'appeler « fils de Pattig » ; il a fallu qu'il entende de la bouche de « l'apparition » le nom de Mariam.

« A douze ans, j'appris enfin par quelle femme je fus conçu et enfanté, comment je fus engendré dans ce corps de chair, et de qui provenait la semence d'amour qui m'avait fait naître. »

Ce sont les propres paroles de Mani, transcrites, des années plus tard, par ses disciples.

Enfant de son siècle, il posait toutefois sur ces choses un regard candide et fervent. L'image qu'il avait vue, ou cru voir, cette lueur ancrée à la face de l'eau, il la nomme dans ses livres « mon Jumeau », « mon Double », il en parle comme d'un véritable compagnon. Un compagnon d'infortune pour l'adolescent rebelle, et surtout un précieux allié contre les Vêtements-Blancs, leurs dogmes et leurs interdits.

Ainsi, le jour de cette première rencontre quand, terrifié malgré tout par l'apparition, il voulut se repentir d'avoir peint sur le mur le visage du dieu Mithra, il entendit de la bouche du « Jumeau » la réponse qu'il espérait :

« Dessine ce que bon te semble, Mani, Celui qui m'envoie ne connaît pas de rival, toute beauté reflète Sa beauté. »

IV

L'enfant pouvait donc peindre sans terreur, fût-ce l'image d'une idole ? Son « Jumeau » lui dit bien d'autres choses encore qu'il avait soif d'entendre : que les croyances des Vêtements-Blancs n'étaient pas les siennes, qu'il n'avait jamais appartenu à leur religion, que leur pureté n'était que vanité et perversité. Et qu'un jour, lorsqu'il serait mûr pour affronter le monde, il quitterait cette palmeraie.

De tout cela, Mani se promit de ne parler à personne. Mais une telle joie émanait de lui, on aurait dit que son âme, au lieu d'être scindée, fêlée ou dédoublée, venait au contraire de se ressouder à elle-même après une longue aliénation. N'avait-il pas quitté la maison de Charias comme s'il se sauvait d'un bouge en flammes ? Le voici qui y revient, quelques jours plus tard, reprend sa place devant le mur, ramasse le pinceau lâché et ravive en quelques traits ardents les rayons qui ornaient la tête de Mithra. N'avait-il pas fui Malchos sans un geste d'égard ? Le voici qui se tourne à nouveau vers lui, plus attentif, plus assidu aussi dans l'amitié.

Le Tyrien voyait bien que son ami avait changé, qu'il était différent, mais différent en quoi ?

Quand les deux adolescents s'agenouillaient l'un à côté de l'autre dans la Sainte-Maison, lieu du culte,

Mani ne chantait pas. Il remuait les lèvres, le menton, les sourcils, pour donner l'illusion qu'il chantait, mais aucun son ne sortait de sa bouche. Et un jour qu'ils étaient ensemble de corvée dans le verger de la communauté, Malchos se rendit compte que Mani ne travaillait pas non plus. Il levait sa bêche pesamment, la rabaissait lentement, si lentement que lorsqu'elle touchait le sol, elle l'égratignait à peine, puis, de temps à autre, se montrant aussi las que s'il avait bêché pour de vrai, il s'arrêtait, posait délicatement son outil contre le tronc lisse d'un grenadier, afin de souffler.

Ce jour-là, Malchos ne put s'empêcher de l'interroger sur ce qu'il faisait. Alors Mani ramassa une branche coupée, déjà flétrie mais encore verte, qu'il fit tournoyer et claquer comme un fouet.

— Ecoute ce sifflement ! C'est l'air qui gémit parce que je l'ai offensé. Si tu savais l'écouter, tu l'entendrais dire : fais-toi plus léger sur cette terre, marche sans appuyer, évite les gestes brusques, ne tue ni les arbres ni les fleurs. Fais semblant de labourer le sol, mais ne le blesse pas, contente-toi de le caresser. Et quand les autres hurlent à tue-tête, remue les lèvres et ne hurle pas.

Evoquant ses années de jeunesse dans la palmeraie des Vêtements-Blancs, Mani dirait plus tard :

« Au milieu de ces hommes j'ai cheminé avec sagesse et ruse, observant le repos, ne commettant pas l'injustice, n'infligeant aucune espèce de souffrance, ne suivant pas leur loi, n'entretenant aucune conversation à leur manière. »

De la ruse, il en fallait pour vivre jour après jour au sein de cette communauté sans jamais se conformer à ses pratiques mais sans non plus paraître les contredire. Car l'adolescent devait garder sa vérité enfouie, apprendre, méditer, mûrir, pendant de longues années, jusqu'à ce qu'il soit prêt à affronter le monde. En attendant, il devait vivre dans la feinte, le semblant, la dissimulation. Il s'y appliquait d'ailleurs avec ténacité et, lorsqu'il lui arrivait de perdre courage ou constance, il se répétait : « C'est en mimant les gestes du monde que l'on apprend leur futilité. »

Un domaine subsistait, pourtant, où Mani se gardait bien de feindre. De tous les bâtiments de la palmeraie, il en était un seul, la bibliothèque, dont il franchissait la porte sans lassitude. Hélas ! c'était dans ce même bâtiment que Sittaï avait choisi d'élire domicile. Il n'y occupait qu'une cellule, fort modeste. N'empêche qu'il était là, tout près des livres et des lecteurs. Tant que Mani se bornait à consulter les ouvrages que le « père » approuvait, il n'était pas inquiété. Mais, dès qu'il se hasardait à feuilleter quelque autre manuscrit, il était sûr de voir s'approcher, dans les minutes qui suivaient, Sittaï ou un « frère » à ses ordres, agitant menaces et malédictions.

Or, dans cette bibliothèque somme toute bien riche, et qu'on ne se serait pas attendu à rencontrer en un coin écarté de la vallée du Tigre, rares étaient les ouvrages auxquels les adeptes avaient accès, surtout les plus jeunes. Il suffisait que l'auteur fût païen pour que ses écrits fussent naturellement jugés impies. Seuls échappaient aux interdits certains traités anciens sur la médecine, les plantes, les astres, les voyages. Si l'auteur était juif, il fallait vérifier qu'il n'avait pas, à l'instar d'Abraham, offert des bêtes en sacrifice sur un autel, ni approuvé notoirement de telles pratiques ; ce qui explique que la Bible, telle qu'elle était lue dans la palmeraie, était amputée d'une importante partie de ses textes. Et si, enfin, l'auteur était chrétien, il y avait d'emblée à son égard de fortes présomptions d'hérésie ;

ainsi, sur la vingtaine d'évangiles dont la bibliothèque possédait des copies, seuls deux ou trois demeuraient agréés, le reste étant à peine mieux considéré que les épîtres de Paul de Tarse, auquel les gens de la secte n'avaient jamais accordé l'épithète de « saint », mais bien celles d'impie, de traître et de prince des hérétiques, puisque, selon la formule de Sittaï, « il a travesti la doctrine de Jésus pour la mettre au goût des Grecs ».

Les rares livres qui ne lui étaient pas défendus, Mani les lisait, les relisait, avant d'apprendre par cœur de longs passages, qu'ils lui aient plu, l'aient frappé, ou intrigué. Et parfois, en parcourant d'un œil paresseux tel texte qu'il connaissait déjà mot à mot, il se surprenait à voir en images la scène évoquée. Montait alors en lui le désir de peindre. Cela commençait toujours par un long face à face entre lui et la page, puis celle-ci se couvrait, tout autour de l'écriture araméenne, d'une scène foisonnante de personnages, de fleurs et d'animaux mythiques. A aucun moment, pourtant, il n'avait l'impression d'accompagner un texte, de l'illustrer, ou de l'enluminer, encore que ce dernier terme l'eût ravi ; il était persuadé, au contraire, que si on lisait de près ses images, on en comprendrait la substance sans recourir aux mots.

L'art de Mani s'épanouissait ainsi dans les marges des livres, sans préméditation, mais avec l'adroite fureur des maturités précoces. Tracer d'abord à l'encre des copistes les frêles contours des êtres et des choses, puis les enfler de clartés. Minutes de bonheur, dérobées jour après jour à la vigilance des « frères ».

Mais il fallait que la chose fût découverte. La première fois qu'un Vêtement-Blanc vit Mani « salir » les pages d'un livre saint, il courut avertir Sittaï du sacrilège qui se perpétrait. Le garçon ne voulut ni supplier ni s'enfuir. Tout à l'ivresse de l'instant de création, il ne céda ni à la peur ni même à la prudence qu'il s'était prescrite. Et, lorsque le maître se retrouva devant lui, il prit le risque d'un aveu insolent :

— Je n'ai pas encore terminé mon dessin.

S'emparant du livre, un exemplaire de l'Evangile de Thomas, Sittaï s'arrêta dès le frontispice sur une peinture représentant Jésus parmi ses apôtres. Aucun des personnages n'y était figuré avec son corps, ils n'étaient que treize visages, avec au milieu le Nazaréen, un disque solaire derrière la tête à la manière des divinités de Palmyre. Tout près de lui se trouvait Thomas, son jumeau selon la foi de la secte ; et autour d'eux les autres faces gravitant comme des planètes sur un ciel bleu et noir. Sittaï retint son souffle. Derrière lui, les adeptes attendaient son verdict en silence.

Mais le verdict tardait à venir. Le maître s'en fut poser le livre sur une table, la plus proche de la fenêtre, et à la lumière du jour s'y plongea à nouveau. Cette figure qu'il regardait le regardait aussi, elle existait bien au-delà de la feuille, et il fut persuadé qu'elle n'avait pu naître de l'imagination de l'adolescent. Ses traits se creusèrent, son regard se fit plus sombre, comme s'il était pris de peur.

Tandis que l'homme demeurait prostré, Mani parcourait du regard les murs contre lesquels s'empilaient parchemins, papyrus en rouleaux, livres en feuilles de palme reliés par des cordelettes usées. Le garçon reconnaissait chaque ouvrage à sa reliure, ses lèvres se mirent à murmurer par jeu le nom des auteurs : Ptolémée, Arrien, Marcion, Bardesane... Il aurait pu rester ainsi des heures sans se lasser, repassant en mémoire ce qu'il avait retenu de chacun, et parfois aussi ce qu'il avait été tenté de dessiner. Un sourire vint épanouir son visage d'enfant émerveillé. Déjà, plus rien n'existait autour de lui... jusqu'à ce que cette fragile sérénité se brise à la première parole entendue.

— Cette peinture, est-ce Dieu ou Satan qui te l'a inspirée ? dit Sittaï dont les yeux et la voix trahissaient le trouble et qui, à l'instant, se détourna et sortit, pour bien signifier qu'il n'attendait aucune réponse de la bouche de Mani.

Les jours qui suivirent, le maître de la secte se montra aussi ténébreux, comme s'il méditait quelque acte exemplaire qui s'inscrirait à jamais dans la mémoire molle de l'adolescent. Les « frères » aussi, à l'exception de Malchos, prenaient soin de ne jamais échanger une parole avec le coupable, de peur que la colère de Sittaï ne les atteigne, et en raison aussi de la sainte terreur que leur inspirait à tous le péché encore impuni.

Les journées passaient, l'air de la palmeraie devint brûlant et le soleil de l'été mésopotamien n'y était pour rien. La proximité du Tigre, cette fois, ne l'atténuait guère. Le maître se sentait menacé dans son pouvoir. « N'est-ce pas moi, se disait-il, qui, obéissant à une impulsion subite, ai décidé un jour de me rendre à Ctésiphon, au temple de l'idole Nabu, pour pêcher au bord de la piscine un curieux prince parthe chercheur de vérité ? N'est-ce pas moi, Sittaï, qui ai insisté pour faire venir cet enfant dans cette Communauté, et lorsque Pattig a faibli, n'est-ce pas moi qui me suis déplacé en personne pour ramener l'enfant ? N'ai-je pas été, en cela, l'instrument d'une Volonté Suprême ? Et ne suis-je pas devenu, de quelque façon, le parrain de Mani, son père dans la Communauté ?

« Et pourtant, ce garçon que je crois désigné par la Providence est celui-là même qui viole notre loi, celui-là même qui, de ses doigts sales, ose reproduire les traits de la Sainte Face ! Quel langage lui parler, quelle attitude adopter, et comment l'empêcher, surtout, de répandre l'irrespect et le trouble dans cette palmeraie ? »

Car le trouble était déjà semé parmi les « frères ». Certains d'entre eux, peu nombreux il est vrai, s'interrogeaient : n'est-ce pas à douze ans, au sortir de l'enfance, que se révèlent les Elus, que leur sagesse éclate à la face des aînés ? Tel Jésus devant les docteurs de la loi au Temple de Jérusalem, tel Mani ! Cette comparaison irritait la plupart des Vêtements-Blancs, qui reprochaient maintenant à Sittaï son manque de fermeté face à l'impie. Depuis que la secte avait été fondée, quarante ans plus tôt, c'était la première fois que le guide était contesté. « Si Mani, disaient ses adversaires, était cet être saint désigné par la Providence, il aurait pu choisir pour compagnon, parmi tant de vertueux adeptes, quelqu'un d'autre que ce dépravé de Malchos, qui enfreint chaque jour nos règles de vie, et qui n'affiche que mépris pour notre Communauté ! »

Il est vrai que le jeune Tyrien ne pouvait passer pour un modèle de piété. Il approchait de ses quinze ans, l'âge reconnu de la maturité, et ne cachait plus son envie de quitter la palmeraie. Pas plus qu'il ne s'embarrassait de parler à tous de Ctésiphon, de son futur négoce, de son palais et de ses caravanes. Sittaï et les autres Vêtements-Blancs avaient d'ailleurs renoncé à empêcher ses fugues, conscients qu'il n'appartenait plus guère à leur loi.

Quelle ne fut donc pas la surprise de Malchos lorsqu'un soir, à son retour du village, trois « frères » des plus vigoureux bondirent sur lui, l'immobilisèrent au sol, puis le traînèrent jusqu'au parvis de la Sainte-Maison, où ils l'attachèrent au palmier des pénitents et, sans explication aucune, s'appliquèrent à le rouer de coups.

Quand Mani accourut, les trois fouets en liane tressée s'abattaient sur le dos et les jambes de son ami avec une implacable régularité, accompagnés des exhortations habituelles : « Confesse tes fautes ! », « Avoue ! », « Repens-toi ! ». Les hurlements du Tyrien se faisaient chaque fois plus prolongés, plus douloureux.

Sur un geste de Sittaï, la main des bourreaux s'alourdit encore, et l'adolescent hurla soudain, dans un sursaut de rage :

— Je ne suis pas le seul à fuguer, ici, pourquoi est-ce moi qu'on punit ?

Un sourire illumina le visage de Sittaï. Voilà qu'enfin venait la dénonciation à laquelle il aspirait. Aussi, comme s'il n'attendait que ces mots, il s'approcha du supplicié, pour que les bourreaux à l'instant suspendent leurs coups.

— Qui donc était avec toi ?

Revenu à lui, Malchos se reprit.

— Personne ! J'étais seul !

— Ce soir, tu es parti seul, je le sais. Mais les autres jours, lequel de ces frères t'a accompagné ?

— Aucun !

On n'entendait plus que le halètement de l'adolescent supplicié quand Sittaï, se tournant avec solennité vers Mani, dit à voix triomphante :

— Je sais que c'est toi, Mani, qui l'accompagnes dans ses escapades, et la plupart des frères le savent aussi. Mais j'aurais voulu l'entendre de ta bouche.

Sittaï avait presque crié, puis il avait fait signe aux bourreaux de reprendre leur besogne. Mani s'empressa de répondre :

— Si un mot de ma bouche peut épargner à Malchos ce supplice, je le dirai.

— Eh bien dis-le, prononce-le, hurla Sittaï.

— C'est la vérité, j'ai accompagné Malchos pour certaines promenades.

— Et où alliez-vous ?

Ce n'était plus un courageux aveu que Sittaï réclamait, mais bien une dénonciation.

— Nous allions au village, concéda Mani.

— Cela, on s'en doutait, mais chez qui êtes-vous allés ?

— Chez diverses personnes.

— Chez les Grecs ?

— Quelquefois.

— Une seule fois, c'est déjà trop. Vous vous êtes trempés dans l'impureté et l'impiété !

Une clameur d'approbation accompagnait maintenant chaque phrase de Sittaï. Qui poursuivit, à voix sans cesse plus outragée, plus dénonciatrice :

— Et quand vous alliez chez les Grecs, ne vous est-il jamais arrivé de manger leur pain ?

Mani a déjà en tête sa réponse, il a fait un pas, dressé la tête, il se prépare à dire d'une voix fière : « Oui, j'ai mangé du pain grec, comme l'ont fait avant moi les apôtres de Jésus. Lorsqu'il les a envoyés prêcher parmi les nations, ils n'ont pris avec eux ni meule ni tourtière. Ils n'avaient pour tout bagage que le vêtement qu'ils portaient. » A peine dirait-il ces mots que Sittaï rougirait et qu'en sa faveur les Vêtements-Blancs élèveraient leur clameur. Mais au moment de parler, alors qu'il s'est déjà avancé d'un pas défiant, son esprit se brouille, ses membres se relâchent, il ne commande plus à ses lèvres ni à ses mains, il reste là, interdit, pitoyable. Sanglotant.

Sittaï triomphe. Il a recouvré son autorité et fait taire

la fronde. Il mesure Mani du regard, de haut en bas, avant de conclure, bon prince :

— Certains parmi vous, frères, voudraient que je chasse à cet instant de notre communauté les deux jeunes ignorants qui ont violé notre loi, méprisé notre tradition et fait preuve de tant d'orgueil et de présomption. Mais je ne puis traiter ces deux pécheurs de la même manière. Malchos n'a jamais appartenu de plein droit à notre religion. Ceux qui sont venus en ce lieu déjà adultes ont fait un choix pieux dont ils seront récompensés, ceux qui sont venus enfants ont grandi au sein de notre loi. Malchos n'appartient ni aux uns ni aux autres, nous l'avons gardé par fidélité à son défunt père, mais sachons admettre que jamais il ne fera partie de notre communauté, il appartient à l'impureté du monde et c'est vers elle qu'il doit maintenant refluer. Le garder ici, c'est prendre le risque de le voir corrompre les plus frêles de nos adeptes, nous en avons eu la preuve ce soir.

« Sans l'influence néfaste de Malchos, sans les tentations permanentes auxquelles il le soumet, Mani redeviendra bien vite le plus doux agneau de ce troupeau.

V

Ce soir-là, lorsque Mani s'allongea sur la natte qui depuis toujours lui servait de lit, le dortoir était sombre et vide, les « frères » étant encore rassemblés dans la Sainte-Maison pour les prières vespérales. Leurs voix mélangées lui parvenaient par bouffées. Puis s'étalait une lourde plage de silence. Alors Mani se redressa, replia sa jambe gauche, sa jambe valide, sur laquelle il s'assit, le visage tourné vers la fenêtre, vers la lune pleine jusqu'à ce que le halo imprégnât ses yeux qu'il referma ensuite comme pour digérer la lumière ainsi captée.

Alors se dessina dans son esprit cette même image qu'il avait vue naguère dans l'eau du canal, sa propre image, celle de son « Jumeau ». Pour que, seul avec elle, l'adolescent puisse pleurer.

— Pourquoi me suis-je ainsi humilié devant toute la Communauté ? Pourquoi n'ai-je pu répondre à Sittaï et le confondre ?

« L'heure n'est pas arrivée », répliqua l'Autre.

— Pourquoi ne pas dire à ces gens leur vérité ?

« N'as-tu jamais lu les paroles de Jésus ? On ne jette pas les perles aux pourceaux ! On ne dévoile la vérité qu'à ceux qui la méritent. Tu as pour mission de subjuguer les rois, de bousculer les croyances, de bouleverser le monde, et tu ne songes qu'à ébahir quelques Vêtements-Blancs ! »

— C'est tout de même ici que j'ai vécu depuis l'enfance, ces hommes sont les seuls que je côtoie.

« Tu n'as jamais appartenu aux Vêtements-Blancs, ton destin est autre, tu ne vieilliras pas au milieu de ces gens. »

Il cessa de pleurer lorsque ces paroles se formèrent sur ses lèvres et, l'espace d'un moment, il caressa un rêve : s'il partait avec Malchos, dès à présent ? Mais face à son impatience, l'Autre revêtit le masque serein du temps aboli.

« Non, Mani, tu ne peux te dévoiler, il est trop tôt encore pour affronter le monde, personne n'écouterait un enfant. »

Bien que dûment banni, Malchos fut autorisé à demeurer quelques semaines encore à la palmeraie. Une tolérance qui n'était pas sans rapport avec les blessures trop apparentes qui lui avaient été infligées. Son bourreau, Sittaï, ne voulait pas offrir aux gens du village voisin un spectacle susceptible d'alimenter leurs méfiances.

Mani était persuadé que son ami allait rejeter cette clémence tardive et suspecte, et profiter de la première nuit pour s'enfuir. Mais le Tyrien ne dédaigna pas le sursis qu'on lui proposait. « Je ne voudrais pas arriver chez les Grecs dans un tel état ! », expliqua-t-il à Mani. Ce n'était pas en adolescent flagellé et humilié qu'il voulait se présenter devant la femme de sa vie et son futur beau-père. Puisqu'il pouvait attendre à l'ombre que les traces aient disparu !

En fait, Malchos ne semblait plus tellement pressé de partir. Et lorsque, vingt jours après l'incident, un

« frère » vint lui signifier, de la part de Sittaï, qu'il devait s'en aller, il parut désemparé.

— Il est temps que j'avoue, Mani, je t'ai menti. Je t'ai beaucoup menti.

— L'heure n'est pas aux confessions, tes mensonges sont oubliés. Et ne prends pas cette voix d'adieu, nous nous reverrons.

— Je ne parlais pas des mensonges passés. C'est d'aujourd'hui qu'il s'agit. Je t'ai laissé croire que les Grecs m'attendaient, qu'ils avaient hâte de m'accueillir dès que j'aurais quitté cette palmeraie. Eh bien, j'ai menti !

— Charias ne veut pas de toi comme gendre ?

— Crois-tu que j'aie seulement osé lui en parler ?

— Allons, je vous ai vus cent fois ensemble en train de bavarder et de rire, il t'aime comme un vrai fils.

— Tant que je l'interroge sur les exploits de son aïeul à la bataille d'Arbèles ! Mais s'il avait pu soupçonner un seul instant que je rêvais de lui ôter sa fille unique pour l'emmener à Ctésiphon, il ne m'aurait plus jamais ouvert sa porte.

— Qu'en sais-tu ? Je suis sûr que, si tu lui avais réellement demandé la main de Chloé, il aurait accepté sans la moindre hésitation.

— Qui refuserait la main de sa fille à un Vêtement-Blanc ?

Les deux amis se retrouvèrent en train de rire. Pas trop haut, on pouvait les entendre.

Mani n'eut plus de ses nouvelles. Lui-même était sous surveillance constante, chaque fois qu'il franchissait le muret de clôture, deux « frères » l'accompagnaient. Il ne trouvait la paix qu'en son repaire secret. Par quelque prodige, les Vêtements-Blancs ne l'inquiétaient jamais lorsqu'il y allait ou qu'il en revenait, on aurait dit que ce lieu le dotait d'une espèce d'invisibilité, et que le temps qu'il y passait ne lui était pas compté.

Un jour, pourtant, en enjambant le palmier de barrière, il repéra une présence étrangère.

— Chloé ! Comment es-tu arrivée jusqu'ici ?

Le ton était brusque. Aucun autre humain n'avait encore foulé le sol de sa presqu'île.

— Je t'avais suivi une fois, il y a longtemps. Mais tu semblais si absorbé que je n'avais pas osé m'approcher.

Mani reprit aussitôt l'accent affectueux qu'il avait toujours avec la fille du Grec. Son intrusion était pardonnée.

— Quelles nouvelles as-tu de Malchos ?

— Il a trouvé à se loger de l'autre côté du canal, chez un fermier qui manquait de bras pour la récolte. Il travaille du matin au soir jusqu'à dormir d'épuisement. Il n'est venu qu'une fois chez nous. Vos visites nous manquent. Mon père m'a demandé hier si tu ne voulais pas restaurer d'autres peintures sur nos murs ?

Ses cheveux de fillette étaient retenus sous un fichu de femme, et elle avait des gestes de pudeur que Mani ne lui connaissait pas.

— Je conserve un merveilleux souvenir de ces escapades. Je revois encore ton père avec Malchos, ils devenaient si loquaces...

— Mani, lorsque vous veniez nous voir, c'est toi surtout que je regardais.

Comme s'il n'avait pas entendu, il chercha à garder la même intonation enjouée.

— ... leur bataille d'Arbèles qui ne finissait plus, l'ancêtre qui arrivait toujours au bon moment pour sauver Alexandre. Et ce rire épanoui de Malchos...

Mais Chloé prit un air grave.

— Mani, c'est toi que j'ai toujours regardé. Mon père t'aime aussi.

Un sourire avait commencé à détendre les traits de Mani. Mais il le réprima et fit un pas en arrière.

— Et Malchos ?

— Entre lui et moi, il n'y a jamais eu de promesse.

— Depuis des années, il rêve...

— Dois-je porter les rêves des autres ?

— Mais moi j'ai promis, balbutia Mani.

Il enroula le bras gauche autour d'un arbre familier, comme pour quêter son appui avant de prononcer les paroles qui éloigneraient de lui la « dame » de Malchos.

— Dans cette palmeraie, j'ai fait le serment de ne jamais prendre femme. Regarde, j'ai enroulé cette corde autour de ma taille...

Comme s'il voulait consoler Chloé, il ajouta :

— A l'époque, je ne te connaissais pas.

— Non, tu ne me connaissais pas. As-tu jamais connu autre chose que cette palmeraie ? Connaîtras-tu jamais autre chose ? Aimeras-tu jamais quelqu'un ?

— J'ai prononcé des vœux ! insista Mani, s'efforçant d'adopter le ton le plus sec.

Alors Chloé s'enfuit. Son fichu mal noué s'accrocha à une branche, mais elle ne s'arrêta pas pour le ramasser.

Mani attendit qu'elle soit loin pour pleurer, pour lui demander pardon en silence. Et pour pardonner lui-même à Malchos.

Un mois plus tard, Mani apprenait par la rumeur de la palmeraie que Malchos venait d'épouser la fille du Grec et qu'ils étaient partis ensemble pour Ctésiphon.

VI

Mani dut patienter encore, longtemps encore, bien au-delà de ses années d'adolescence. Selon la tradition consignée par les écrits des disciples, c'est seulement à l'âge de vingt-quatre ans qu'il reçut, « des lèvres de son Jumeau », les paroles tant espérées : « Voici venue pour toi l'heure de te manifester aux yeux du monde. Et de quitter cette palmeraie. »

S'il s'était attardé ainsi auprès des Vêtements-Blancs, alors qu'il rejetait leurs pratiques et leurs croyances, alors qu'il souffrait chaque jour d'avoir à les côtoyer, c'est peut-être que son désir de partir s'accompagnait d'une inavouable appréhension. Lui qui avait vécu sa jeunesse entière dans l'univers clos de la secte, univers répressif et protecteur où l'on vieillit et s'aigrit sans véritablement mûrir, univers frileux, méfiant, replié sur ses obsessions, et finalement ignorant de tout ce qui pouvait advenir au-delà du muret de clôture, comment aurait-il pu envisager avec légèreté le face à face avec le monde ?

Il avait donc laissé s'écouler les journées, les semaines, toutes semblables, moroses, pesantes. Jusqu'à ce matin d'avril, ce matin de la délivrance quand, à son réveil, il alla s'asperger le visage à l'eau du canal du Tigre. Pendant de longues minutes il resta là, penché, immobile, bien après que tous les « frères » étaient repartis. Puis, en se redressant lentement, il regarda vers le lointain avec envie. Le soleil était légèrement voilé, l'air était tiède et langoureux, les palmes des dattiers avaient le balancement triste d'immenses ailes captives. Le temps de sa vie lui sembla soudain précieux.

Sa décision était prise : avant le soir il partirait !

« Partir, se répétait Mani, partir est une fête, la seule peut-être, sous mille formes, sous mille habits de crêpe ou de chêne. Eternels otages de l'horizon, les hommes ont-ils jamais célébré autre chose ? »

Pour son départ de la Palmeraie, il ne choisit ni la feinte ni la fuite, mais la pavane et l'ample front, mais la cérémonie : d'abord, se dépouiller, lentement détacher de sa peau cette autre peau blanche qui depuis vingt années l'enveloppait et l'étouffait, respirer dans la nudité, toiser de haut sa défroque étalée sur le sol, terrassée, vidée de toute épaisseur de vie.

Puis renaître en couleurs : « Mani portait un pantalon flottant à jambes teintes de jaune rouille et de vert poireau », rapporte une chronique fort ancienne. Sur ses épaules était posé un caban bleu ciel, et sa blouse, quoique blanche, était sertie de fleurs dessinées par le peintre lui-même en ses mornes saisons d'attente, rêveusement, comme on brode un trousseau de noces. Pourtant, lorsqu'ils évoqueraient plus tard cette journée de rupture, les disciples de Mani préféreraient parler de Nativité, jusqu'à en oublier Mariam et Mardinu, et les langes serrés d'Utakim. Non, diraient-ils, des entrailles d'une femme aux entrailles d'une communauté, ce n'était pas une naissance, rien qu'une gestation inaboutie, il fallait autre chose, vingt ans d'un lent voyage autour de soi-même. C'est en patience que se conçoit l'ébranlement du monde.

Lorsque Mani eut achevé de se parer ce jour-là, et qu'il se présenta devant les Vêtements-Blancs réunis sous la voûte basse de la Sainte-Maison, ce fut le regard droit, un bâton à la main, et sous le bras, un livre. On sentait de l'assurance dans sa démarche, mais le poil rare de sa barbe laissait transparaître encore une certaine fragilité.

Il entra le dernier. Bien que la prière eût déjà commencé, son apparition déclencha des murmures. Les blanches épaules se retournaient et, si quelque « frère » demeurait recueilli, son voisin le secouait pour lui montrer, du menton ou du coude, l'innommable audacieux. Seul le prêtre, Sittaï, fit mine de poursuivre son office. Mais le dernier chant, d'ordinaire si fervent, fut expédié en deux mesures hâtives, puis les adeptes sortirent à reculons, la tête courbée, évitant de passer par la nef centrale, au milieu de laquelle se dressait Mani, provocant de couleurs. Pour leur retraite, ils s'en allèrent raser les murs des bas-côtés, on aurait dit des galériens sans rames, ou des pêcheurs sans filet.

Une fois dehors, ils se rassemblèrent près de la porte, se perdant en imprécations contre le provocateur, s'outrageant encore de son accoutrement, de sa folie soudaine, de sa criminelle impiété. Et quand, une heure plus tard, Mani se hasarda enfin à sortir, une clameur s'éleva parmi eux. Alors que des mains se tendaient pour le saisir, pour empoigner ses habits bariolés, pour lui faire payer sa provocation, Pattig, comme s'il se souvenait subitement qu'il était père et qu'il avait des devoirs, s'interposa, tira son garçon fermement par le bras et l'entraîna vers le bord du canal, là où les « frères » ne pouvaient les épier.

Mani se laissa conduire sans rien perdre de sa sérénité ni de sa superbe, c'est surtout Pattig qui semblait inquiet, désemparé, quoique, en scrutant de plus près sa mine, on pût y déceler un inavouable bonheur : celui de s'être retrouvé pour la première fois de sa vie en train de protéger son fils, de le soustraire aux périls. Il est vrai qu'entre eux, après des années d'éloignement et d'apparente indifférence, une discrète amitié s'était bâtie au lendemain du départ de Malchos. Mais à aucun moment Pattig n'avait eu l'occasion d'une telle familiarité, saisir Mani par le bras, le prendre à l'écart de la Communauté pour le sermonner comme le vrai père qu'il était :

— Quelle ridicule idée a pu te traverser l'esprit pour que tu portes ce déguisement !

— Mes oreilles à coup sûr me mentent, répondit le fils, est-ce bien un Vêtement-Blanc qui cherche à m'apprendre de quelle façon il convient de s'habiller pour partir dans le monde ?

Pattig s'attendait à une réponse plus soumise.

— Pourquoi parles-tu sur ce ton, comme si tu étais entouré d'ennemis ? Tu n'as ici que des frères. Viens, suis-moi, allons voir *mar* Sittaï. Tu sais en quelle estime il te tient, je suis sûr qu'il se montrera prêt à oublier ce stupide incident.

— Je ne veux pas qu'il l'oublie. Je veux qu'il en garde à jamais l'image devant les yeux et que dans vingt ans il voie encore dans ses songes Mani en habits de couleurs.

— Reprends-toi, Mani, retrouve tes esprits, l'heure n'est plus aux bravades de gamin, le synode des anciens va se réunir pour ordonner ton expulsion. J'ai peut-être encore le temps de leur parler, de calmer leur colère.

— Je désire partir, et le synode veut que je parte,

pourquoi craindrais-je l'affrontement? Eux qui croient me punir, ils ne font que hâter ma délivrance.

— Partir, partir, tu n'as que ce mot aux lèvres, mais où donc irais-tu? Tu as toujours vécu dans cette Communauté. Sorti d'ici, tu seras perdu. Bientôt on te ramassera au bord d'une route comme un ballot défait.

— Tu veux me dire qu'il y a suffisamment de place pour moi dans cette misérable palmeraie et que dans le vaste monde je serais à l'étroit?

— Ici tu trouves encore des gens pour t'écouter et débattre avec toi, nous sommes ta seule famille. Et moi qui te parle, tu es de ma chair et de mon sang. L'ignores-tu?

Ces paroles, jamais Pattig ne les avait dites auparavant, il les a lancées en mal d'argument, dans l'espoir manifeste de désarçonner Mani. Qui, de fait, se trouble. Son regard se vide et s'absente. Son cœur martèle ses tempes. Il a peur de défaillir, sa main cherche un mur où s'appuyer, Pattig lui tend sa paume ouverte comme pour le recueillir, mais dès que le fils la touche, dès qu'il en sent la rêche moiteur, il se rétracte et se redresse, pour énoncer d'une voix atone:

— Il est trop tard à présent pour qu'un homme soit mon père.

Jusqu'ici, aucun d'eux ne s'était laissé aller à évoquer, même par allusion, le lien de sang qui les unissait; chacun se contentait de savoir que l'autre savait, et cette muette complicité gardait à leurs échanges une émotion inentamée. Les mots prononcés par Pattig venaient donc, non seulement de trahir une tacite et sage convention, mais, dits en ces circonstances, avec de telles arrière-pensées, ils avaient pris aux oreilles de Mani quelque chose d'agressif et d'obscène. Il lui fallut rassembler péniblement son souffle avant d'ajouter, sur un ton qui se voulait définitif:

— Il est écrit depuis l'aube des temps que tu serais la voie par laquelle je viendrais en ce corps. Mais tu ne seras pas un obstacle sur mon chemin.

Les anciens de la Communauté s'étaient réunis dans la salle du synode, attenante à la Sainte-Maison. Il y avait là Sittaï qui présidait, son neveu Gara, un « frère » d'Edesse, un autre de Pharat, et un de Kachkar. Au total cinq juges installés sur toute la largeur de la table massive, et debout, leur faisant face, l'accusé, le visage impassible.

C'est à Sittaï qu'il revenait de parler en premier.

— Nous ne sommes pas réunis pour te châtier, Mani, mais pour t'inviter au repentir. Vingt ans tu as porté le blanc de la pureté et de l'humilité, et voici que tu reprends les couleurs de l'orgueil. Tu as vécu parmi nous comme une agnelle docile, comme une fiancée timide et décente, tu as gardé le corps pur, tu n'as mis en bouche que des aliments purs, par quelle folie veux-tu perdre aujourd'hui le bénéfice d'une telle grâce ?

Mani semblait fixer on ne sait quel point sur le mur au-dessus de la tête des censeurs.

— Les aliments, purs ou impurs, finissent en déjections, y aurait-il, selon vous, des déjections pures et d'autres impures ?

— Nous t'avons convoqué afin de t'écouter avec indulgence. Pourquoi te montres-tu si dédaigneux dès la première parole ?

— Il n'y a en moi aucun ressentiment, mais vous vous vantez de m'avoir fait vivre dans la pureté, et je vous réponds que cette pureté que vous prêchez ne correspond à rien. Vous prétendez que les fruits qui sortent des terres de la Communauté sont « mâles » et purs, n'est-ce pas ce que vous dites ? Pourquoi alors les vendez-vous à l'extérieur, aux villageois impies qui les broient avec leurs dents impures ?

— Où veux-tu en venir ?

— C'est pure superstition que de parler d'aliments purs ou impurs ; c'est pure sottise que de parler d'hommes purs ou impurs, en toute chose et en chacun de nous se côtoient Lumière et Ténèbres.

— Et c'est pour protester contre notre exigence de pureté que tu as ôté tes vêtements blancs ?

— Non. Je me suis habillé ainsi parce que je m'apprête à partir.

Il fit un pas vers la porte. Sittaï le rappela.

— Tu viens tout juste de nous exposer tes idées, nous n'en avons pas encore discuté avec toi, ni débattu entre nous, et déjà tu te détournes.

Il est vrai que, dans cette confrontation, c'était Mani qui montrait le plus d'agressivité. Plus tard, il pardonnerait à Sittaï de l'avoir arraché à sa mère, séquestré pendant vingt ans et terrorisé. Plus tard, il parlerait sans hargne du maître de la secte et de la fascination mutuelle qui s'était établie entre eux. Pour l'heure, toutefois, il fallait savoir rompre, se dépêtrer, s'échapper. Savoir partir.

— Je ne m'en vais pas à cause de quelque désaccord avec vous, mais parce que j'ai un message à délivrer au monde.

— Et quel est donc ce message ?

— Ce n'est pas en ce lieu que je dois le délivrer. Vous entendrez mon cri lorsque le monde vous en aura renvoyé l'écho.

— Tu n'es pas raisonnable. Nous sommes rassemblés pour t'écouter, et tu voudrais partir sans explication ? Lorsqu'un paysan trouve une graine nouvelle, il l'essaie d'abord sur un petit lopin ; si elle prend, il peut se permettre de la semer sur tous ses champs. Explique-nous ton message, nous te dirons ce que nous en pensons, nous t'aiderons à discerner le vrai du faux.

— Ce qui est vrai est vrai, ce qui est faux est faux, vos opinions ou les miennes importent peu.

La voix de Sittaï se fit plus ferme, sans néanmoins paraître hostile.

— Il ne s'agit pas seulement d'opinions, nous sommes cinq anciens, fidèles aux livres et à nos traditions, nous t'avons vu grandir, nous t'avons appris chaque chose que tu sais, tu ne peux pousser l'orgueil jusqu'à prétendre que ton opinion à toi seul a plus d'importance que la nôtre !

— C'est toi-même qui me l'as enseigné, Sittaï : il n'y a pas de majorité dans la vérité. Sous les quatre climats, des foules de gens cultivent les plus absurdes superstitions, leur grand nombre ajoute-t-il quelque valeur à leurs croyances ?

— Mais les frères devant lesquels tu te tiens ne sont pas la foule informe, ce sont les plus érudits, les plus savants des hommes !

— Les lois de l'univers ne sont pas votées par des assemblées de savants. Elles sont ce qu'elles sont, en quoi vos opinions pourraient-elles les modifier ?

— Tu parais bien sûr de toi.

— Je ne suis sûr que du message qui m'a été révélé.

— Encore faut-il savoir si ce message te vient de Dieu ou du diable. Pourquoi le Ciel t'aurait-Il choisi, te l'es-tu jamais demandé ? Es-tu le plus saint, le plus pieux, le plus vertueux ?

— Je n'interroge pas Ses desseins. Peut-être suis-je Son préféré.

Sittaï était à bout de patience, mais il s'efforça encore de se dominer.

— Supposons que le Très-Haut t'ait vraiment désigné, Mani. Il aurait donc voulu distinguer cette Palmeraie, ne le penses-tu pas ? Si tu es saint et béni, l'arbre qui t'a porté est également béni.

— A ma naissance, qu'a-t-on fait de l'eau sale dans laquelle j'avais baigné pendant neuf mois ? On l'a jetée. Cette palmeraie est l'eau dans laquelle ont baigné mon enfance et mon adolescence.

C'en était trop. Sittaï, incrédule, aurait voulu faire répéter à l'insolent la phrase qu'il venait de proférer, mais Gara, son neveu, avait déjà bondi de sa place en hurlant « Hérétique ! ». L'instant d'après, comme pour répondre à son signal, la porte s'ouvrit et une horde de Vêtements-Blancs submergea la salle en vociférant, se ruant droit sur Mani, le lapidant de boue, cherchant à le dépouiller de ses habits de couleurs :

Sittaï intervint :

— Tout homme qui se trouve à moins de trois pas de lui sera excommunié sur-le-champ !

Les coups s'interrompirent. Mais lorsque Mani, déjà à terre, osa relever la tête, une bordée de boue vint s'écraser sur son front avant de rouler le long de ses sourcils, puis sur le reste de son visage. Il s'affaissa à nouveau. A grand-peine Pattig parvint à le relever et à l'arracher à la horde.

C'est alors qu'au milieu de ses larmes Mani retrouva le sourire. Comment pouvait-il se montrer surpris d'avoir été malmené ? Croyait-il qu'ils allaient porter en triomphe celui qui avait bafoué leur loi ? A vrai dire, c'est lui qui avait été lamentable. Une gifle, une giclée de boue, et le voilà qui perdait toute prestance et se retrouvait en train de pleurer comme un enfant dans les bras de son père !

Il s'essuya le visage d'un lent revers de manche, se redressa, releva le couvercle du coffre en bois brut où il rangeait ses affaires, en retira son écritoire et ses pinceaux pour les enrouler dans un foulard de lin qu'il noua autour de sa taille.

Ensuite il se leva. Mais demeura encore un long moment bras ballants, incapable de mettre un pied devant l'autre. Comme s'il attendait de sa voix intérieure une ultime confirmation :

« Oui, Mani, fils de Babel, tu es seul, démuni de tout, rejeté par les tiens, et tu pars à la conquête de l'univers. C'est à cela que se reconnaissent les vrais commencements. »

DEUXIÈME PARTIE

Du Tigre à l'Indus

*Mon espoir est parvenu jusqu'à l'orient
du monde,
et en tous endroits de la terre habitée.*

Mani

I

Ce fut au mois d'avril de l'an 240 qu'il quitta pour toujours la palmeraie des Vêtements-Blancs. Une page de son histoire était tournée : jusque-là, il avait vécu sédentaire et caché ; désormais il vivrait sur les routes.

Sa première étape fut Ctésiphon. La grande cité de la vallée du Tigre était, à la naissance de Mani, la résidence des rois parthes et si depuis leur empire avait disparu, balayé par celui des Perses sassanides, les nouveaux maîtres du pays s'étaient établis dans la même capitale, qui avait ainsi gardé son prestige et sa prospérité.

Le nom de Ctésiphon est aujourd'hui effacé. Elle fut pourtant l'une des grandes métropoles du monde antique, le berceau du manichéisme, et aussi un haut lieu de la chrétienté orientale. Non loin de l'emplacement où, cinq siècles plus tard, les Arabes viendraient fonder la cité de Baghdad, on peut encore admirer les vestiges du palais où Mani réussit sa conquête la plus spectaculaire.

Mais, au lendemain de son départ de la palmeraie, on n'en était pas là. Si le fils de Babel avait déjà une âme de conquérant, son apparence était tout autre, celle d'un moine errant aux habits étrangement coloriés.

Parti à pied, la tête enveloppée d'un foulard protecteur, il aurait dû atteindre la ville en quatre ou cinq jours. Mais une crue du Tigre était survenue, brisant les digues, inondant les routes, et le voyage s'était prolongé. Il n'atteignit la cité qu'au dixième jour, à l'heure du coucher du soleil, pour être emporté aussitôt dans la cohue quotidienne. Les plus riches habitants de Ctésiphon avaient en effet coutume de posséder une multitude de bêtes, montures et troupeaux denses que des bergers esclaves menaient paître tous les matins hors les murs, vers les fourrages de Nassir ou de Mahozé, et qu'ils rentraient le soir, engorgeant les portes de la ville sous un nuage de laine, de houlettes et d'odeurs.

Comme bien d'autres voyageurs, le fils de Babel dut entrer dans leur sillage, bousculé, toussotant, et déjà étourdi par un vacarme plus citadin, puisque les rues, engourdies à midi, se ranimaient à l'approche du crépuscule quand le soleil obliquait. Commis, porteurs, crieurs, soldats, chameliers, évanouis le temps d'une sieste, recommençaient leur bousculade affairée à laquelle se joignaient des promeneurs, à chaque heure plus nombreux le long des berges où les attendaient les barques des marchands ambulants pour leur proposer nattes, bonnets et bricoles de prix. Les pièces tombaient par poignées d'une bourse à l'autre, bruyamment. Ctésiphon était ainsi. Ce n'était pas pour l'air frais qu'on y déambulait, mais pour la parade, pour exhiber les enfants gras et les serviteurs, les épouses surtout, de préférence laiteuses et potelées, alourdies de colliers sur la chair des échancrures et de bracelets enfilés par deux, par quatre et jusqu'au coude. Dans cette ville on portait sur soi tout ce qu'on avait, tout ce qu'on était ou prétendait être. Et si, parfois, à un mendiant affalé contre le mur d'un temple on lançait un de ces bracelets, c'était pour arrondir les yeux de la foule.

Lorsque le ciel s'assombrissait encore, que s'achevait la promenade, on se repliait sur sa maison avec bêtes et gens, pour manger et boire, les tavernes n'étant que pour les voyageurs et pour quelques voyous. Tout citadin qui se respectait s'enivrait en effet chez lui, et couché, toujours couché pour boire, entouré d'êtres chers ou plaisants. Là encore, il fallait savoir parader, prouver que l'on avait les moyens de son ivresse, offrir le vin par outres ventrues aux amis, aux voisins, aux clients, et se soûler, jusqu'à perdre tout sens. N'était-ce pas ainsi que se comportait le roi des rois ? En plus de ses goûteurs et de ses échansons, n'avait-il pas un scribe préposé à l'ivresse qui tenait registre de tout ce que le souverain décrétait en état de souveraine soûlerie, afin qu'à son réveil il le lui rappelle et qu'il puisse réparer ? S'il avait eu, la veille, le vin prodigue et qu'il avait aboli quatre années d'impôts, il fallait qu'il puisse les restaurer ; s'il avait eu le vin coléreux et qu'il avait dépouillé de sa charge le chef des mages coupable d'avoir refusé de danser, il fallait qu'il puisse le rétablir.

Ctésiphon. L'ivresse ordonnée, la grandeur méticuleuse. Ctésiphon, héritière de Babylone et rivale de Rome, c'est dans ses murs que Mani dormirait cette nuit.

Mais d'abord, pour donner à la ville un visage, retrouver l'ami. Mani interrogea un passant qui semblait moins pressé que d'autres. Connaîtrait-il, par chance, un négociant tyrien du nom de Malchos ? Malchos, répéta l'homme en plissant exagérément les yeux ? Ils sont bien dix ou douze à porter ce prénom. Sa femme est grecque, dis-tu...

Et c'est ainsi que Mani atterrit, dans le quartier du

temple de Nabu, non loin de la place des Bosses, devant une maison à double étage, éclatante de chaux neuve derrière une haie de palmiers. Le portier conduisit le visiteur auprès de son maître qui, apparaissant au bout de l'allée, ouvrit tout grands les bras.

— Ce n'est pas le palais que j'avais promis, mais je me suis déjà construit ce taudis, tonnait modestement Malchos, repu et prospère, rayonnant de toutes ses rondeurs.

Chloé accourut, incrédule. Elle avait peu changé. N'était l'enfant joufflu qu'elle portait d'un bras, et qu'elle retenait d'une hanche accoutumée, c'était la même fille enjouée et mutine pour laquelle Mani avait gardé la plus tendre affection, et ses cheveux clairs respiraient le même désordre. Dans le bref regard qu'ils échangèrent on pouvait déceler une joie non feinte ; sans doute aussi un reste de regret. Mais d'ambiguïtés point.

— Cet habit, dit-elle.

— Oui, j'ai quitté les Vêtements-Blancs.

— Pour toujours ?

— Et même au-delà.

Il fit un pas vers elle, et d'une main émue frôla les joues de l'enfant, une fille de deux ans à peine qui se laissa cajoler par le visiteur inconnu et le gratifia même d'un sourire, avant de s'accrocher, timide, au corsage maternel.

— Tu es le bienvenu ici, dit Malchos, cette maison est la tienne, tu le sais.

— Si une maison au monde pouvait être mienne, ce serait celle-ci. Mais je ne serai que de passage.

— Où vas-tu ?

— Cela, je l'ignore encore. En attendant, m'offres-tu le gîte ce soir ?

— Ce soir, demain soir, et tous les soirs de ma vie.

— Pour demain, je te redemanderai demain.

Malchos aurait voulu protester, mais il reconnut chez son ami ce ton lointain, soudain détaché, et comme somnambule. Rien ne servait d'insister. Autant changer de sujet.

— Demain, je t'emmènerai voir mes dépôts et mes ateliers, puis le palais, le nouveau champ de courses...

Mais son ami l'interrompit, lui prenant la main dans la sienne en geste d'excuse.

— Non, Malchos, j'ai surtout besoin de flâner dans cette ville, au hasard. Il est temps que je regarde vivre le monde.

Rentrant chez lui le lendemain pour déjeuner et dormir, Malchos menait sa mule, comme tous les jours, par un raccourci à travers un jardin vague, sorte de verger à l'abandon, lorsqu'il vit Mani assis sur une pierre, au milieu d'un petit attroupement. En s'approchant il remarqua que son ami avait sur les genoux un livre ouvert sur lequel il semblait dessiner quelque chose, tout en conversant avec les personnes qui l'entouraient. Le Tyrien s'apprêtait à mettre pied à terre quand, reconnaissant les cinq ou six têtes qui se pressaient autour du peintre, il changea d'avis et reprit sa route en regardant ailleurs.

Chez lui, il s'attabla sans rien dire.

— Ne veux-tu pas attendre Mani? lui demanda Chloé sur un ton de reproche.

— Il mangera quand il viendra. J'ai faim.

Lorsqu'il arborait sa mine boudeuse, Malchos semblait plus grassouillet encore que d'ordinaire, et sa barbe ronde s'ébouriffait.

— Encore des problèmes avec les caravaniers, conclut-elle...

Mais son mari se taisait et dévorait son pain boule

après boule, ne fixant que ses doigts. Chloé n'insista plus, elle continua de s'affairer autour de lui.

Après les fruits il ne fit pas la sieste, mais alla s'asseoir sur un coussin en égrenant rageusement son chapelet d'ambre. Une heure plus tard, Mani arrivait. Malchos ne leva pas les yeux.

— En traversant le petit jardin, je t'ai vu... Tu étais en pleine conversation avec certains individus... Les connais-tu ?

— Non. J'étais en train de dessiner une guirlande à l'encre rouge, ils sont venus vers moi, et je leur ai parlé.

— Sans les connaître ?

— Hors de ta maison, je ne connais personne dans cette ville.

— Je vais te dire qui sont ces gens : des oisifs, des vauriens, des cinglés, des ivrognes, tous ceux qui n'ont rien d'autre à faire le matin que traîner dans les terrains vagues... Tu ne dis rien ! Cela t'indiffère que tes auditeurs soient les pires voyous du quartier !

Mani se taisait. Mais il y avait tant de candeur dans le mutisme de cet enfant de vingt-quatre ans, ce grand enfant barbu et bariolé, que Malchos n'insista plus. Ses bras retombèrent, ses yeux se refermèrent à moitié, et il s'en alla faire sa sieste inutilement retardée.

Les jours suivants, le Tyrien évita de passer par le jardin. Il préférait s'obliger à un grand détour plutôt que de tomber à nouveau sur les viles fréquentations de Mani. Fut-ce par curiosité, par lassitude, ou par simple inadvertance qu'il reprit, une semaine plus tard, son ancien chemin ? Le spectacle, cette fois, était différent. C'étaient bien quinze personnes qui entouraient le peintre, parmi elles deux ou trois des badauds du premier jour, mais aussi des gens de toutes conditions, dont un voisin, Tyrien comme Malchos, et riche et

100

respecté. Assis, comme à son habitude, sur sa jambe gauche pliée, le fils de Babel avait son livre ouvert devant lui, mais il s'était arrêté de peindre et avait posé son pinceau derrière l'oreille. Mettant pied à terre, son ami s'approcha pour l'écouter, sommairement dissimulé derrière un jeune cyprès. Ne donnant pas l'impression d'avoir remarqué sa présence, Mani poursuivit son discours :

— ... aux commencements de l'univers, deux mondes existaient, séparés l'un de l'autre : le monde de la Lumière et celui des Ténèbres. Dans les Jardins de Lumière étaient toutes les choses désirables, dans les ténèbres résidait le désir, un désir puissant, impérieux, rugissant. Et soudain, à la frontière des deux mondes, un choc se produisit, le plus violent et le plus terrifiant que l'univers ait connu. Les particules de Lumière se sont alors mêlées aux Ténèbres, de mille façons différentes, et c'est ainsi que sont apparus toutes les créatures, les corps célestes et les eaux, et la nature et l'homme...

Sa parole se suspendit, comme pour quêter l'inspiration. Puis elle s'écoula de nouveau.

— En tout être comme en toute chose se côtoient et s'imbriquent Lumière et Ténèbres. Dans une datte que vous croquez, la chair nourrit votre corps, mais le goût suave et le parfum et la couleur nourrissent votre esprit. La Lumière qui est en vous se nourrit de beauté et de connaissance, songez à la nourrir sans arrêt, ne vous contentez pas de gaver le corps. Vos sens sont conçus pour recueillir la beauté, pour la toucher, la respirer, la goûter, l'écouter, la contempler. Oui, frères, vos cinq sens sont distillateurs de Lumière. Offrez-leur parfums, musiques, couleurs. Epargnez-leur la puanteur, les cris rauques et la salissure.

Alors que son auditoire attendait la suite, Mani se

leva, prenant appui sur le bâton qu'il tenait constamment à la main, et tous s'écartèrent avec respect pour le laisser partir, encore suspendus à son visage creusé d'adolescent hagard. Puis, comme si des fils ténus les rattachaient à lui, l'un après l'autre, ils lui emboîtèrent le pas, subjugués et muets.

Sans doute Malchos avait-il été rassuré sur les fréquentations de son ami, mais ses peurs ne s'étaient pas dissipées pour autant. Hier il craignait de le voir confondu par quelque gardien zélé avec les vauriens du quartier ; aujourd'hui il redoutait de le voir appréhendé pour de plus sérieuses raisons. On ne pouvait pas rassembler chaque jour dans les rues de Ctésiphon des dizaines de citadins, bientôt peut-être des centaines, sans être soupçonné d'ourdir quelque complot. Ce qu'il venait d'entendre de la bouche de son ami ne contenait, certes, aucune parole séditieuse. Mais Malchos se méfiait. Il connaissait suffisamment Mani pour deviner que son enseignement ne faisait que commencer, pour pressentir qu'il ne se limiterait pas indéfiniment à des considérations rêveuses sur les commencements de l'univers. Un jour, qui pourrait être proche, son ami prononcerait la phrase de trop qui provoquerait l'irréparable. A mesure que le Tyrien retournait la chose dans son esprit, le danger lui paraissait plus évident, plus imminent. Il se voyait déjà lui-même jeté dans quelque cachot pour complicité, son commerce ruiné et toutes ses ambitions anéanties, sa femme contrainte à la mendicité...

— J'ai à te parler, Mani, lui dit-il brusquement.

Le ton n'était pas hostile, il se voulait seulement grave et franc. Le fils de Babel commença par sourire.

— Relâche donc tes sourcils, cet air sombre s'accorde mal avec ta face joufflue. Mais parle, dis-moi ce que tu as sur le cœur...

— Nous avons vécu toi et moi notre jeunesse entière dans cette palmeraie, à l'écart du monde, de ses joies et de ses contraintes, et toi, bien plus que moi, tu as vécu dans tes livres, nul ne connaît mieux que toi la médecine et la théologie, j'admire ta science, ton talent, ton élan, des hommes comme toi laissent des traces sur la terre qu'ils ont foulée et dans le cœur des proches. Mais il y a des brassées de choses qui t'échappent, et que l'homme le plus fruste saisit mieux que toi, es-tu prêt à l'admettre ?

Mani acquiesça, et son ami se sentit encouragé à poursuivre.

— D'abord, tu me sembles avoir oublié que le maître de Ctésiphon et de tout cet empire est Ardéshir le Sassanide, roi des rois. Je tiens à te rappeler son nom, celui de sa dynastie, qu'il a établi son pouvoir en balayant de la surface du monde l'empire des Parthes et en tuant Artaban, leur dernier souverain. Je te le répète, pour le cas où tu ne l'aurais pas compris, les Sassanides ont établi leur royaume sur les décombres des Parthes, ils les ont pourchassés sur toute cette terre de Mésopotamie, en Médie, et jusqu'aux portes de l'Arabie et de l'Inde. Et toi, Mani, garde-le constamment à l'esprit, tu es parthe, aux yeux des nouveaux maîtres tu es prince parthe et d'abord cela. Non seulement ton père est de la noble famille des Haska-niya, mais ta mère, dit-on, appartient à celle des Kamsaragan, plus noble et plus ancienne encore, qui fut associée au règne des Parthes.

— J'ai longtemps ignoré cette ascendance et, quand je l'ai connue, je l'ai négligée. A mes yeux, tu le sais, il n'existe ni races ni castes.

— Je le sais, Mani, et je te respecte pour cela, mais

le monde ne voit pas les choses ainsi. Ce soir, une main malveillante peut faire au roi des rois un rapport sur un prince parthe du nom de Mani qui organise des réunions dans les rues de sa capitale. Et ce sera la fin de ton équipée.

— Pourquoi s'en prendrait-on à moi, je ne m'occupe pas des affaires de l'Etat, je ne parle que du Ciel, je n'appelle pas à la sédition.

— Ne viens-tu pas de me dire que tu ne croyais ni aux races ni aux castes ? Il suffirait que tu prononces ces mots en public pour te rendre coupable de lèse-majesté, car notre roi des rois est fier de sa caste comme de sa race. Et même si tu ne parlais que du Ciel, crois-tu que cela suffise à t'innocenter ? Peut-être n'en as-tu pas conscience, mais les temps ont changé. A l'époque de tes cousins parthes, toutes les croyances étaient tolérées. J'ai parmi mes voisins des chrétiens qui pratiquaient leur culte sans se cacher. L'exilarque des juifs avait alors ses entrées au palais, et l'on ne savait même pas quelle était la religion du prince. Mais Ardéshir est différent. Il s'est entouré d'une troupe de mages qui cherchent à imposer le culte du feu sur toute l'étendue de l'empire. Dans une palmeraie oubliée au bord d'un canal du Tigre, on peut encore pratiquer la religion de son choix. Mais ici, dans la capitale, on se tait, on se terre, et si l'on tient à invoquer Jésus ou Baal ou Nabu ou Moïse, on le fait à l'abri de ses murs.

— Tes paroles ne m'effraient pas, Malchos. Si l'on vient m'arrêter, ce sera pour moi une chance d'exposer mon message devant le maître de l'empire.

— Je reconnais bien là ta naïveté. Tu te souviens d'avoir lu dans tes livres quelque fable ancienne sur un accusé qui comparaissait devant le roi, et tu t'imagines déjà face au monarque, en train de dialoguer avec lui, de le subjuguer et de le convertir. Réveille-toi, Mani, quitte donc ces rêves d'adolescent ! Ce n'est pas devant le roi des rois qu'on te conduira, malheureux, on te jettera dans quelque cachot boueux où tu ne pourras discuter qu'avec les rats et la vermine.

— En cela, tu te trompes. Je sais qu'un jour je parlerai aux rois...

Malchos s'était mis à observer son ami, cherchant à discerner les raisons d'une telle certitude, lorsque Chloé arriva, avec le regard hésitant de celle qui ne sait pas si la nouvelle apportée va susciter la joie ou l'embarras.

— Pattig est ici, dit-elle.

Mani se leva, il fit un pas vers la porte ; son hôte, en revanche, ne se leva qu'à contrecœur, encore soucieux, préoccupé, mais lorsque Pattig entra dans la pièce, toujours habillé à la manière des Vêtements-Blancs, il tendit vers lui des bras accueillants. Le vieux « frère » ne lui concéda qu'une accolade hâtive. Il n'avait d'yeux que pour son fils. Dont, pourtant, il ne s'approchait guère, le contemplant à distance, comme une apparition ardente et précaire, un rien périlleuse.

— J'étais persuadé que plus jamais je ne te reverrais ! Quand tu es parti j'ai pleuré, j'ai voulu jeûner jusqu'à la mort. Et Sittaï aussi a pleuré comme s'il avait perdu son vrai fils. Puis des frères sont arrivés qui t'avaient vu traverser le pont de Séleucie. J'ai supposé que tu étais allé chez Malchos, tu ne connais personne d'autre dans ces villes. Je t'ai donc suivi. Tous les frères désiraient m'accompagner en cortège. Ton départ les a chagrinés et secoués. Si seulement je pouvais te ramener dans notre palmeraie, toute la Communauté exulterait. Personne, entends-tu, personne ne songerait à te reprocher quoi que ce soit, tu pourrais parler à voix haute, exposer tes idées...

Le visage de Mani s'était durci un peu plus à chaque mot de son père.

— Si c'est pour me dire cela que tu es venu, tu aurais mieux fait de rester chez les Vêtements-Blancs. Sache-le, une fois pour toutes, je ne reviendrai jamais dans ta palmeraie, je n'appartiens plus à cette religion.

— Et moi, Mani, as-tu pensé un instant à moi ? J'ai quitté le monde et ses plaisirs, j'ai quitté ma femme pour vivre dans cette communauté, croyant trouver là pureté et fraternité, et voilà que mon propre fils me dit que le sacrifice de toute une vie était inutile. Si je t'écoute, je renie tout ce à quoi je me suis consacré, et si je demeure attaché à la communauté, je perds le seul être qui me soit proche. Je n'ai plus que toi en ce monde.

— Alors reste avec moi. Ecoute mes paroles. Si elles répondent à ton attente, tu me suivras sur ma route comme par le passé tu as suivi Sittaï. Sinon, tu reviendras vers la palmeraie.

Mani avait parlé à son père comme à un étranger. Ou à un rival. Les effusions de Pattig lui étaient des agressions, et toute allusion à leur lien de parenté lui semblait déplacée. Malchos et Chloé observaient la scène avec pudeur, témoins gênés d'un règlement de compte entre deux destins. Le père avait assujetti son fils et tous les siens aux caprices de son pieux égarement. Et maintenant survenait l'irréelle revanche : Pattig tomba soudain à genoux, comme sous l'effet d'une injonction divine.

— Je resterai avec toi, Mani, j'écouterai tes paroles en m'efforçant de les faire pénétrer dans mon cœur. Impose-moi tes mains, je serai ton premier disciple.

Mani ne répondit pas. Les yeux clos, il voguait au milieu de ses souvenirs, à la recherche de quelque signe, de quelque présage qui eût pu lui annoncer cette étrange scène qu'il vivait. Jamais il n'aurait pu imaginer que les choses se passeraient ainsi.

Puis, desserrant lentement les paupières, il posa la paume de sa main droite sur la tête de son père agenouillé. Sans le savoir, il reproduisait ainsi, et en quelque sorte effaçait, ce geste par lequel Sittaï avait pris autrefois l'ascendant sur Pattig, dans le jardin du temple de Nabu.

Dans ses ateliers, les jours suivants, Malchos bougonnait, tournicotait, pestait et s'empêtrait, impuissant à fournir le moindre travail utile. Mani l'avait, certes, toujours intrigué, mais jamais il ne lui était apparu tellement déroutant, tellement insaisissable. Parfois des gestes de maître entouré de disciples, et l'instant d'après des gestes d'enfant ; parfois, Malchos l'admirait, le vénérait presque, et l'instant d'après, il avait seulement envie de le protéger, comme un tout jeune frère.

Surtout, le Tyrien ressassait dans son esprit les événements de la veille : une curieuse Eglise avait vu le jour dans sa propre maison, née de l'allégeance contre nature d'un père envers son fils. Quel rôle lui faisait-on jouer, à lui, Malchos de Tyr, dédié commerçant, sectateur repenti, qui avait fui Eglises et Communautés ?

Il y avait, dans ses rapports avec son ami, un malentendu dont il n'avait pas mesuré jusque-là l'ampleur et les implications. L'un et l'autre avaient quitté avec soulagement la palmeraie des Vêtements-Blancs, mais leurs motivations étaient si différentes. Lui-même avait toujours su avec certitude ce qu'il voulait de la vie : la fortune, la femme aimée, la demeure prospère, en attendant de se construire un palais... Et Mani ? De quoi rêvait-il en quittant la secte ? D'une nouvelle religion ? Il y avait assurément chez lui ce désir de prêcher, ces allusions maintenant fréquentes à une voix céleste... Mais alors, comment expliquer que Malchos ait entendu de sa bouche, le soir même de l'arrivée de Pattig, cette phrase déconcertante : « Je me demande parfois si ce n'est pas le maître des Ténèbres qui inspire les religions, à seule fin de défigurer l'image de Dieu ! »

Etaient-ce là les propos d'un homme de religion ?

II

C'est durant ce premier séjour hors de la palmeraie que le père et le fils parlèrent de Mariam. Jamais auparavant ils ne l'avaient mentionnée, et même ce jour-là, Mani réussit à ne pas prononcer son nom. Il dit simplement :

— As-tu jamais su ce qu'elle est devenue ?

Ils marchaient côte à côte dans une allée paisible de Ctésiphon, songeurs l'un et l'autre depuis un moment. C'était l'aube, le soleil n'avait pas encore lâché sa fournaise sur la ville qui se réveillait lentement dans la douceur d'une brise fluviale. Pattig n'hésita pas. Comme s'il était entendu que l'ombre qui flottait entre eux depuis un quart de siècle devait se joindre enfin à cette réunion tardive.

— Je suis repassé il y a quelques années par Mardinu. Dans le jardin de notre ancienne maison on m'a montré sa tombe. Je voudrais t'expliquer certaines choses, Mani...

Mais le fils s'est immobilisé, si brusquement que sa canne s'est plantée dans le sol. Sa paume dressée, tout près du visage de Pattig, a eu ce geste que ce dernier employait jadis pour mater son épouse, un geste qui voulait dire « plus un mot ».

Pattig obéit. Hors de sa maison, il avait toujours su

obéir. Et lorsque Mani a repris sa marche à plus grandes enjambées, il l'a suivi. En silence, et à deux pas de lui.

Pour toujours désormais ce sujet demeurerait clos. Le sujet, pas la blessure, que certaines paroles maladroites viendraient parfois raviver.

Entre Pattig et Mani allaient se tisser les plus étranges rapports qui puissent se concevoir entre un père et son fils. Au fil des ans, une amitié allait naître et grandir, une affection réelle, profonde, mais qui ne devrait rien à leur lien de sang. Bien au contraire, elle se ferait en dépit de ce lien, et comme pour le nier. Pattig serait, jusqu'à sa mort, un proche disciple de Mani, son plus fidèle compagnon de voyage, son auditeur le plus assidu.

Assidu, mais, les premiers temps, fort circonspect. Chaque fois que Malchos traversait le jardin où son ami avait pris l'habitude de peindre et d'enseigner, il voyait le père assis en retrait sur un tronc d'arbre abattu, l'oreille tendue vers l'orateur, constamment absorbé, et comme tourmenté. Le Tyrien venait parfois s'asseoir à ses côtés, le saluant d'un geste gourd et d'un sourire éteint, évitant de prononcer le moindre mot qui pût le distraire. Lui-même se mettait à écouter les propos de Mani, tout en demeurant attentif aux réactions de l'auditoire, et cherchant à y repérer quelques visages familiers. Pour quelqu'un qui l'aurait observé, il n'aurait guère paru moins tourmenté que Pattig, bien que ce fût pour des raisons différentes.

Les craintes qu'il nourrissait depuis l'arrivée de son ami allaient s'avérer pleinement fondées, puisqu'un jour, alors que Mani parlait à voix forte devant une foule plus dense que d'ordinaire, Malchos fut distrait par un bruit de pas, des pas pesants qui faisaient crisser

110

l'herbe sèche. En se retournant, ses yeux croisèrent ceux d'un *gzyr,* un officier gardien de l'ordre, qui le convoqua d'un geste.

— Qui est cet homme là-bas ?

— Un jeune prêtre du pays de Babel. Son nom est Mani.

— De quoi parle-t-il ?

— De prière et de jeûne.

— Quelle religion suit-il ?

Malchos aurait bien voulu le savoir lui-même ! Mais il jugea prudent de répondre, avec une moue :

— Celle du Nazaréen, je crois.

L'officier inscrivit la chose dans le registre de son crâne.

— Et toi, qui es-tu, je t'ai déjà vu dans ce quartier.

— Mon nom est Malchos, je suis négociant, originaire de Tyr. Je passais...

Agacé par le bourdonnement qui se poursuivait derrière lui, Pattig se retourna, la main menaçante, prête à imposer silence aux gêneurs ; elle retomba quand il aperçut le *gzyr* en uniforme. Qui lui ordonna de s'approcher.

— Le connais-tu ? demanda l'officier en désignant Mani.

— C'est mon fils !

— Quel est ton nom ?

— Pattig.

— C'est un nom parthe, si je ne me trompe.

— Oui, je suis parthe, originaire d'Ecbatane.

— Et comment se fait-il que ton fils et toi parliez si bien l'araméen ?

— Je suis venu très jeune au pays de Babel, et mon fils est né par ici, dans le village de Mardinu.

— A quel clan appartiens-tu ?

— Aux Haskaniya, dit Pattig, retrouvant soudain une fierté d'ordinaire enfouie.

— Une lignée de valeureux guerriers, dont les faits d'armes sont dans toutes les mémoires ! dit l'officier, soudain admiratif et déférent.

L'empressement fut éphémère, car Pattig déclina aussitôt ses croyances, sur le ton le moins conciliant.

— De ma vie je n'ai pris part à aucune bataille. Ma religion m'interdit de porter une arme. Quel qu'en soit le motif.

— Ainsi, à tes yeux, si je brandis cette épée pour établir l'ordre et combattre les ennemis de notre souverain, je ne vaux guère mieux qu'un meurtrier et un brigand !

Malchos jugea le moment venu de s'interposer :

— Le prince Pattig et son fils vivent depuis toujours retirés dans une palmeraie, ils se consacrent à la lecture des vieux livres saints, et ne comprennent pas grand-chose à ce qui se passe dans ce monde.

L'officier se laissa radoucir par cette explication, ainsi que par le clin d'œil appuyé que lui adressait Malchos. Mais Pattig jugea indispensable d'ajouter :

— Nous avions vécu heureux dans cette palmeraie, jusqu'au jour où mon fils a choisi de venir à Ctésiphon. J'ai dû le suivre.

— Qu'est-il venu faire ?

— Il veut prêcher une nouvelle religion aux peuples.

— Rien que cela ! Et combien de temps nous honorerez-vous de votre présence ?

Pattig parla à voix basse, comme à lui-même.

— S'il ne tenait qu'à moi, je repartirais à l'instant. Quand on a la chance de vivre loin de cette corruption, de cette pourriture, de ces tavernes...

— C'était bien mieux par le passé, suggéra l'officier.

— Sans doute.

— Tout allait mieux du temps des Parthes.

Malgré son incommensurable naïveté, Pattig finit par se douter qu'un traquenard lui était tendu. Mais Malchos avait déjà pris les devants :

— Que le Ciel prolonge la vie de notre divin maître Ardéshir, et de son fils bien-aimé, le divin Shabuhr, son associé dans le pouvoir, jamais cette ville n'a été aussi prospère ni aussi policée que depuis qu'ils l'ont prise sous leur protection. Puissent-ils demeurer pour toujours au-dessus de nos têtes !

L'officier retroussa son nez et son épaisse moustache, l'air de dire « Je vois, Tyrien, que tu connais les formules d'usage, mais cela ne suffira pas à te tirer d'affaire ». Il dut pourtant débiter à son tour :

— Qu'ils soient éternels !

Un silence de vénération succéda à la réplique consacrée. Puis l'officier se remit à toiser Pattig, de haut en bas, s'apprêtant à poser une nouvelle question qui serait un nouveau piège. Mais la voix de Mani s'éleva, attirant vers lui oreilles et regards.

— ... Dieu, qui est Lumière pure, connaissait mal le monde des Ténèbres, alors il a appelé le premier homme pour lui dire : « Toi en qui se côtoient Lumière et ténèbres, tu es le meilleur allié que je puisse avoir. Oui, homme, tu es le piège tendu par la Lumière aux Ténèbres. C'est à toi que je confie la tâche de dominer la Création et de la préserver. »

Cependant l'officier s'approcha. Dandinant sa silhouette ventrue, un court bâton à la main, sur le flanc son sabre, il s'en fut traverser l'étroit passage pierreux qui séparait l'assistance de Mani. Quand il se trouva juste devant celui-ci, il s'arrêta, s'ébroua. Le message fut aussitôt compris, puisque les auditeurs, tous sans exception, détachèrent leurs yeux de l'orateur pour fixer le *gzyr,* et se levèrent, l'un après l'autre, se retirant à reculons, d'abord avec de maladroites précautions, ensuite, dès qu'ils le purent, pour se détourner et détaler.

Et l'officier s'assit, réjoui jusqu'aux tempes, fier d'être ainsi devenu à lui seul, par le miracle de l'autorité, l'ensemble de l'auditoire.

Une ultime phrase de Mani :

— J'enseignerai la religion de beauté aux peuples des quatre climats.

Puis il se tut, sans pour autant quitter sa place ; on aurait dit qu'il poursuivait en lui-même le sermon interrompu. L'officier l'observa, le jaugea, puis se montra préoccupé, comme s'il cherchait en vain les mots qu'il pourrait adresser à cet homme étrange. Mais, finalement, il renonça à lui parler, il le laissa se lever et, de sa démarche brisée, s'éloigner.

L'auditeur unique demeura à sa place, engoncé, quasiment assoupi, ne revenant à lui qu'au moment où Mani avait disparu. Alors seulement il se redressa, et en courant rattrapa Malchos à la porte de sa maison.

— Dis à ces Parthes que je ne veux plus voir traîner leurs robes dans les murs de Ctésiphon. Qu'ils retournent à leur village et s'y enterrent à jamais ! Rappelle-moi leurs noms !

— Pattig et Mani.

— Et toi Malchos, n'est-ce pas ? C'est ici que tu vis ? Belle demeure !

Pendant que l'officier promenait sur la propriété un lent regard envieux et menaçant, Malchos se surprit à contempler déjà avec nostalgie les murs de sa maison comme s'il les voyait debout pour la dernière fois.

Entré en titubant, il alla s'étendre dans le patio ombragé où Chloé lui mélangea un sirop de mûres. Il l'avala d'un trait et en réclama un autre avant même de

114

sécher sa sueur. S'il voulait préserver ses biens et sa famille, il savait ce qu'il lui restait à faire, il savait quelle demande odieuse il lui faudrait adresser à Mani. Mais comment les mots pourraient-ils franchir ses lèvres ? Avec Pattig qui vint lui tenir compagnie, il ne parla que par gestes et par chuchotements étranglés.

Mani ne devait les rejoindre qu'une heure plus tard, frais, serein, inspiré.

— J'ai réfléchi, dit-il. Il faut que je m'en aille de cette ville.

Malchos ressentit sur le moment un soulagement qu'il s'efforça de ne pas laisser transparaître. Pendant que le fils de Babel ajoutait sur un ton quelque peu affecté, mais qui n'était pas exempt de malice :

— J'ai demandé conseil à mon Compagnon céleste, qui m'a répondu : « Ctésiphon est une porte gigantesque, si tu ne peux la forcer, essaie d'en obtenir la clef. » Ce soir même, je partirai. Et si *mar* Pattig le désire, il pourra m'accompagner.

En guise de réponse, le père se leva, défit la corde de sa robe blanche pour la nouer plus serrée.

Malchos avait retrouvé l'usage des mots courtois.

— Ne serait-il pas raisonnable d'attendre l'aube ?

Au-delà de la formule polie, il était sincèrement confus. Et à chaque instant un peu plus. Il avait honte d'avoir souhaité le départ de Mani, d'avoir même failli le demander. La scène qu'il vivait l'emplissait d'amertume, d'une amertume qu'il traînerait, il le sentait bien, jusqu'à la fin de sa vie. N'avait-il pas gardé en lui pendant des années l'image réconfortante de son ami escamotant ces noyaux de dattes dans le réfectoire de la palmeraie ? Il était persuadé maintenant que, dans dix ans, dans vingt ans, il se souviendrait encore avec une honte intacte et la même amertume du jour où il l'avait chassé de sa maison. Chassé ? Il ne l'avait pas chassé, et

115

les yeux de Mani ne contenaient aucun reproche ; mais le Tyrien ne se pardonnerait jamais son absence de magnanimité. Que faire alors ? Retenir le fils et le père, prendre le risque de tout perdre, sa maison, son commerce, tout ce qu'il avait bâti depuis qu'il était arrivé à Ctésiphon ?

Ainsi, peu à peu, sans qu'il se l'avouât à lui-même, naissait dans son esprit l'idée saugrenue, l'idée aberrante. Et s'il se dépêcha de la balayer de son esprit, elle y revint, insistante.

Malchos était là, livide, accablé, pitoyable, à regarder ses hôtes ramasser leurs maigres bagages, quand arriva Chloé. D'un coup d'œil, et sans avoir entendu le moindre mot d'explication, elle avait compris ce qui se passait : le départ des invités et le dilemme de l'époux. Elle les enveloppa tous d'un vaste regard de tendresse, puis entraîna ce dernier à part.

— Si tu penses les accompagner pour un bout de chemin, n'hésite pas. En dépit de leur âge, ces hommes ne sont que des enfants, ils ne savent rien des routes et des voyages, sans toi ils seraient perdus.

Comme s'il n'attendait que ces paroles d'encouragement, Malchos se retrouva debout, soudain gonflé d'énergie. Et enjoué.

— Eh bien partons ! Je vais demander aux serviteurs d'apprêter les montures.

Un bout de chemin, avait dit sa femme ? Des années plus tard, Malchos en serait encore à se demander comment il avait pu s'embarquer avec autant de légèreté dans cette aventure.

*
**

Mani ne semblait pas connaître le but de son voyage. Chaque matin, il frayait sa route, ne se laissant jamais

116

s'étendre deux nuits sur la même natte. Ses compagnons suivaient. Vers Ganazak, en Atropatène, vers l'Arménie, les monts de Médie, les palus de Mésène, enfin vers Kachkar, sur le Tigre, où ils embarquèrent.

— Et maintenant, où allons-nous ?

Malchos n'attendait pas plus de réponse que lors de ses vingt précédentes questions. Il s'était affalé à la poupe, à côté de Pattig, la tête enfouie sous un fichu mouillé. Le soleil était si proche qu'on l'entendait battre aux tempes. Seul Mani était debout, son ombre ramassée à ses pieds. Sans se retourner, il annonça, comme s'il feuilletait le journal de bord :

— Nous dormirons la nuit prochaine à Charax. Puis un navire nous portera sur la Grande Mer. Jusqu'en Inde.

Malchos avait perdu l'habitude d'argumenter. Il se couchait, se levait, écoutait, marchait. Cependant, derrière ses yeux trop soumis, il n'arrêtait jamais de faire ses comptes. Nous sommes bien en *ayar,* dernier mois du printemps, se disait-il, c'est bien le commencement des moussons qui poussent les bateaux vers l'Orient, les marins le savent ainsi que les négociants au long cours ; mais comment Mani peut-il avoir ces connaissances profanes ? Malchos se redressa, appuyé sur un coude, dans l'espoir d'y voir plus clair. Son ami aurait-il étudié le régime des vents ? L'aurait-il entraîné dans ce périple erratique en prévoyant dès l'origine d'atteindre Charax au moment précis où s'ouvrent les chemins saisonniers de l'Inde ? Ou est-ce son « Jumeau » qui sait et qui le mène ? Son « Jumeau » ? Mais qui donc est Mani, et qui donc est son « Jumeau » ? D'une même main agacée Malchos chassa ses doutes et les moustiques des marais.

III

A Charax, entrepôt de la Mésopotamie, c'était dans les bouges plantés le long de l'estuaire que se préparaient les voyages. Affréteurs, matelots, changeurs, honorables trafiquants, ribaudes, diseuses d'aventures. De cette faune qui retentissait de gros rires avinés et de refrains gaillards, Mani et Pattig restèrent à l'écart. Et même prudemment au-dehors, dans une rue passante et ombragée. A Malchos de faire seul les manœuvres d'approche, Malchos dont le regard cherchait déjà un compatriote ; il était sûr d'en trouver un ou plusieurs, les Tyriens pratiquant depuis des siècles la route de la girofle et de la cardamome.

Dans un petit groupe, l'un des moins bruyants, il repéra de fait un visage, une coupe de barbe, une coiffe, une bague. Il s'insinua, se fit offrir un siège et de la bière d'orge. On parlait *drachmes* et *dénars, larins* et *aurei,* puis houles, récifs et pirates. Malchos évoqua Ctésiphon, vantant ses ateliers, sa bonne réputation, ses prouesses marchandes, sa clientèle, laissant miroiter à son interlocuteur de lucratives affaires communes. Une heure plus tard, les deux Tyriens tombaient d'accord, paume contre paume.

— Quand partirons-nous ?

— La marchandise est à bord, ainsi que l'eau douce,

nous n'attendons que les augures. La nuit dernière, notre charpentier a vu en songe tout un troupeau de chèvres, noires comme un orage noué, les marins n'ont plus voulu embarquer. Demain matin, j'offre un taureau en sacrifice au temple de la jetée. S'il est agréé, nous mettons à la voile dans l'après-midi, avant que les dieux ne changent d'avis.

Ils se levèrent sur un rire crispé, la mer ne s'entreprend jamais sans angoisse. Puis Malchos s'en fut retrouver ses amis pour leur annoncer que tout était arrangé.

Mani et Pattig étaient entourés d'un cercle d'auditeurs, ainsi que dans chacune des localités qu'ils avaient visitées. Allait-il les interrompre pour leur claironner son succès? A quoi bon, il connaissait d'avance leur réaction, ils allaient le regarder avec des yeux d'agnelle ensommeillée, comme s'il était convenu depuis toujours qu'en entrant dans cette taverne il rencontrerait un armateur tyrien qui partait précisément pour l'Inde, qui avait précisément retardé son départ d'un jour, et qui accepterait avec joie de les prendre tous trois à bord! Non, Malchos ne dirait rien, il préférait laisser les deux Parthes vaquer à leurs célestes missions et s'occuper quant à lui d'une tâche moins élevée : les vivres. Car si son compatriote avait courtoisement insisté pour les convoyer gratis, il allait de soi qu'à l'instar de tous les passagers ils devraient subvenir à leur nourriture.

Imagine-t-on la montagne de provisions qu'il fallait amasser pour ravitailler trois hommes tout au long de la traversée? Malchos se dirigea à grandes enjambées vers le bazar du port. Et en marchant, il ne cessait de ronchonner, les mots remontaient à son insu de ses entrailles, comme les bulles des poissons à la surface de l'eau. Au départ de Ctésiphon, il avait prévu d'emmener, comme l'aurait fait tout homme sensé, un ou deux serviteurs. Mais Mani n'avait rien voulu entendre.

— Qui donc s'occupera de dresser nos tentes et de nous faire la cuisine ?

— Nous n'aurons ni tente ni cuisine. A chaque étape des êtres généreux nous offriront le gîte et la subsistance.

— Nous irions sur la route seuls, comme des mendiants ?

Mani se mit à rire.

— Qui mieux qu'un mendiant mérite de guider le monde ?

Cette réflexion était irritante pour un homme de négoce !

— Il est des jours, Mani, où je ne comprends plus rien à ce que tu dis. Je me demande si tu ne parles pas ainsi dans le seul désir de m'embrouiller.

Mais le fils de Babel avait pris son air le plus sérieux pour expliquer :

— Ceux qui ont choisi de guider les autres doivent renoncer à tout pouvoir et à toute richesse, ils ne doivent posséder que l'habit qu'ils portent, rien d'autre, même pas la nourriture du lendemain. C'est ainsi qu'on pourra distinguer les sages des faux dévots vendeurs de croyances.

— Mais ces sages, comment survivront-ils ?

— Le peuple les nourrira chaque jour.

— Le peuple ne pourrait-il se lasser un jour de les nourrir ?

— Quand, sur toute la surface de la Terre, il ne se trouvera plus un seul être qui veuille nourrir un sage, c'est que le monde ne mérite plus les sages, et qu'il est temps pour eux de s'en aller.

— Ils se laisseraient mourir ?

— Lorsque le monde aura abandonné les sages, les

sages le quitteront. Alors le monde restera seul, et il souffrira de sa solitude.

Malchos avait retourné trois fois son bonnet sur la tête.

— Si je résume bien, nous partirons en voyage sans nourriture et sans or.

— Oui, sans rien de tout cela. Nous partirons comme des sages.

Le Tyrien aurait dit « comme des fous ». Mais quand l'incompréhension est si vaste, comment jeter des ponts ? par quel bout argumenter ?

Ils étaient donc partis, Mani, son père et son ami, sans autre équipement que leurs montures. Malchos n'avait pu s'empêcher toutefois d'emporter, dissimulée sous son habit, une bourse. Mais, tout au long du parcours, il n'avait jamais eu l'occasion d'en desserrer le cordon. Dès qu'ils franchissaient la porte d'une ville, que ce fût Holvan, Kengavar, Artaxata, ou la plus modeste bourgade, les gens s'attroupaient autour d'eux, d'abord par curiosité envers tout étranger ; puis, dès que Mani se mettait à prêcher, une foule se rassemblait pour l'écouter. Quand le fils de Babel ignorait le parler du lieu, un homme dans l'assistance se proposait comme interprète, et en fin de journée ce même homme, ou un autre, suppliait les voyageurs de lui faire l'honneur de passer la nuit dans sa maison.

A chaque repas, les notables se querellaient pour avoir les visiteurs à leur table ; et tout au long des journées, tant que Mani parlait, des femmes arrivaient avec des fruits et des boissons fraîches, pour lui, ses compagnons et ses auditeurs.

Avant de rompre le pain, Mani avait l'habitude de faire cette courte prière : « Seigneur, pour préparer ce repas, il a fallu offenser le sol, les plantes, et d'autres créatures. Mais ceux qui l'ont fait n'avaient pas d'autre intention que de nourrir la Lumière qui est en l'homme, et de laisser vivre Ta parole. »

Puis il distribuait la nourriture autour de lui, comme s'il était le maître de maison, se contentant lui-même d'un peu de pain et de quelques fruits. Il aimait particulièrement les pastèques et, si on lui en demandait la raison, il expliquait qu'en aucun autre aliment ne se concentrait autant de Lumière : « Observez la pastèque, vos yeux se réjouissent de sa couleur, votre nez de son parfum discret, votre main caresse sa peau ferme et lisse, vous n'avez pas besoin de boire en même temps, car son eau est en elle, vous n'avez pas à la caler dans une assiette, puisqu'elle mûrit et s'offre dans son propre récipient. Commencez par les extrémités, puis rapprochez-vous du cœur, et chaque bouchée vous rapprochera des Jardins de Lumière. »

Il appréciait également le pain chaud, les concombres ainsi que les dattes, surtout les plus limpides, celles à travers lesquelles on voit le jour. En revanche, il écartait d'un geste à peine poli tous les plats de viande. S'agissant du vin et des boissons fermentées, il n'en buvait pas ; seulement, au début du repas, il faisait mine d'y tremper les lèvres pour que les convives se sentent libres d'en boire. Mais il ne tolérait pas l'ivresse ; il suffisait qu'un homme dans l'assistance montre quelque signe d'ébriété pour que Mani se lève et s'éloigne, sans égard pour ses hôtes.

Souvent, au moment de reprendre la route, Mani avait déjà fait la conquête de quelques personnes qui ne voulaient plus le quitter. Mais il leur disait : « Ne me suivez pas encore, l'heure n'est pas venue. Attendez-moi, soyez mon espoir dans cette ville, répandez autour de vous ce que vous avez entendu de ma bouche, et dites à chacun que je repasserai. »

Parfois aussi, les notables de l'endroit venaient lui

offrir des cadeaux, des robes neuves et des pièces d'or. Celles-ci brillaient dans les yeux de Malchos mais d'un haussement de sourcils Mani lui signifiait de ne pas y toucher. Puis il s'adressait aux bienfaiteurs : « Votre présent est accepté avec gratitude, gardez-le dans votre maison, bien en vue, il vous rappellera chaque jour mon passage et vous annoncera mon retour. »

Ainsi, ils avaient atteint Charax, nourris, lavés chaque jour, mais pas plus riches qu'à l'aller. Pas plus pauvres non plus, puisque Malchos n'avait pas une seule fois puisé dans sa bourse. Il aurait volontiers admis que sa précaution avait été inutile n'était-ce le projet de ce voyage en mer pour gagner l'Inde. Sur les routes, on peut trouver gîte et pitance à toutes les étapes, en cela Mani avait eu raison et les doutes de Malchos s'étaient avérés injustifiés. Mais en mer, les choses ne pouvaient se présenter de la même manière, chacun arrivait avec ses provisions ; surtout sur ce parcours vers l'Inde où le littoral était souvent désert et rarement hospitalier.

Pour combien de temps fallait-il prévoir le ravitaillement ? s'était enquis Malchos auprès de l'armateur tyrien. Si l'on cabote à contre-saison le long des côtes, le voyage peut s'étirer sur des mois ; lorsqu'on se laisse porter par la mousson, on peut atteindre la vallée de l'Indus en trois courtes semaines. Disons trente jours pour tenir compte des intempéries.

Trente jours de vivres impérissables pour trois personnes, calculait Malchos. Et, dirigeant son regard vers le carrefour le plus proche, il héla deux porteurs assis au pied d'une fontaine. Ils avaient l'habitude de servir les voyageurs et le conduisirent d'emblée au bazar du port, auprès de leur fournisseur attitré, celui qui pratiquait assurément les prix les plus cléments, un

Nabatéen natif de Pétra, qui confirma d'un clin d'œil à ses rabatteurs leur habituelle commission.

S'étant enquis du trajet, il dressa lui-même la liste des denrées nécessaires. Pour la première moitié du voyage des œufs durs, des galettes de pain, du fromage, du poisson séché ou comprimé ; pour la suite orge, épeautre, lentilles, fèves, haricots, pois chiches ; et bien entendu deux jarres de dattes tassées, des guirlandes d'oignon et d'ail, des olives, du miel, des abricots secs, de l'huile, du sel et divers condiments ; sans oublier, dit-il le vin, il en faut bien quelques outres que le capitaine, s'il veut vous être agréable, gardera à demi enterrées dans le sable mouillé qui leste le fond de cale, et qu'il faudra boire en sa compagnie.

— Comme ustensiles et récipients, je suppose que vous avez déjà acheté le nécessaire pour la route.

— Non, se lamenta Malchos, nous n'avions qu'une cruche pour boire.

— Et comment faisiez-vous à manger ?

— Ce ne serait pas simple à expliquer. Nous comptions sur la bonté du Ciel.

— Une façon comme une autre de voyager, constata le Nabatéen, habitué à la plus extrême circonspection en matière de croyances. Prenez tout de même une marmite et du bois à brûler !

Quand tout fut acheté après force marchandage, Malchos dut faire appel à un troisième, puis à un quatrième porteur ; lui-même ne se contentait pas d'ouvrir le passage, il avait les bras chargés jusqu'au menton lorsqu'il rejoignit ses compagnons. Mani parlait encore et encore, Pattig l'écoutait de près. Le Tyrien fit signe aux portefaix de prendre patience, ils déposèrent leur charge sans rechigner, escomptant une rétribution augmentée.

Lorsque le discours s'acheva enfin, Mani contempla sans enthousiasme la marchandise alignée.

— Tu t'es donné du mal pour rien.

Malchos préféra se taire. Non comme un disciple se serait tu devant son maître, mais tout au contraire, comme un frère aîné bien décidé à ne plus contrarier son cadet immature. Et puis, sans être plus superstitieux qu'un autre, il savait que deux amis ne doivent jamais se quereller au moment de prendre la mer.

Quel marin désabusé a donné un jour aux trois écueils les plus meurtriers de la Grande Mer ce nom inimitable : « Ma Sécurité et ses Filles » ? L'appellation était passée de langue en langue dans les légendes apeurées de tous les navigateurs de Canton aux Echelles d'Abyssinie. Il s'agit de trois pics sombres qui percent la surface, fourche infernale souvent masquée par l'obscurité et la brume. Les jonques prudemment les contournaient, quelques barques à plus faible tirant d'eau s'y faufilaient, audace suicidaire dont le fond proche garde en souvenir tant d'épaves.

Pour les compagnons de Mani, la traversée n'était que frayeurs. A peine dépassé le détroit qui porte le divin nom d'Hormouz, un hurlement secoua la sieste des voyageurs :

— Vâl ! Vâl ! Vâl !

C'était un matelot originaire de Suse qui avait donné l'alerte, la main tendue vers le large. L'armateur le rejoignit, puis le capitaine, avant tout soucieux d'éviter que les passagers ne cèdent à la panique et ne se précipitent tous en cohue au même endroit, déséquilibrant le navire bien plus sûrement que les deux baleines qui fonçaient dans sa direction.

— Que chacun reste à sa place, le premier qui se lève, je le balance par-dessus bord !

126

Sans vraiment croire à la menace, les voyageurs s'immobilisèrent. S'étant assuré qu'il avait été obéi, le capitaine ajouta :

— Ne vous affolez pas, la coque est solide, à chaque voyage les baleines nous attaquent, et nous sommes toujours à flot !

Comme pour le défier, les bêtes frôlaient l'embarcation, qui tanguait.

— Qu'on apporte les simandres ! cria le capitaine.

Les simandres ? De tous les passagers, nul n'était plus désemparé que Pattig. Ayant toujours su que ces instruments étaient employés dans les églises en guise de clochettes, il tomba à genoux, mains jointes, en murmurant : « Prions, prions, il n'y a plus que la prière ! » Pourtant, la douzaine de simandres qu'apportait le charpentier devaient servir à un tout autre office. Il les distribua à l'équipage, et comme il lui en restait deux, il en donna une à Malchos en lui recommandant de se pencher par-dessus bord et de battre le maillet contre la planche en faisant le plus de tapage possible. Le cuisinier du capitaine vint à la rescousse brandissant un plateau en cuivre qu'il martelait à coups de louche. Peu à peu, tout le monde s'y mit, chaque surface était devenue gong, on y tapait, frappait, tambourinait, en même temps qu'on hurlait et sifflait et ululait, avec autant d'enjouement que de terreur. Le vacarme s'avéra efficace. Au bout de quelques minutes, on observa un jaillissement d'eau à près d'un mille à tribord. Les baleines s'étaient enfuies, on ne les reverrait plus.

Plus inquiétante fut la trombe qui surgit au crépuscule du troisième jour. On ne vit d'abord qu'un nuage blanc, mais qui grossit, se gonfla, s'épaissit de minute en minute, jusqu'à tournoyer de plus en plus vite imitant l'aspect d'une immense corne prête à plonger dans les flots. Ce fut pourtant le contraire qui se produisit, car soudain, à cet endroit précis, la mer se mit à bouillonner, comme marmite sur le feu, et, prodige ! la surface de l'eau se souleva, attirée, pompée par le nuage tourbillonnant ; une colonne d'eau noire s'était maintenant dressée qui montait, montait en vrombissant, on aurait dit que la mer entière allait être aspirée vers le ciel.

Les passagers restaient pétrifiés. Il est vrai que, l'obscurité aidant, la trombe évoquait bien davantage un monstre d'apocalypse, une espèce de gigantesque dragon suspendu entre ciel et mer qu'un banal phénomène aquatique. L'armateur lui-même prit peur, il alla retirer de sa malle un collier fait de pièces d'or enfilées et l'enroula autour du cou. Un jeune matelot dégaina un poignard aiguisé qu'il pointa vers sa gorge comme s'il n'attendait qu'un signe pour se donner la mort. Et Pattig, de nouveau prosterné, enchaîna ses prières.

Cette nuit-là, personne ne dormit, on tendait l'oreille, on scrutait l'horizon sans répit pour vérifier si le péril approchait. Deux hommes, deux hommes seulement demeuraient à l'abri de toute frayeur. Le capitaine, d'abord, un vieux marin de Charax. Si, pour écarter les baleines, il avait sonné le branle-bas, à l'apparition de la trombe il se contenta de ramener les voiles, que pouvait-il faire de plus ? Il savait que la trombe allait s'abattre, proche ou lointaine, peut-être en paquets d'eau qui feraient chavirer le bateau, peut-être en fines gouttelettes, embruns inoffensifs. En attendant l'issue, il déambulait d'un pas rassurant au milieu de ses remuantes ouailles. Agrippé, supplié, apostrophé, il se contentait de prodiguer à tous des paroles égales, et parfois quelque regard de hautaine compassion.

A un moment, ses pas le conduisirent vers Mani auquel il se disposait à lancer le juste mot de réconfort. Mais ce fut le fils de Babel qui l'interpella :

— Serais-tu le seul homme sur ce pont à partager ma sérénité ?

Dans les yeux du capitaine apparut une sorte de flottement. Cette inversion des rôles rendait soudain superflues toutes les formules qu'il tenait prêtes.

— Voilà des paroles de courage et d'honneur ! Qui es-tu, noble voyageur ?

On lui avait déjà dit le nom de ce personnage, comme celui de chacun des vingt autres passagers, mais une telle question était censée redonner de l'ascendant à l'homme qui commandait.

Mani ne s'attarda pas aux présentations.

— J'ai une mission à remplir en Inde, ce navire m'y conduit, aucune trombe, aucun écueil, aucune baleine, aucun tourbillon n'interrompra mon voyage. C'est ainsi. La mer n'y peut rien.

— Quel bonheur d'entendre par une nuit pareille un homme aussi confiant ! On dit trop souvent que la mer est meurtrière ; moi, je n'en ai jamais eu peur. Le jour où je mourrai, ce sera dans ma maison de Charax, terrassé par quelque maudite fièvre. Mais sur l'eau, je reste debout, je crache sur les dangers, je sais que rien ne peut m'arriver.

Toute la nuit, debout contre le bastingage, le fils de Babel et le capitaine devisèrent, récits des gens du large ou prêche de lettrés, chacun écoutait sans lassitude les discours de l'autre. Et tous deux distribuaient aux passagers qui venaient vers eux les mêmes paroles de réconfort. Car sur le pont, on s'agitait, on s'épouvantait encore, mais les premières clartés du jour apportèrent le réconfort, la trombe s'était évanouie au loin sans trace ni dégâts. Enfin se levait le bleu silence des mers du sud sur les miroitements des vagues, pour un temps repenties.

On respirait, les langues se déliaient, on pouvait se permettre de poser les questions qui, la veille, auraient paru indécentes et de mauvais augure. L'armateur tyrien expliquait à propos du collier d'or qu'il portait au cou :

— Lorsque je suis en mer et que la mort menace, je me demande toujours avec terreur ce que deviendrait mon corps si par malheur je me noyais. Sans doute serait-il rejeté vers la plage, où quelqu'un le découvrirait et hésiterait sur le sort à lui réserver ; s'il trouvait toutes ces pièces d'or, il s'estimerait largement récompensé et, par gratitude, il offrirait à ma dépouille la sépulture la plus convenable.

Il y avait aussi ce jeune matelot apparemment décidé à se tuer. C'était un Tayyaye, un Arabe. Il disait que si la mort devait survenir, il préférait que son âme soit dégagée à l'air libre et parte vers les cieux plutôt qu'elle ne soit engloutie dans les flots et ne demeure prisonnière des génies malfaisants qui règnent dans les profondeurs.

Désormais Mani avait droit à toutes les attentions. Plus vénéré encore que dans les villes qu'il avait traversées, constamment entouré, suivi, écouté, il était invité à partager tous les repas et toutes les veillées du capitaine, ses deux compagnons bénéficiant du même privilège. Jusqu'au bout du voyage, les provisions accumulées par Malchos resteraient à peine entamées.

Et ce n'est qu'à Mani, ses compagnons et l'armateur, que le capitaine dévoilait parfois son itinéraire. Ainsi, lorsque Malchos se rendit compte que le navire, plutôt que d'aller droit vers le soleil levant, obliquait vers le midi, le capitaine consentit à l'éclairer :

— Ceux qui ne connaissent pas la mer n'y voient qu'une immense plaine d'eau. Mais ici, comme sur la terre ferme, il y a des sentiers, des voies tortueuses, des impasses, et aussi de vastes avenues que tracent les courants et les vents. Comme celle qui va en cette saison de la pointe de l'Arabie jusqu'à l'Inde. Nous devons foncer vers le sud pour l'atteindre, puis nous y engager. Alors seulement, nous cinglerons en direction de l'Orient, à toute allure, comme sur la route la mieux balisée. Nous atteindrons Deb sans avoir accosté une seule fois, sans même avoir vu terre, sinon parfois quelques îles habitées d'effrayantes légendes et qu'aucun marin ne se hasarde à aborder.

Deb, disait le capitaine ? La ville s'élevait dans le delta de l'Indus, sur un bras que les alluvions charriées des plus hautes montagnes ont peu à peu ensablé. D'année en année les bateaux capables de l'atteindre se faisaient plus rares. Un matin, le port s'est réveillé au milieu des terres, naufragé. Les hommes l'ont alors déserté pour d'autres sites des environs, Tatta, Sindi, Lahri, et tardivement Karachi.

Qu'est-il resté de Deb ? Qu'est-il resté de ses palais, de ses temples sur les collines, de sa douane couleur de brique, cette bâtisse pointue que les marins guettaient de loin comme un phare ? Jusqu'au dix-septième siècle, des voyageurs signalaient encore son existence. Puis tout s'est égaré. Pas le moindre lieu-dit, pas l'ombre d'une ruine. Plus personne ne sait. A l'instant où s'écrit cette ligne, des archéologues fouillent encore les bouches de l'Indus à la recherche d'un vestige de vestige.

Les contemporains de Mani ne pouvaient ignorer Deb. Surtout les plus aventureux. A leurs oreilles ce nom résonnait comme un appel étouffé, il faisait naître en eux l'envie de partir. On connaissait alors le monde par ses murmures, on le parcourait à tâtons, les planisphères étaient si embrouillés, au souffle de récits fantasques les îles se gonflaient en continents, les bras de mer en océans dont surgissaient des monstres que les géographes dessinaient ; sur la montagne qui surplombe Deb, un scribe méticuleux avait tracé, comme s'il indiquait la source d'un fleuve : « En ce lieu auraient pris naissance les scorpions. »

A chaque étape du voyage on s'attendait à croiser la peste, les fauves, la disette, la guerre, les pillards, et aussi les cyclopes, les dragons et toutes sortes de sortilèges, mais on ne renonçait pas pour autant. La mort était une ortie familière. L'aventure se vivait ainsi. On disait adieu, on s'en allait. Sans date ni assurance de retour. Et quand on avait pour soi l'audace, la chance et les vents, on parvenait jusqu'à Deb.

Mani écrit que le monde se partageait de son temps en quatre grands empires, celui des Romains, des Perses sassanides, des Chinois et des Axoumites de la mer Rouge, héritiers du royaume de Saba. Dans nul autre port les sujets de ces empires ne se fréquentaient plus étroitement qu'à Deb ; c'était pour les jonques de Canton l'ultime escale avant l'Arabie ; c'était la porte de l'Inde pour qui venait d'Occident ; ce dernier mot étant pris dans le sens où Mani lui-même l'employait, embrassant l'Italie et la Grèce et Carthage, mais aussi l'Egypte, la Phénicie et l'ensemble du pays d'Aram, ces terres qu'un glissement d'Histoire nous fait maintenant appeler l'Orient proche.

Parmi les nombreux récits de voyage que le fils de Babel avait lus dans la bibliothèque des Vêtements-Blancs, il en était un, en particulier, qui avait enflammé son imagination : celui de Thomas, qu'on disait le jumeau de Jésus, et qui était venu répandre en Inde la parole du Nazaréen. C'est très probablement son exem-

ple que Mani avait voulu suivre en décidant d'effectuer cette traversée.

Or, d'après la tradition, c'est à Deb que Thomas avait accosté.

IV

Au siècle de Mani, les églises de l'Inde portaient toutes le nom de Thomas, toutes se disaient fondées par l'apôtre en personne et conservaient de lui légendes et reliques. Ces sanctuaires étaient souvent fort modestes, certains se logeaient dans les grottes du Gandhara, il suffisait d'une croix et de trois torches pour animer cette dévotion encore neuve.

Il n'en allait pas de même à Deb. Comme il sied à une ville de marchands, la prospérité illuminait lieux et objets de culte, l'or honnête y affluait par gratitude, l'or douteux par repentir. L'église s'était ornée et agrandie, les citadins y croisaient les gens de passage, tel matelot converti d'Alexandrie, tel catéchumène d'Ostie, ravis de pouvoir enfin vivre leur foi en plein jour.

La cité, il convient de le dire, avait longtemps vécu sous la bienveillante férule des Kushans, héritiers du grand Kanishka, l'un des rois les plus justes dont l'Orient ait gardé le souvenir, le sublime Kanishka qui, au faîte de sa puissance, s'estimait honoré d'accueillir sous son toit quelque moine mendiant. Les princes kushans avaient toujours eu le souci de ne pas faire mentir la renommée de leur aïeul, se révélant en toutes circonstances magnanimes et équitables, parrainant toutes les croyances. Leurs monnaies portaient au revers les symboles de vingt-huit cultes différents.

En bordure du Carré des marchands étrangers, se trouvaient ainsi l'église de saint Thomas, les temples de Poséidon, d'Anahita, de Vishnou, les sanctuaires d'Allat et de Yamm, une synagogue qu'on disait construite au temps d'Alexandre et, sur la route de Taxila, le *stupa* des bouddhistes avec leur monastère.

Ces cultes s'observaient encore côte à côte à l'arrivée de Mani, et son premier geste, en posant le pied sur le sol ferme, fut de se diriger vers l'église, bien visible à partir des quais. C'était un dimanche, et la foule se pressait vers le parvis. Thomas avait enseigné aux Indiens ce que Jésus avait enseigné aux apôtres : observer chaque semaine le sabbat avec une ferveur exemplaire, et le lendemain se réunir à nouveau pour leurs propres rites, surtout pour l'enseignement, la lecture des textes saints, du commentaire des aînés, des épîtres parvenues des communautés répandues à travers le monde ; et parfois, lorsqu'un fidèle éminent venait à passer par la ville, lui offrir la parole.

Par sa manière de fendre la foule, par son boitillement altier, Mani sut apparaître dès le premier instant comme un homme à écouter. Le prêtre lui céda la chaire de bonne grâce, même si, debout dans l'abside, il demeurait vigilant. Il y avait tant de voix hérétiques, avérées ou sournoises, qu'il fallait au moment opportun savoir intervenir, imposer silence, parfois même expulser le corrupteur des âmes en sollicitant l'aide de ces vaillants débardeurs du port qui se trouvaient dans l'assistance et se dévoueraient pour une aussi pieuse besogne.

Mani s'exprimait en araméen, et ils n'étaient pas nombreux à tout comprendre : l'officiant, deux ou trois lettrés... Et pourtant, chacun l'écoutait. N'était-ce pas

138

la langue de Jésus et de Thomas qui résonnait ? L'émotion était intense. Le contenu importait peu. Tout était dans l'intonation, dans quelques noms bénis qui surnageaient, dans le visage émacié de cet homme à la jambe torse venu des terres saintes.

Lui-même ne cherchait pas à brusquer son auditoire. S'estimant dans la droite succession de Jésus, il reprenait fidèlement ses paroles telles qu'elles avaient été rapportées par Thomas. Sa méthode n'était pas inédite. Les chrétiens de l'Empire romain agissaient de la sorte dans les synagogues de la diaspora. Ils se présentaient, annonçaient qu'ils arrivaient droit de Jérusalem, évoquaient les événements récents concernant la communauté, rapportaient la misère et l'attente des gens de Judée, parlaient de la Bible, citant de mémoire les textes qui prédisaient un Messie, puis suggéraient que, peut-être, dans la détresse qui était alors celle des juifs, les prophéties étaient en train de s'accomplir. Les plus astucieux parvenaient à parler longuement et, lorsqu'ils étaient finalement démasqués, ils avaient déjà réussi à séduire une partie de l'auditoire, ou tout au moins à susciter le désir d'en savoir davantage. Certaines personnes les suivaient à l'extérieur, parfois même les invitaient à continuer leur enseignement dans leur propre maison. C'est par son habileté qu'un apôtre se distinguait donc de ces excités qui, dès leur entrée dans la synagogue, hurlaient leur croyance nouvelle, se retrouvant aussitôt dehors, seuls, parfois assommés, avant même que l'ensemble de l'assistance n'ait compris pourquoi on les chassait.

Selon ce critère, Mani était de la trempe des plus grands apôtres, Paul ou Marc, ou Thomas, agissant dans les églises comme ses prédécesseurs dans les synagogues. Et avec autant de conviction. De même que les premiers chrétiens de Palestine s'estimaient meilleurs juifs que les juifs, peut-être les seuls vrais juifs, Mani était persuadé d'être venu accomplir le message du Christ, le parachever en une foi universelle capable de rassembler toutes les croyances sincères des hommes.

Dans l'église de Deb, tandis qu'il commençait son sermon, Malchos et Pattig regardaient autour d'eux avec anxiété, guettant les réactions des uns et des autres, à l'affût du plus imperceptible clignement du prêtre, qu'il fût de courroux ou d'approbation. Allait-il écouter jusqu'au bout, n'allait-il pas soudain crier à l'hérésie, au blasphème ?

Curieusement, rien ne se produisit. Ni enthousiasme ni indignation. Ni non plus d'indifférence. On pouvait lire dans tous les yeux la ferveur, mais une ferveur mêlée de tristesse. Quant au prêtre, il écouta avec une gravité impassible jusqu'à ce que le visiteur se soit tu, alors il se leva, prononça une formule de remerciement, loua l'érudition de Mani, son ample connaissance des textes, puis, après une courte prière reprise par l'auditoire en chœur, il congédia les fidèles avec un souhait de paix.

Génuflexions, signes de croix, les gens se retirèrent à reculons, tandis que le prêtre invitait Mani et ses compagnons, ainsi qu'un notable de la communauté, à le suivre chez lui, dans une modeste maison de brique attenante à l'église.

— Pardonnez-nous, nobles frères, dit-il, si l'accueil que nous vous avons réservé n'est pas digne de votre rang et de votre savoir. Mais peut-être avez-vous senti chez les fidèles la peur qui les agite.

Le plus étonné de ce préambule fut Pattig.

— Votre communauté semble pourtant heureuse entre toutes. Nous avons rencontré vos frères à Ctésiphon, à Kachkar et dans vingt autres cités, dans aucune d'entre elles le son de leurs prières ne retentissait.

Malchos renchérit :

— Le bonheur que vous connaissez est rare. Dans les provinces romaines, les chrétiens sont persécutés, et dans l'empire sassanide le culte du feu est devenu la religion officielle, on n'y tolère les autres communautés que si elles ont renoncé à gagner des adeptes. On les surveille de près, on les pressure de tributs et on les confine dans leurs quartiers, les contraignant à porter l'habit qui les différencie.

Le prêtre se montra ému. Et honteux.

— Vos paroles sont la vérité même, peut-être n'avons-nous pas suffisamment remercié le Père pour les années de clémence que nous avons connues... Rien de ce que vous décrivez n'existait en effet à Deb. Nous vivions au milieu des gens, nous portions le même habit, nous parlions à voix haute.

Disant cela, sa parole s'étrangla, des larmes coulèrent. Mani, Malchos et Pattig l'évitèrent du regard, déconcertés. Seul le notable posa sur son épaule soudain affaissée une main filiale et consolante. Au moment des présentations, le prêtre l'avait appelé Bar-Touma, le décrivant comme le négociant chrétien le plus respecté de la ville. Il avait la peau très brune et mate, et les lobes des oreilles percés à la manière des Indiens ; cependant, vu son nom, typique du pays d'Aram, il s'agissait assurément d'un sang-mêlé.

Jusque-là, il était demeuré silencieux, mais, devinant l'épais malentendu qui s'installait, il s'efforça de le dissiper.

— Nobles visiteurs, seriez-vous les seuls hommes dans cette ville à ignorer que nos souverains, les princes kushans, viennent d'être défaits par l'armée perse et qu'ils se sont retirés au-delà des cinq fleuves ?

Il parlait un araméen fort approximatif, coiffant la plupart des syllabes de l'accent erroné, comme tant de croyants qui se font un devoir d'apprendre la langue liturgique mais n'ont guère l'occasion d'en user dans les échanges quotidiens. Lorsqu'un mot lui faisait défaut, il le remplaçait par son équivalent grec, avec aisance, persuadé que chacune des personnes présentes le comprenait.

— Nobles frères, insista-t-il avec une impatience qui demeurait respectueuse, n'avez-vous pas remarqué qu'il n'y a plus un soldat dans les rues de Deb ?

— Je l'ai effectivement remarqué, répondit Malchos, mais j'y ai vu seulement la preuve que cette ville connaît paix et sécurité.

— La sérénité de ton âme t'a masqué l'affligeante réalité. Notre ville est en réalité abandonnée à son sort, la garnison est partie, ainsi que le gouverneur ; avant de s'en aller, il a convoqué les chefs de toutes les communautés et les corps de métiers pour leur conseiller d'offrir leur soumission aux nouveaux maîtres du pays.

— Et où sont donc ces nouveaux maîtres ?

— On dit que leur armée campe à une journée d'ici, sur les collines du Turan, et qu'elle est commandée par un tout jeune prince, Hormizd, le petit-fils d'Ardéshir, roi des rois. Que compte-t-il faire ? Quand prendra-t-il notre ville ? Pourquoi ce prince sassanide n'a-t-il pas encore exigé notre reddition alors que ses troupes sont si proches ? Le Très-Haut n'a pas daigné nous éclairer sur ces questions. D'où ce désarroi qui nous gagne tous, même les plus croyants, même les plus confiants en Sa sagesse. Avez-vous visité les marchés de la ville ?

— Non, répondit Pattig, dès que nous avons posé un pied sur le quai, l'autre a pris le chemin de ce lieu saint !

Le prêtre, qui s'était un peu ressaisi, lança avec ferveur :

142

— Soyez bénis ! Que le Père emplisse la terre de gens à votre image !

Avant que Bar-Touma n'enchaîne :

— Lorsque vous aurez parcouru la ville, vous comprendrez. Les étals sont vides, l'or, les étoffes de valeur, les épices rares, les pierreries, ont disparu. L'hôtellerie des gens de Canton est déserte, chaque jonque qui accoste repart alourdie de marchandises et de marchands. Dans les bas-quartiers, les pauvres eux aussi ont peur. A tel point que les hommes ont tous repris leurs femmes.

Craignant d'avoir été peu compréhensible, il s'empressa d'ajouter :

— C'est la tradition ici. Chaque mois, quand la femme est impure, son mari la chasse de la maison, pour bien montrer à tous qu'il ne l'a pas approchée ; elle va s'installer dans la rue, sous un appentis, pour une semaine. Mais maintenant, souillées ou pas, elles sont ramenées dans les maisons de peur que les soldats en arrivant ne les emmènent en captivité.

— Cette frayeur me semble excessive, intervint Malchos. La troupe ne peut entrer dans une ville conquise sans quelque pillage, il faut s'y résigner ; mais on peut éviter le pire. Ne laissez pas les étals vides, sinon les soldats, frustrés, se vengeront sur les habitants. Laissez-leur de quoi piller sans vous appauvrir, montrez-vous affligés sans protester. Si la ville est décidée à se livrer sans combat, si elle offre de somptueux cadeaux au prince, il y aura peu de déprédations, et très vite les marchandises enfouies pourront revenir aux devantures. Moi-même je suis négociant à Ctésiphon, dans la propre capitale d'Ardéshir, et je parviens à exercer mon commerce sans trop de désagrément. Au cours des dernières années, les Sassanides ont occupé plusieurs villes portuaires comme Charax, dont nous venons ; elle n'a pas trop souffert de leur domination. Ce sont des gens d'ordre, ils vous feront payer des taxes, mais ils vous laisseront travailler et vous protégeront des pirates.

Ces paroles de Malchos eurent la vertu de réconforter ses interlocuteurs qui, plutôt que de se complaire dans les lamentations, se mirent à envisager l'envoi d'une délégation au-devant du conquérant. Le prêtre suggéra qu'elle comprenne les négociants les plus en vue, avec des présents, et qu'un homme respecté parle au nom des citadins.

— On peut penser à de meilleures solutions, s'insurgea poliment Bar-Touma. Un banc de marchands dodus, enveloppés de pagnes de brocart, les oreilles étirées de perles et d'émeraudes, ne serait-ce pas une incitation au pillage et au meurtre ?

Le prêtre réfléchissait. Il voulait bien s'y rendre lui-même avec ceux qui guidaient les autres communautés. Mais s'il était vrai que ces Sassanides avaient une telle hostilité à l'égard des diverses religions, il craignait que sa présence ne fît que les irriter.

Tout au long de ces discussions, Mani était demeuré silencieux, enfermé en lui-même, si absent que les autres l'avaient quasiment oublié. Peut-être l'estimaient-ils trop étranger à ces terrestres préoccupations. Aussi furent-ils bien étonnés de le voir soudain prendre la parole, sur le ton le plus ingénu :

— C'est moi qui irai à la rencontre de ce prince.

— Ah, non, sursauta Malchos, non, surtout pas toi !

Il cherchait un argument plausible qui couvrirait sa réaction trop spontanée.

— Toi aussi tu es un homme de religion, et de plus, tu viens tout juste d'arriver dans cette ville, comment pourrais-tu parler en son nom ?

— Je suis de Babel, reprit Mani comme s'il n'avait

pas entendu, ne serait-il pas sage que l'homme qui parle au nom de cette ville soit un sujet des Sassanides ? Et qu'il s'adresse à eux dans un langage qu'ils comprennent ?

Malchos se fit suppliant. Il avait encore présente à ses yeux l'image de cet officier qui rôdait autour de sa maison.

— Nous avons quitté Ctésiphon pour fuir les soldats d'Ardéshir, et tu voudrais courir à leur rencontre !

— Mais je n'ai jamais eu l'intention de fuir ! dit candidement Mani. Je suis venu en mission.

— Auprès de l'armée sassanide ?

Le fils de Babel ne répondit pas tout de suite. Il parut de nouveau absent, mais son visage révélait une immense plénitude.

— Avant ce jour, dit-il enfin, j'ignorais encore pour quelle mission j'avais été conduit jusqu'en Inde. A présent, je le sais !

V

Hormizd, petit-fils du maître de l'Empire, trônait sur un siège en bois gravé, sous une vaste yourte, véritable palais de toile aux pans relevés pour que pénètrent le vent et le jour. Officiers et scribes s'empressaient auprès de lui, mais la tête inclinée, mais les bras le long du corps, et sans une intonation déplacée.

Avant d'accorder audience au visiteur, son secrétaire l'avait informé. « Un homme à la jambe torse, venu du pays de Babel. Son navire a accosté il y a trois jours au port de Deb. »

— Quelle cargaison as-tu apportée ? demanda le prince à Mani.

— Mes paroles, et rien d'autre.

— Curieuse marchandise !

Quand Hormizd s'esclaffait, l'anneau d'argent qui enserrait l'extrémité de sa barbe sautillait, et ses courtisans se trémoussaient sans toutefois s'abandonner, car dès qu'il aurait repris une mine sérieuse, ils étaient tenus de l'imiter à l'instant, de peur de paraître libres et arrogants. Le prince lui-même ne riait qu'avec mesure, l'œil constamment aux aguets.

— Admirable marchandise que la parole, reprit-il, comme si décidément l'expression lui plaisait. Elle ne pèse rien dans les soutes et, si tu sais la monnayer, elle peut t'enrichir.

Et pour le cas où ses familiers n'auraient pas compris ses allusions, il expliqua :

— Cet homme est un conteur ! Je le ferai venir pour les soirées des officiers. Connais-tu les épopées anciennes, Cyrus et Darius, les exploits des Achéménides et ceux de notre dynastie ?

— Je connais bien d'autres histoires que personne n'a jamais entendues.

— Tes autres histoires, je n'en veux pas. Mes hommes n'aiment écouter que les épopées qu'ils connaissent. Ou alors les récits de chasse. Si tu en connais, si tu sais nous les faire revivre, tu ne repartiras pas d'ici la bourse vide.

— Mes paroles, je ne les vends pas, je les distribue.

— Ainsi, tu n'es ni marchand ni conteur.

Le prince s'irritait d'avoir si mal compris son visiteur, les courtisans baissaient les yeux, quand un homme s'approcha, son visage sans ride était orné d'une barbe blonde soigneusement peignée, il portait jusqu'au sol un manteau de soie jaune brillante, rehaussée de broderie noire sur le col. Penché en toute confiance vers Hormizd, il chuchota quelques mots à l'oreille de ce dernier, avant de regagner sa place.

— Mon fidèle conseiller, le respecté mage Kirdir, estime que tu es l'un de ces Nazaréens qui se multiplient dans les contrées de Mésopotamie. Et que tu es venu à Deb pour y répandre ton hérésie.

— Je ne suis pas venu au-devant du prince pour parler religion. Il s'agit de la ville...

Hormizd l'interrompit.

— Je veux d'abord savoir si Kirdir a deviné juste.

— L'honorable mage ne s'est trompé qu'à moitié. Je

148

vénère Jésus, mais également le Bouddha et notre seigneur Zoroastre.

Kirdir sursauta, comme s'il venait d'être giflé. Il fit un pas vers Mani.

— Avec quelle arrogance ce Nazaréen se permet de mêler le nom de notre saint prophète à celui des imposteurs !

— Que notre mage respecté regagne la place qui est la sienne, reprit Hormizd, le visiteur n'a certainement pas cherché à insulter qui que ce soit. Cette discussion est d'ailleurs terminée, les débats sur la religion m'ensommeillent et m'attristent. J'ai eu une journée magnifique, je suis dans les meilleures dispositions, et je suppose que personne dans mon entourage ne voudrait que mon humeur soit altérée.

Tous ses courtisans s'étant empressés de l'approuver, il se lança dans un récit méticuleux et enflammé de la chasse du jour.

— ... J'ai dit aux gardes éloignez-vous, laissez-moi ce lion, je ne veux pas qu'il y ait sur son corps d'autres traces que celles de ma lance. Et je l'ai poursuivi, seul. Il ne courait pas vite, et soudain, il s'est arrêté, il a fait mouvement vers moi. Ma jument s'est effrayée, alors j'ai sauté à terre pour qu'elle puisse s'enfuir.

« Nous étions seuls, à présent, face à face, le fauve et moi. Nous avancions l'un vers l'autre, paisiblement, aucun de nous ne voulait échapper à une mort aussi noble. Moins de soixante pas nous séparaient. Alors mes compagnons, négligeant mes ordres, sont venus m'entourer de leurs lances. Le fauve s'est arrêté, puis il s'est détourné et s'est éloigné sans courir, en gardant sa dignité. Tous voulaient maintenant le rattraper, mais j'ai hurlé si fort qu'ils ont été cloués sur place : " Je vous interdis de le pourchasser, il marchait vers moi

149

comme un brave, il ne s'est éloigné que parce que vous avez gâché notre duel. Laissez-le vivre ! " »

Mani ne prévoyait pas une telle issue à la chasse princière. Sa réaction fut spontanée.

— Voilà une histoire que je raconterai aux gens de Deb ! Ils sauront ainsi qu'ils peuvent espérer de la part du conquérant magnanimité et clémence, et qu'il prendra leur ville sans massacre ni destruction.

Encore absorbé dans ses souvenirs, Hormizd ne réagit pas. Ce fut le mage Kirdir qui répondit à Mani.

— Le lion a voulu se battre, et c'est pourquoi il a mérité la grâce du prince. Les gens de Deb ne veulent pas se battre, ce ne sont que des moutons et, comme les moutons, leur destin est d'être tondus et égorgés.

— Ce sont des marchands à qui la loi de l'Empire interdit de porter les armes ! cria Malchos qui, avec Pattig, se tenait à l'entrée de la yourte et qui s'inquiétait soudain de la tournure du débat.

— La ville n'avait-elle pas de garnison ? interrogea le mage.

— Les soldats sont partis avec le gouverneur ! dit encore Malchos.

— Les citadins auraient dû les retenir, n'ont-ils pas assez d'or pour les payer ? Pourquoi le prince devrait-il se montrer noble avec ces négociants graisseux et pleurnichards ?

— La clémence du prince envers le lion, demanda Mani, est-ce le lion qui en est sorti glorieux ou le prince ?

Emergeant enfin de sa rêverie, Hormizd voulut bien concéder d'un hochement de tête que c'était à lui que revenait la gloire. Mais Kirdir reprit la parole :

— Le prince est un guerrier, comme tous les membres de la divine dynastie. Pour lui, chaque combat est une chance de montrer sa valeur. Les gens de Deb l'ont déçu. Ils n'ont mérité que son mépris.

Dans la salle, une véritable ovation salua cette déclaration. Mani ne comprenait rien à cet acharnement.

— Voilà une cité qui accepte l'autorité du prince, qui lui ouvre ses portes, qui s'apprête à l'accueillir dans la soumission et à lui offrir des présents. Et on voudrait la punir !

Mais, de la bouche de Hormizd, s'échappa la vérité, candide.

— Depuis que nos soldats se sont mis en marche, ils ne songent qu'aux richesses de Deb, à ses marchés, à ses dépôts, à ses femmes. Chaque fois qu'ils devaient franchir une montagne ou un désert de sel, nous leur parlions de Deb.

— Mais si la ville ouvre ses portes, la loi de l'Empire exige qu'elle ne soit pas mise à sac !

Précisément. Au moment même où il parlait, Mani venait de comprendre. Ce n'était pas leur lâcheté que l'on reprochait aux marchands de Deb, c'était leur sagesse. En refusant de se battre, ils frustraient les pillards du butin ! Le fils de Babel n'en sentit que davantage l'importance de la démarche qu'il effectuait au nom de la ville. Et il parla haut :

— Les portes de Deb sont ouvertes, et elles le resteront. La garnison est partie, et aucune autre ne la remplacera. Il n'y a pas une seule arme dans la ville, même les couteaux de cuisine ont été brisés ! Les soldats peuvent entrer, ils pourraient tuer, piller, violer, incendier, mais ce serait une félonie selon les lois de l'Empire et selon les lois du Ciel. Et je ne puis imaginer un instant qu'un vaillant fils de la grande dynastie le permettra.

Hormizd parut troublé, Mani poursuivit :

— Les gens de Deb désirent seulement qu'on respecte leurs franchises et leurs traditions, et qu'on préserve leurs vies et leurs biens. Ils ne demandent qu'à vivre en paix sous l'autorité d'un prince droit et éclairé. C'est leur intérêt, mais c'est également celui du prince. Cette ville est le joyau du pays qu'il a pour tâche de conquérir et de gouverner, pourquoi voudrait-il la ruiner ?

Sentant son maître hésiter, Kirdir répliqua :

— Ce n'est pas aux commerçants de l'Inde de s'interroger sur la droiture de nos princes, encore moins sur les intérêts de l'empire. L'armée s'est battue, on lui a promis récompense, et il est juste de la lui accorder.

Du rang des officiers fusèrent des cris de soutien.

— Deb a beau ouvrir ses portes et enfouir ses armes, ajouta le mage, elle demeure une ville d'impiété. Nos troupes victorieuses sont parties en campagne pour soumettre les contrées infidèles, pour les châtier, pour leur imposer la Religion Vraie. Cela est juste et agréable au Ciel. Deb sera livrée aux soldats pendant trois jours, les lieux des cultes impies seront tous démolis, puis une cérémonie d'action de grâces sera organisée sur le port, comme l'a ordonné le divin Ardéshir, roi des rois, notre maître à tous.

Hormizd savait que son grand-père, le roi des rois, désirait cette cérémonie, comme il connaissait les souhaits de ses officiers. Mais lui-même n'était pas insensible aux arguments de Mani, dont il sollicita discrètement l'appui :

— Les propos du mage Kirdir me paraissent sensés, qu'aurais-tu à répondre, homme de Babel ?

— Il faudrait que je sois bien effronté pour oser répondre, je ne suis qu'un visiteur de passage, alors que le mage est, à l'évidence, un personnage considérable puisqu'il se permet d'indiquer au prince où diriger ses armées et de quelle manière se comporter dans les cités conquises.

Kirdir bondit, la main sur le cœur :

— Si c'est un crime d'offrir conseil à son roi, que je sois puni ! Je n'ai jamais parlé ni agi que pour le bien de la divine dynastie, pour que cet Empire et sa religion s'étendent sous tous les cieux et qu'ils écrasent tous les ennemis sous leurs pieds comme s'ils n'étaient que des serpents, des scorpions, des créatures malfaisantes. Mon maître, petit-fils du divin Ardéshir, ne se laissera pas prévenir contre moi, il ne peut avoir oublié les sages prescriptions de l'Avesta. N'est-il pas dit dans le Livre que les loups à deux pattes doivent être exterminés bien avant les loups à quatre pattes ?

— De quels loups s'agit-il ? interrogea trop naïvement Hormizd.

— Le loup à quatre pattes saute sur un mouton pour le dévorer, le loup à deux pattes se sert de la parole pour endormir la méfiance du berger et entraîner le troupeau entier sur le sentier de la perdition.

— Les loups à deux pattes, rectifia Mani, sont les hommes qui considèrent les autres comme des proies, ceux qui cherchent constamment à soumettre, réduire, punir, humilier. Une voix s'est élevée aujourd'hui pour dire que les habitants de Deb n'étaient que des moutons et qu'ils méritaient d'être égorgés. N'est-ce pas cela même le langage d'un loup à deux pattes ? N'est-ce pas en songeant à ceux qui appellent à de tels massacres que le sage et saint berger Zoroastre s'est exprimé comme il l'a fait dans l'Avesta ?

— En somme, chacun interprète l'Avesta à sa manière.

Hormizd cherchait par cette observation à atténuer quelque peu l'effet de l'attaque proférée directement contre Kirdir. Mais celui-ci éclata de fureur :

— De quelle interprétation parle-t-on ? Ainsi, chacun aurait le droit d'interpréter à sa guise les textes sacrés ? Ainsi, l'interprétation d'un perfide Nazaréen serait comparable à la mienne ? N'est-ce pas moi qui ai étudié pendant seize ans notre Religion Vraie ? N'est-ce pas moi qui suis ici le dépositaire de la foi de Zoroastre ?

— Il arrive qu'un homme se croie dépositaire d'un message alors qu'il n'en est plus que le cercueil.

Kirdir ne voulait pas croire que de telles paroles aient pu lui être adressées. Il se les fit répéter à l'oreille par un proche, avant de s'avancer vers le pilier central. Au tumulte provoqué par la phrase de Mani venait de succéder un silence lourd. Dans tous les yeux, le fils de Babel lisait l'outrage et l'indignation. Sauf peut-être dans ceux de Hormizd, non dénués d'un éclair malicieux. Dont le mage dut s'apercevoir, puisqu'il commença sur un ton de reproche :

— Le maître sait-il quelle engeance sont ces Nazaréens ?

Il n'aurait pas le temps de poursuivre. Ses premières syllabes furent providentiellement couvertes par les hurlements d'une toute jeune femme qui venait de faire irruption, fendait le cercle des courtisans pour se jeter aux pieds du prince.

— Maître ! Ta fille ! Ta fille !

— Parle, Dénagh !

Il secouait la jeune femme par les épaules, soudain sans force comme un enfant accroché à la robe de sa mère.

— Elle courait près du ruisseau, elle est tombée, elle ne bouge plus !

— Blessée ?

— Non, il n'y a pas de sang !

— Elle respire ?

— Oui, assura la jeune femme, épouvantée. Elle respire, mais je ne parviens pas à la ranimer.

Hormizd resta prostré sur son siège, oubliant toute majesté, l'esprit emporté dans un tourbillon de cauchemar. Kirdir jugea le moment propice pour tendre un doigt accusateur :

— L'infidélité qui a pénétré en ce lieu attire sur nous des fléaux. Des paroles blasphématoires ont été proférées. S'il arrivait malheur à la fille du prince, ce maudit Nazaréen boiteux en porterait la faute.

Hormizd avait perdu tout discernement, et toute volonté. Chacun, dans son entourage, connaissait l'attachement qu'il témoignait à sa fille. L'épouse préférée du prince était morte au moment de la mettre au monde, et Hormizd avait porté vers l'enfant toute l'affection qu'il éprouvait pour sa mère. Il suffisait donc que Kirdir lui désignât le responsable supposé de son malheur pour qu'il regarde en direction de Mani avec rage. Mais celui-ci ne perdit pas son assurance :

— Je suis médecin. Au lieu d'utiliser la maladie de l'enfant pour une vile polémique, essayons plutôt de la guérir. Qu'on me conduise auprès d'elle !

Ne voulant négliger aucun espoir, Hormizd accompagna Mani au chevet de l'enfant.

Elle était étendue, la chevelure si proprement tressée, la robe si fidèle à ses plis, on aurait dit une morte. Seul un coffre mal refermé, dont dépassait un jouet cassé, donnait une touche de désordre et de vie à la chambre. Cette chambre qui n'était cependant qu'un secteur de la yourte princière, avec en guise de porte une rangée de cordelettes alourdies de coquillages colorés qui s'arrêtaient à deux coudées du sol. Pour que la princesse fût la seule à pouvoir entrer sans les faire tinter.

155

Mani posa sa joue sur le front de l'enfant, lui prit le pouls, lui souleva une paupière, puis il demanda à la jeune femme que le prince avait appelée Dénagh de découper cinq pièces d'étoffe blanche et propre, chacune de la largeur d'une paume, et de se procurer quelques pincées de camphre. Lui-même s'absenta pour cueillir, parmi les arbres et dans les talus, des tiges, des fleurs, des simples, des baies, qu'il choisit une à une, prenant le temps de les froisser entre les doigts pour vérifier leur nature.

Revenu dans la chambre avec cette brassée composite, il entreprit de pétrir les herbes jusqu'à en faire une pâte couleur de terre qu'il saupoudra de camphre, abondamment, avant de l'étaler en tourbe épaisse sur les chiffons. Qu'il replia, tassa et aplatit, en posa un sur le front de l'enfant, lui couvrant également les oreilles, en enroula deux autres autour des poignets, et les dernières à l'extrémité des pieds pour enserrer les orteils. Ensuite, saisissant une cruche, il en laissa couler un mince filet d'eau pour imbiber les compresses.

Autour de lui, personne n'osait le moindre bruit. Chaque fois qu'un tissu séchait, Mani l'imbibait d'un peu d'eau, et quand, au bout d'une heure, la cruche fut vide, il la tendit au prince en disant :

— Il faut la remplir à l'eau du torrent.

Hormizd prit le récipient et le tendit, d'un geste naturel d'autorité, à l'officier d'ordonnance qui se tenait debout derrière lui.

— Non, de la main du prince ! dit Mani qui avait parlé sans hausser les yeux.

Un moment surpris, le Sassanide reprit la cruche et s'en fut la remplir lui-même, sous les yeux ébahis des soldats et des courtisans. Sans doute supposa-t-il que, recueillie par ses mains princières, l'eau acquerrait des vertus curatives. Parmi la foule, c'était également ce qui se chuchotait ; Malchos fut l'un des seuls à soupçonner que l'explication pourrait être différente. Il avait déjà suffisamment observé son ami dans les villes qu'ils avaient visitées pour savoir que, lorsqu'une femme humble lui donnait à manger un bol de soupe et un oignon, il les acceptait avec gratitude, que lorsque l'épouse d'un marchand prospère lui offrait quelque mets somptueux, il montrait autant de gratitude, dût-il n'en goûter qu'une bouchée, mais que, chaque fois qu'une servante se présentait munie d'un plateau, Mani la renvoyait : « Va dire à tes maîtres de me porter l'aumône eux-mêmes, que je puisse les bénir et les remercier ! »

Ainsi l'eau qu'il avait demandée au prince, c'était du prince qu'il voulait l'obtenir, pas de son ordonnance !

Et Hormizd revint, portant la cruche des deux mains. Si maladroitement qu'il heurta du pied un pilier de la yourte et que les courtisans les plus proches firent un mouvement pour le soutenir, détournant prestement les yeux dès qu'il se rétablit pour qu'il ne remarque pas qu'ils l'avaient vu trébucher.

C'était déjà le crépuscule, et Mani, assis sur sa jambe pliée à la gauche de l'enfant, continuait à surveiller les compresses, à les mouiller dès qu'elles s'asséchaient. Agenouillée tout près de lui, Dénagh se montrait inquiète, constamment prête à se lever dès qu'il le lui demanderait. Hormizd, le plus agité de tous, était assis de l'autre côté de l'enfant.

Soudain, alors que chacun était enfermé dans le silence, le prince dit :

— Si ma fille guérit, je fais le serment de ne pas livrer Deb au pillage. Les habitants, les maisons, les marchés, les lieux de culte, tout sera préservé. Mais que mon enfant soit sauvée.

Mani ne bougea pas. Il dit seulement, sur le même ton de prière.

— Que le Ciel entende ces paroles de sagesse et de générosité !

Puis ce fut à nouveau le silence. Les heures passaient et, en dépit de l'inquiétude, le sommeil gagnait le petit-fils du roi des rois. Dénagh lui suggéra à mi-voix de se ménager quelque repos, promettant de le réveiller en cas de besoin. Il s'allongea sur place, prenant son coude pour oreiller.

La lumière du jour pénétrait déjà par un pan de toile relevé lorsque Hormizd se redressa. Six heures avaient passé, Dénagh était assise dans la même posture et Mani vidait la dernière goutte d'eau sur le front de l'enfant.

— Veux-tu que je remplisse à nouveau la cruche ? murmura le prince.

— Ce n'est plus la peine, dit Mani à voix haute. Le Ciel t'a entendu. Ton enfant est guérie.

Comme si elle répondait à son appel, la fillette ouvrit les yeux et sourit.

— Tu l'as réveillée ? demanda Hormizd, encore incrédule.

— J'ai endormi son mal.

Sans se montrer ému de son succès, Mani releva le dos de l'enfant pour le reposer sur un gros coussin, puis il ôta une à une les compresses, et les tendit au prince.

— Il faut les jeter dans le torrent, à l'endroit où la cruche a été remplie.

Hormizd les prit sur ses deux paumes ouvertes, comme s'il s'agissait d'une offrande précieuse. Il avait les yeux embués de larmes et la langue nouée.

— Porte-les donc d'une seule main, et de l'autre prends celle de ta fille qui désire t'accompagner.

L'enfant était à nouveau debout, rieuse, enjouée, sautillante.

A l'extérieur, on faisait au père et à la fille une ovation dont Mani, toujours assis au même endroit, écoutait l'écho avec une sereine délectation. Près de lui, Dénagh, épuisée, venait de s'assoupir. Pour la première fois, il put la contempler. Ils avaient passé une nuit entière l'un à côté de l'autre, sa présence dévouée et alerte avait été si rassurante, ils avaient partagé la même inquiétude et le même espoir. Mais il ne l'avait pas encore regardée. Il n'avait même pas remarqué cette tresse unique, cette longue tresse noire qu'elle avait maintenant rabattue vers l'avant, et dont l'extrémité lui touchait le genou. Mani fut quelque peu surpris de la découvrir si jeune. Durant leur veillée commune, elle n'avait eu que des gestes d'adulte. A présent, son nez, son menton, ses lèvres, tout dans son visage paraissait enfantin, menu. Et si bien dessiné. Seule la sortait de l'enfance sa poitrine qui semblait avoir grandi trop vite pour l'étoffe qui la serrait. Quel âge pouvait-elle avoir ? Treize ans, se dit Mani, peut-être douze.

Lentement, sans un geste brusque qui pût la réveiller, il lui releva la tête pour la reposer sur un coussin plat.

VI

Mani attendit que les acclamations des soldats et des courtisans se soient apaisées pour quitter la chambre de l'enfant et pour aller, fièrement suivi de Malchos et Pattig, prendre congé du prince.

— Béni soit le jour où tu t'es trouvé sur mon chemin, médecin de Babel.

Les yeux de Hormizd étaient encore rouges d'émotion, et sa voix mal assurée.

— Je te donnerai assez d'or pour que tu passes ta vie entière à l'abri du besoin.

— Je ne veux aucun or. Puisque j'ai acquis cette faculté de guérir, comment aurais-je pu laisser s'éteindre cette enfant sans rien tenter ? Si, pour une telle action, j'acceptais une récompense, je me sentirais indigne de ma science.

— C'est moi qui serais indigne de ma fortune si je te laissais partir sans récompense !

— Je ne veux rien de tes richesses ni des honneurs que tu peux prodiguer. Cependant...

Il s'est soudain arrêté, comme si un appel pressant lui était parvenu et qu'il parlât sous sa lointaine dictée.

— J'ai cependant une demande à t'adresser.

— Parle, elle est agréée d'avance !

— Je veux la plus douce des filles de ta maison.

— Dénagh ?

— Elle-même.

Hormizd était surpris, certes, et visiblement ennuyé. Mais comment décrire la réaction de Malchos et de Pattig ? L'un et l'autre regardèrent Mani comme s'il venait d'être remplacé par un sosie mystificateur.

— J'ai dit que je ne te refuserais rien, mais cette fille ne fait pas partie des biens que je possède. C'est la fille d'un officier que je chérissais et qui est mort il y a quatre ans en combattant à mes côtés. Je m'étais aventuré imprudemment au cœur des lignes ennemies, il a accouru pour me sauver. J'ai pu m'échapper avec une blessure superficielle, lui y a laissé sa vie par ma faute. J'ai donc décidé de recueillir sa fille unique qui avait neuf ans, je l'ai prise sous ma protection, l'ai traitée avec affection. Si elle s'occupe parfois de mon enfant, c'est parce qu'elles sont attachées l'une à l'autre. Mais Dénagh n'est ni servante ni esclave. Elle appartient au clan Karen, l'un des plus nobles de notre race. Dans sa famille, tout comme dans la mienne, on ne donne pas une fille contre sa volonté. Consentira-t-elle à te suivre ?

— Je le crois.

— Te l'a-t-elle dit ?

— Je ne le lui ai pas demandé.

— Qu'on la fasse venir, je vais l'interroger moi-même.

Chaque instant d'attente semblait ajouter à l'embarras de Hormizd qui se mit à réfléchir à voix haute :

— Mon frère aîné, Vahram, me rendit visite il y a un an. Il vit Dénagh, qui lui plut, et il m'en parla. Comme j'avais alors d'autres projets pour elle, je répondis qu'elle n'était pas nubile. C'était vrai, elle ne l'était pas ! Mais quand Vahram apprendra que j'ai laissé cette fille partir avec quelqu'un d'autre, il m'en voudra à mort. Lui qui regarde déjà avec envie tout ce que je possède...

Au bout de son monologue, le prince se montra pourtant résigné :

— Tu viens de me rendre ma propre enfant, médecin de Babel, ma dette envers toi est sans limites. Si j'avais pu la rembourser par un simple mot à mon trésorier, aurais-je senti que je m'étais acquitté ?

A peine avaient-ils franchi le périmètre du camp que Malchos se pencha vers Mani. Il avait des questions plein les joues, mais qui se résumaient en une seule :

— Qu'allons-nous faire d'elle ?

D'un geste de la tête, il désignait Dénagh, dont la monture était juste derrière la sienne. Mani répondit à voix claire, pour qu'elle puisse entendre.

— Partout où j'irai, elle ira. Ceux qui me donneront l'hospitalité la lui donneront également.

— Une femme ! Les gens vont poser mille questions.

— Les gens posent toujours mille questions.

— C'est qu'ils ont besoin de comprendre !

Comprendre ? Mani, lui, n'avait pas cherché à comprendre. Cette Voix, intérieure ou céleste, qui parlait quelquefois par sa bouche lui avait fait demander cette fille. Il avait obéi. Dénagh était venue se joindre à sa caravane.

Malchos, ce jour-là, s'éloigna. Pour céder la place à Pattig. Qui ruminait ses propres inquiétudes.

— Mon fils, aurais-tu décidé de prendre femme ?

A l'instant le visage de Mani se ferma.

— Pourquoi un homme prendrait-il femme s'il doit ensuite l'abandonner ?

La phrase était sans réplique et le père n'osa pas se défendre. Allait-il se mettre à justifier son attitude envers Mariam, son départ de Mardinu après la rencontre avec Sittaï dans le temple de Nabu, rappeler les vœux prononcés à la palmeraie ? Il ne savait que trop comment son fils réagirait. Aussi préféra-t-il s'écarter à son tour.

La monture de Dénagh vint alors chevaucher aux côtés de celle de Mani. Tous deux regardaient au loin. Avec étonnement et joie. Avec, aussi, une sorte de fierté. Le fils de Babel semblait retrouver à cheval ses origines parthes, peut-être en raison de sa jambe torse qui, au sol, le faisait boiter, mais qui lui donnait de l'aisance dès qu'il était sur le dos d'une monture. Dénagh également paraissait plus belle à cheval ; son buste, d'ordinaire courbé par sa pudeur d'adolescente, se redressait, s'épanouissait. Sa peau hâlée, sa tresse posée sur l'épaule et son profil tendu vers l'horizon lui donnaient des allures de voyageuse des steppes. Mani porta son regard sur elle, et sa monture se rapprocha encore. Au point que leurs étriers se heurtèrent.

Ils n'avaient toujours pas échangé un mot. Leur silence se prolongea. Seulement perturbé de temps à autre par les cris des soldats de l'escorte, ou quelque hennissement.

Au loin tournoyaient déjà les poussières de la cité.

Depuis que l'ancienne garnison avait quitté la citadelle et les tours d'enceinte, il n'était pas rare de voir les enfants de Deb monter jusqu'au chemin de ronde, autant pour le plaisir de courir le long d'une corniche naguère interdite que pour scruter, à perte d'horizon, cette route du nord d'où les envahisseurs étaient censés déferler. Or ce jour-là, un gamin se mit à crier et les citadins accoururent, ils escaladèrent les plus hauts bâtiments, s'y bousculant en si grand nombre que les toitures menaçaient de s'affaisser. On se pressait aussi dans les ruelles voisines de la porte de Pashkibour que l'on avait maintenue large ouverte, pour preuve qu'aucune résistance n'était envisagée.

La rumeur courut plus vite que les cavaliers, qui, eux, étaient encore à bonne distance. Si bien que la fille aînée du vieux cordonnier, réputée pour sa longue vue, et que l'on avait conduite sur la tour dominante, ne distingua elle-même ni casaques ni fanions. Elle estima seulement, au juger du nuage de sable qui s'élevait dans le ciel, qu'il ne s'agissait pas encore de l'armée sassanide, mais d'un simple détachement peut-être venu en éclaireur, ou porteur d'une sommation.

Ce qu'elle ne pouvait deviner, c'est qu'en ce nuage était l'escouade que Hormizd avait chargée de ramener Mani jusqu'à Deb. Elle comprenait un officier et dix hommes, les tout premiers soldats sassanides que les citadins apercevaient depuis le temps qu'ils s'estimaient assiégés, déjà envahis, et qu'ils tremblaient. Les cavaliers firent d'ailleurs halte à trois stades des murs, l'officier sauta à terre pour saluer Mani, et plus hâtivement ses compagnons, avant de remonter en selle, tourner bride et s'éloigner, sans que son regard se fût attardé sur les gens, les créneaux, ou la porte accueillante. Porte que Malchos, Dénagh et Pattig franchirent posément à cheval, avant de s'écarter pour céder passage au héros du jour.

L'arrivée peu tumultueuse des militaires, leur attitude déférente envers Mani, enfin leur départ prompt, avaient suscité dans la foule une jovialité gouailleuse et incrédule. Pour un temps la peur s'était extraite comme une écharde. On enlaçait avec frénésie l'inconnu le plus proche, on avait les yeux pleins de larmes, chacun invoquait le dieu qu'il croyait à l'origine du prodige, et tous bénissaient celui qui semblait en être l'instrument.

Mani pénétra dans la cité, la tête droite, serein comme s'il avait toute sa vie chevauché en triomphe et aligné les conquêtes. Etait-ce le réveil tardif du sang princier que son père et lui-même avaient constamment dénigré ? Les zélateurs ont souvent cherché aux prophètes des origines royales, comme si, sur Terre, la seule onction du Ciel ne conférait pas une légitimité suffisante. N'a-t-on pas rattaché Jésus à la lignée du roi David, le Bouddha à celle des princes Çakya ? Dieu incarné et, mieux encore, vague rejeton d'un satrape, il faut supposer que certains adeptes ont besoin de ces maigres surcroîts ! Sur le même modèle, et s'il faut prêter foi aux dires naïfs des chroniqueurs, Mani portait en lui, depuis l'enfance, et même dans l'humilité de la palmeraie des Vêtements-Blancs, cet attribut éminemment royal qu'est l'aplomb, héritage manifeste des souverains parthes dont l'empire s'était autrefois étendu jusqu'à Deb. Sinon, comment aurait-il eu le front de parler au petit-fils d'Ardéshir, et plus tard à d'autres têtes couronnées ? Comment aurait-il paradé avec autant d'aisance dans cette ville en délire ?

De tous les quartiers les citadins convergeaient maintenant vers lui, impatients de l'interroger, sans pourtant que nul se permît de l'aborder, même ceux qui le reconnaissaient, même ceux qui avaient écouté son sermon à l'église. Malchos supposa que son ami se dirigeait tout simplement vers la maison du notable chrétien Bar-Touma qui les avait hébergés la seule nuit qu'ils eussent passée en ville. Mais c'est un autre chemin qu'il emprunta, celui de la résidence de l'ancien gouverneur, dont il passa la grille sans que la milice urbaine qui la gardait songeât à s'interposer. Et là encore, alors que chacun s'apprêtait à le voir monter les marches du palais, il s'écarta soudain de l'allée pavée pour avancer à travers le jardin vers un mûrier blanc, un mûrier qui aurait été, au dire des anciens, le plus vieil arbre de la contrée et qui, solitaire, se dressait sur un sol sec et chauve, étendant en cette heure vers l'Orient son ombre tourmentée.

Mani posa pied à terre, puis il leva les bras, afin que le cortège s'immobilise et qu'il puisse marcher seul vers le mûrier, devant lequel il s'inclina, les paumes appuyées sur le tronc. Tant qu'il serait dans cette ville, c'est là qu'il passerait, dit-il, ses jours et ses nuits.

Alors les citadins s'approchèrent, formant halo autour de lui, et les lèvres les moins timides osèrent les questions attendues : Avait-il parlé au conquérant ? Quelle sorte d'homme était ce Hormizd ? Quand prendrait-il possession de leur ville ? Quel sort leur réservait-il ? Le commerce pouvait-il reprendre ? Les cultes seraient-ils respectés ?

— Le prince qui m'a reçu, répondit-il, n'est pas dénué de sagesse ni de discernement. En chaque homme une étincelle se dissimule sous les casques, les parures et les cottes de mailles.

Si Mani ne voulut rien promettre, ces quelques paroles rassurèrent, et on l'entoura davantage. Qu'il était étrange de voir cette vénérable cité de marchands se conforter ainsi au voisinage d'un mendiant nouvellement débarqué ! En réalité, les gens de Deb avaient la conviction fervente que tant que Mani était là, adossé à son arbre, et qu'il parlait, et priait, et se laissait nourrir par les femmes les plus humbles, aucune armée au monde ne porterait atteinte à leur ville. Aussi, peu à peu les quais se ranimèrent. De nouveau on chargeait, on déchargeait, de nouveau dans les marchés on se hasardait à embellir les étals.

Sous le mûrier s'assemblaient désormais les habitants de la ville, toutes classes, toutes croyances mêlées. C'est là qu'ils se concertaient, qu'ils réglaient leurs litiges, leurs voix parfois s'échauffaient, mais il suffisait d'un mot de la bouche de Mani pour que le silence s'établisse et que les oreilles se tendent. Pour le fils de Babel, c'était bien l'auditoire assoiffé de vérité qu'il s'était longuement préparé à séduire. Il lui avait fallu venir jusqu'en Inde pour le rencontrer et pour découvrir, dans ce miroir aux multiples facettes, sa propre image de Messager :

— Bénis soient tous les sages des temps passés, présents et à venir, bénis soient Jésus, Çakya-Muni et Zoroastre, une Lumière unique a éclairé leurs paroles, c'est cette même Lumière qui aujourd'hui rayonne sur Deb. Celui d'entre vous qui suivra mon enseignement ne devra déserter ni le temple où il a toujours prié, ni l'autel sur lequel il honore les mânes de ses ancêtres.

A Deb, où s'épanouissaient tant de croyances, les propos de Mani étaient doux aux oreilles des hommes de conciliation. En ces temps d'épreuve, ils furent nombreux à s'accrocher à sa foi généreuse. Mais, dans le même temps, apparaissaient dans l'auditoire des objecteurs que les propos de Mani scandalisaient, désarçonnaient :

— Si tu dis la même chose que le Messie ou le Bouddha, pourquoi cherches-tu à bâtir une religion nouvelle ?

— Celui qui s'est levé en Occident, son espoir n'a guère fleuri en Orient ; celui qui s'est levé en Orient, sa voix n'a pas atteint l'Occident. Faut-il que chaque vérité porte l'habit et l'accent de ceux qui l'ont reçue ?

— Maître, j'admets bien que certaines croyances méritent d'être respectées. Mais les idolâtres, les adorateurs du soleil ?

— Crois-tu qu'un roi serait jaloux si tu baisais le pan de sa robe ? Le soleil n'est qu'une paillette sur la robe du Très-Haut, mais c'est à travers cette paillette resplendissante que les hommes peuvent le mieux contempler Sa Lumière.

« Les hommes croient adorer la divinité, alors qu'ils n'en ont jamais connu que les représentations, représentations en bois, en or, en albâtre, en peinture, en mots, en idées.

— Et ceux qui ne reconnaissent aucun Dieu ?

— Celui qui refuse de voir Dieu dans les images qu'on lui présente est parfois plus proche qu'un autre de la vraie image de Dieu.

Un jour, on lui demanda :

— Quel nom porte celui dont tu es le Messager ?

— Je l'appelle « le Roi des jardins de lumière ».

— N'est-il pas le Père, le Tout-Puissant, l'infiniment bon, le Créateur de toutes choses ?

— Comment pourrait-il être à la fois bon et tout-puissant ? Est-ce lui qui a créé la lèpre et la guerre ? Est-ce lui qui laisse mourir les enfants et maltraiter les innocents ? Est-ce lui qui a créé les Ténèbres et leur Maître ? A-t-il promis que ce dernier existe ? S'il pouvait l'anéantir d'un geste, pourquoi ne le ferait-il pas ? S'il ne veut pas anéantir les Ténèbres, c'est qu'il n'est pas infiniment bon ; s'il veut les anéantir, mais qu'il n'y parvient pas, c'est qu'il n'est pas infiniment puissant.

Après un court silence, il ajouta :

— C'est à l'homme qu'a été confiée la création. C'est d'abord à lui qu'il appartient de faire reculer les Ténèbres.

Le fils de Babel était depuis dix jours auprès du mûrier blanc lorsque l'armée sassanide prit possession de Deb. Elle s'y déploya aux portes, dans les tours de l'enceinte, sur les quais et dans les rues marchandes. Sans meurtre ni pillage. Ensuite, Hormizd vint s'installer avec son entourage dans la résidence de l'ancien gouverneur.

Mani demeura quelques jours encore dans le jardin proche, entouré d'une foule fervente qui se confortait de sa présence, mais qui allait bientôt entendre de sa bouche des paroles d'adieu.

Une nuit, en effet, Hormizd le fit mander d'urgence. Mani veillait encore, adossé à son arbre ; l'officier d'ordonnance l'aida à se relever d'une main ; de l'autre il tenait une torche.

Avec le prince se trouvait un scribe de haut rang.

— C'est Nam-Veh, mon homme de confiance. Il arrive de Ctésiphon.

— Un grand malheur s'est abattu sur le monde. Notre maître à tous, le grand Ardéshir, roi des rois, dieu parmi les hommes, homme parmi les dieux, est allé rejoindre les glorieux souverains…, commença le scribe.

— Mon grand-père est mort, l'interrompit Hormizd.

Dans ses yeux, une terreur s'était éteinte. Dans ceux de Mani se dessina le chemin du retour.

*
**

La rencontre avec ce prince sassanide ne fut pas sans lendemain. Entre Mani et la dynastie la plus puissante de son temps, une relation venait de naître qui se révélerait mouvementée, intense, parfois cruelle. Et constamment ambiguë, comme se doivent de l'être les rapports entre les porteurs d'idées et les porteurs de sceptres.

L'existence du fils de Babel en serait bouleversée. Mais aussi celle de l'Empire.

TROISIÈME PARTIE

Au voisinage des rois

*Je suis venu du pays de Babel pour faire
retentir un cri
à travers le monde.*

Mani

I

Alors qu'il attendait que vienne son tour de pénétrer dans la salle du Trône, Mani ne pouvait détacher les yeux de la porte monumentale devant laquelle étaient alignés les feutres rouge sang des hommes de la garde. N'est-ce pas cette porte qu'évoquait son « Jumeau » lorsqu'il parlait de conquérir Ctésiphon ? Ainsi, il avait fallu qu'il aille jusqu'aux rives de l'Indus, qu'il rencontre ce prince sassanide, qu'il guérisse sa fille, pour obtenir cette lettre d'introduction, adressée par Hormizd à son propre père, Shabuhr, le nouveau maître de l'Empire...

Dans le vestibule, il se laissa décrire, une fois encore, le cérémonial. Sur les lèvres du préposé à l'étiquette, un mot revenait comme un exorcisme, *padham*. C'est ainsi qu'on nommait, au temps des Sassanides, le mouchoir blanc que devait placer devant sa bouche quiconque approchait des objets sacrés, de crainte qu'ils ne fussent souillés par le souffle d'un mortel ; celui du mage au moment d'officier devant l'autel du feu, ou de tout homme qui parlait en audience publique à la personne du roi des rois.

Les courtisans gardaient ainsi toujours un *padham* dans la manche et les visiteurs étrangers s'en voyaient offrir un par les dignitaires du palais qui, dans le même temps, se préoccupaient de leur apprendre le geste de vénération, l'index de la main droite tendu en avant, vers le haut, légèrement recourbé. Et de leur inculquer les phrases agréées : à Ctésiphon, comme dans l'Egypte des dynasties, comme d'ailleurs à Rome, mais sur un mode plus pointilleux, le souverain était auguste. Pour s'adresser à lui on ne pouvait user ni d'un nom ni d'un titre. Des formules lui étaient consacrées dont nul n'était censé s'écarter, « Vous autres, personnages divins ! », « Vous, les dieux immortels ! » ou, à tout le moins, « Votre Divinité ! »

Chaque disposition, dans l'ordonnancement de la cour, visait à creuser l'abîme entre le monarque et le reste des vivants. Tout contribuait à forger cette image d'inhumaine puissance, de céleste apparat et de pérennité. Dans la salle du trône, la voûte s'élevait si haut qu'on l'aurait dite bâtie pour une congrégation de géants. Aussi loin que montaient les yeux le long des murs, ils ne croisaient que tapisseries, pas un pouce qui trahît la nudité originelle des surfaces.

Au fond de la gigantesque pièce, il n'y avait qu'une estrade interdite par un rideau autour duquel se répartissait l'assemblée des courtisans. A dix coudées, les personnes de sang royal ; dix coudées plus loin, les familiers de Shabuhr, le roi des rois, ses commensaux, ses proches conseillers, les dignitaires religieux, exégètes et récitateurs de l'Avesta, ainsi que des savants, des astrologues, des médecins de renom ; dix autres coudées, et l'on trouvait les amuseurs du roi, bouffons, jongleurs, acrobates, danseurs, tous personnages considérés à la cour sassanide, bien davantage que les architectes, les peintres et les poètes ; sans commune mesure, néanmoins, avec les musiciens. Conformément aux désirs dûment codifiés du fondateur de la dynastie, les compositeurs et les maîtres reconnus des instruments et du chant étaient traités à l'égal des princes royaux et se tenaient donc à dix coudées de la tenture, mais sur la gauche. Derrière eux se rangeaient les musiciens et chanteurs de second ordre, puis, à dix coudées encore, la masse des joueurs de luth, de zand ou de mandoline.

Pour réveiller l'assistance alanguie, une cavalcade de tambours précédait la clameur rituelle : « Hommes, que votre langue veille à préserver votre tête, votre Maître est au milieu de vous. » Puis, tandis que les musiciens du premier rang exécutaient l'air prévu du jour, et qu'on n'entendrait plus avant le même jour de l'année suivante, des mains invisibles écartaient le rideau.

Chacun se prosternait, front contre terre, en attendant qu'une nouvelle clameur l'autorise à lever les yeux : le souverain était là, idole immobile, aveuglante débauche d'or ; or tissé dans l'habit, le coussin, la tenture, or massif pour le trône, or ciselé en colliers, en anneaux, en fibules ; la barbe elle-même était saupoudrée d'or, poussière éblouissante qui pailletait aussi sur les lèvres, les cils, les sourcils.

Au-dessus du monarque on pouvait contempler la légendaire couronne qui pesait plus qu'un homme et qu'aucune tête n'aurait été en mesure de porter, fût-elle impériale. Mais il fallait s'en approcher pour découvrir qu'elle était retenue par une chaîne fine dont l'anneau était fixé dans la voûte. Si bien que lorsque le roi se retirait, la couronne demeurait suspendue, comme par miracle, au-dessus du trône vide ; les hommes divinisés vieillissent et passent, demeure la majesté.

De loin, l'illusion était totale, on ne contemplait qu'un être de légende, inconcevable, né de toutes les épouvantes des mortels, de leurs morbides envies, une apparition somptueuse qui pétrifiait, qui fascinait, imposait soumission.

Et c'est ce monstre fabuleux que Mani était venu dompter !

Pour l'heure, le fils de Babel ne cessait de reproduire dans son esprit chaque pas ou geste, il se remémorait les paroles qu'il avait résolu de prononcer, surtout les premières, celles des instants étourdis, celles que d'ordinaire on bredouille sous les regards inquisiteurs, celles-là, de toutes les plus importantes, il se les remâchait sans arrêt avec nervosité.

Puis une voix cria son nom. Il se retourna pour s'assurer qu'il avait bien entendu. Trop tard, la porte s'était déjà ouverte, déjà une main l'avait poussé, malheur à qui ferait attendre le divin Shabuhr ! Mani s'avança le long du tapis liséré qui conduisait aux marches du trône, mais il avait le sentiment de dériver tant il avait perdu toute notion des distances. Le roi lui semblait proche, comme pouvait l'être le soleil de Mardinu, proche jusqu'à l'éblouissement, jusqu'à l'insolation, et pourtant le trajet feutré qui menait à lui paraissait interminable, rocailleux, pentu, il se déroulait dans une impression de lenteur extrême, d'essoufflement et d'oppression. La minute était au doute et au regret. Regret pour n'avoir pas écouté les prudents avis de Malchos qui, jusqu'à l'entrée du palais, le conjurait encore de renoncer. Regret de n'être pas resté caché dans sa palmeraie, « comme un brin d'hysope entre les pierres », aurait dit Sittaï. Il y avait deux ans de cela. Deux ans, l'éternité ! Mani se le rappela, mais ses souvenirs étaient chargés de brume, comme s'ils appartenaient à une vie antérieure.

Il invoqua son « Jumeau », son Double, qu'il se manifeste ! de grâce ! il avait besoin de s'assurer qu'il était là, avec lui, qu'il marchait à ses côtés sur ce

176

chemin d'épreuve, qu'il prendrait la parole quand sa propre bouche aurait failli. « Garde ta sérénité, Mani, oublie l'or, néglige l'apparat, ne te laisse jamais éblouir par un humain, fût-il roi ou prophète. Le destin a déposé en lui ce qu'il a déposé en toi, et en chacun. L'important est d'en prendre conscience. Dans mille ans, on ne parlera plus de Shabuhr que parce que ta route aura traversé sa cour. »

Il arriva enfin à la hauteur du chambellan. Celui-ci lui fit signe de tomber à terre, puis lui chuchota qu'il était autorisé à se relever. Avant de parler, Mani retira de sa manche le *padham* immaculé.

— Hommage au plus puissant des hommes ! Que ses désirs les plus nobles soient exaucés !

La formule était inusitée, le dignitaire fronça les sourcils, et la face altière du roi frémit d'un étonnement de mortel. Mais rien n'avait été dit qui fût irrévérencieux. Mani fut finalement invité, d'un geste, à se présenter.

— Je suis un médecin du pays de Babel.

— Mon fils bien-aimé m'a fait parvenir à ton propos une lettre élogieuse. Il semble que tu aies su lui plaire.

— La Providence a voulu que je guérisse sa fille qu'il croyait perdue.

— Comment soignes-tu ?

— Par la parole et par les plantes.

— Et le couteau ? le feu ? les sangsues ?

— D'autres que moi y sont plus habiles.

Mani ne le savait pas, mais le mot « sangsues » était un piège, étant donné l'aversion de Shabuhr pour ce mode de soin et pour ceux qui en usaient. Rassuré sur ce point, le monarque poursuivit :

— Mon fils fait également mention de certaines idées que tu voudrais répandre.

— Un message m'a été révélé.

Des murmures s'élevèrent parmi les courtisans, mais nul n'osait anticiper sur la réaction du monarque qui, de son côté, attendait que Mani enchaînât. Et comme la suite se faisait attendre, il interrogea son visiteur avec un début d'agacement :

— Quel message ? Nous t'écoutons.

— Une ère nouvelle a commencé qui nécessite une foi nouvelle, une foi qui ne soit pas celle d'un seul peuple, d'une seule race ni d'un seul enseignement.

Mani n'avait guère besoin de préciser à quel peuple, à quelle race ni à quel enseignement il faisait allusion. Parmi les dignitaires du deuxième rang, un mouchoir s'agita.

— J'ai déjà rencontré cet homme !

Il suffit à Mani de se retourner pour apercevoir dans la foule des mages la barbe blonde de Kirdir.

— C'est un Nazaréen, et le plus perfide ennemi de notre religion. Il s'est trouvé sur mon chemin lorsque j'étais en Inde auprès de notre armée victorieuse. Notre maître, le divin Ardéshir, m'avait ordonné d'allumer dans cette contrée un immense feu sacré pour célébrer le triomphe de la glorieuse dynastie et étrangler les voix infidèles. Mais ce Nazaréen a multiplié les maléfices pour m'empêcher d'accomplir cet acte de piété.

Kirdir avait réussi. L'assistance pouvait désormais se montrer outragée par l'attitude de ce médecin de Babel envers le défunt roi des rois. De tous ceux qui avaient maintenant les yeux braqués sur Mani, Shabuhr semblait le moins hostile, l'un des rares qui fussent encore disposés à écouter sa défense.

— Je ne suis ici que pour transmettre un message au premier des hommes, poursuivait Mani. Le Ciel a donné à son jugement plus de poids qu'à toutes nos opinions. Puisse-t-il accueillir mes paroles dans la sérénité, sans se laisser distraire par l'hostilité dont certains veulent m'entourer !

— Si j'ai consenti à te recevoir c'est bien pour écouter ton message. Tu as la parole.

— Votre Empire s'est étendu, à l'ouest vers le pays d'Aram, l'Adiabène, l'Osrhoène, où les Nazaréens sont nombreux ; à l'est vers la Bactriane, l'Inde et le Turan, où l'on vénère le Bouddha. Demain, le règne de la dynastie s'étendra vers des contrées où l'on n'a pas coutume d'adorer Ahura-Mazda, elle aura d'innombrables sujets qui professeront toutes sortes de croyances. Serait-il sage de les humilier jusqu'à les transformer en traîtres ? Qui donc est un meilleur allié de la dynastie, celui qui cherche à lui concilier les hommes ou celui qui attire sur elle le ressentiment de ses propres sujets ?

Dans les traits du monarque on pouvait soupçonner une ébauche d'approbation que Kirdir s'empressa de dissiper.

— Le meilleur allié de la dynastie ! railla-t-il. Je suis en présence de notre divin maître, et je me verrais contraint d'expliquer en quoi un adorateur d'Ahura-Mazda est un meilleur allié de la dynastie qu'un Nazaréen ! Puisque les cœurs n'entendent plus les mots voilés, me donnerait-on la liberté de parler sans détour ? J'ai eu entre les mains quelques-uns des textes que les Nazaréens propagent dans les villes de l'Empire ; on m'a également rapporté certains propos qui s'échangent dans leurs réunions. Mon divin maître désire-t-il savoir en quels termes ils parlent de notre religion, de nos lois, de nos traditions et de la dynastie ? Ces gens prétendent que toute la descendance des Sassanides est damnée.

Shabuhr n'appréciait guère que de telles paroles soient prononcées, fussent-elles attribuées aux Nazaréens, sa main se crispa sur le pommeau du sceptre.

Kirdir ne s'en montra nullement effrayé, il poursuivit, à voix plus ample, plus rageuse aussi, mais d'une rage contrôlée.

— N'est-il pas dit dans l'Avesta que la splendeur divine accompagne le *khvedodah,* le mariage entre frère et sœur, qui efface les péchés mortels et chasse les démons ? N'y est-il pas écrit qu'aucun acte de piété n'est aussi agréable au Ciel ? N'avons-nous pas appris qu'à l'image du grand Darius, tous nos divins souverains, ainsi que les mages et les guerriers, devaient s'unir à l'être le plus proche, leur sœur, leur fille ou leur mère quand celle-ci tombe dans le veuvage ? Notre divin maître n'a-t-il pas fait de sa sœur, la divine reine Azur-Anahit, son épouse préférée entre toutes ? Eh bien, pour les Nazaréens, nous tous ici sommes voués à l'Enfer, notre divin maître lui-même, comme sa divine reine-sœur, car ce qui est pour nous suprême piété est pour eux suprême abomination.

Kirdir risquait sa tête en prononçant des phrases aussi inconvenantes. Mais son audace avait porté. De la colère qui gonflait à présent la face du monarque chacun devinait le sens et la victime.

— Misérable médecin de Babel, est-ce là le sentiment que tu voues aux êtres divins de notre dynastie ? Tu subiras le sort que notre loi réserve aux profanateurs !

Les gardes accoururent pour empoigner le coupable. Quand il sentit leurs mains brusques s'abattre sur ses bras, sur ses épaules, Mani eut l'impression que toutes les images se brouillaient autour de lui. Impuissant, muet de terreur, il se sentait sur le point de sombrer. Une seule pensée le maintint debout : le « Jumeau », son compagnon céleste, ne pouvait l'abandonner en ce jour ! Il ferma les yeux, cherchant à entrevoir sa face rassurante.

Soudain, un tumulte se propagea, émaillé de rires à peine étouffés. L'extrême tension qui pesait sur la cour venait de retomber comme par miracle. Un *padham* s'agitait et il semblait que sa vue à elle seule eût suffi à détendre les traits de Shabuhr.

— Que l'éternellement jeune Juvanoé s'approche !

La gaieté subite du souverain se répercuta dans l'instant sur l'ensemble des visages. A l'exception de celui de l'intéressé, lequel n'appréciait guère les ricanements que suscitait chacune de ses interventions. Précepteur du monarque depuis l'enfance, il était le doyen des mages de la cour, où nul n'aurait songé à mettre en doute son érudition et sa persistante lucidité. Ne lui portait préjudice que ce prénom de Juvanoé, « jeune homme », fort répandu parmi les nobles et les mages, mais qui s'avérait encombrant sur les épaules d'un nonagénaire. Ainsi le bouffon du roi avait fait du vieux mage sa cible favorite, imitant à merveille sa voix râpeuse, sa démarche en éteignoir, le mouvement pendulaire de sa barbe cotonneuse et le désordre de ses doigts osseux. Tout courtisan ayant eu, au cours des vingt dernières années, l'occasion de partager une seule des soirées de Shabuhr ne pouvait qu'associer au vénérable précepteur l'image du bouffon, dont plus personne d'ailleurs ne se rappelait le nom tant l'on avait pris l'habitude de lui accoler celui de sa victime.

L'auguste pupille sourit, comme tout un chacun, mais Juvanoé s'était à peine mis à parler qu'il fronça les sourcils pour signifier à tous que l'intermède plaisant était clos.

— J'ai eu dans ma trop longue vie le privilège de rappeler à mon divin maître les qualités qui feront de lui un grand roi à l'image de ses plus glorieux prédécesseurs, la bonne religion, le bon sens, la force du pardon, l'amour des sujets, la gaieté, la générosité, la justice...

— Je n'ai pas oublié, s'impatienta Sa Divinité, qui n'ignorait rien de la liste interminable.

— Cet homme de Babel a été accusé de choses graves qui mériteraient châtiment. Mais si mon maître refuse de passer pour un tyran aux yeux de la postérité, il a le devoir d'écouter sa défense. Telle est notre loi !

Shabuhr enveloppa son précepteur d'un regard affectueux et filial. Puis, avec un haussement d'épaules amusé, il héla un secrétaire :

— Ecris que j'ai décidé d'octroyer en ce jour une robe d'honneur au vénérable mage Juvanoé qui m'a évité de commettre une injustice indigne de notre dynastie !

Et tandis que le vieux précepteur, rayonnant, clapotait à reculons pour reprendre sa place, le souverain se tourna vers Mani, se disant maintenant disposé à l'entendre bien que le bourreau fût encore à portée de voix.

Les mots du fils de Babel s'échappèrent comme le souffle d'un rescapé.

— En cherchant à me contredire, le respecté mage Kirdir n'a fait qu'appuyer mes propos par l'exemple le plus poignant. Chacun de nous se sent secoué, menacé, outragé, chacun ressent maintenant à quel point les haines religieuses peuvent affecter son existence et celle de l'Empire. Moi-même, je devrais être aussi bouleversé que vous tous, je suis de descendance parthe, chez mes ancêtres on s'est toujours marié entre frère et sœur, par fidélité aux coutumes et par désir d'accomplir un acte agréable au Ciel.

« Oui, les Nazaréens sont outrés par ces mariages qu'ils appellent incestueux. Pourtant, il est écrit dans leur Bible que Dieu a créé le premier homme et la première femme, et qu'à partir d'eux seuls la Terre a été peuplée. Il a donc bien fallu que les enfants de ce premier couple s'unissent entre eux ! L'humanité entière est issue de mariages incestueux. Les tenants de l'Avesta pourraient donc à leur tour railler les tenants de la Bible. Mais pourquoi ces querelles, ces imprécations, ces railleries ? Chaque peuple a des coutumes qui se sont inscrites dans ses lois et qu'il attribue à la volonté divine. Celle-ci serait-elle différente pour chaque peuple ? La vérité est que nous ne savons rien de la volonté divine, nous ne savons rien de la divinité, ni son nom, ni son apparence, ni ses qualités. Les hommes donnent à Dieu des noms innombrables, ils sont tous vrais, et aussi tous faux. S'Il avait un nom, il ne pourrait s'écrire avec nos mots, ni être prononcé par nos bouches. On dit qu'Il est riche et puissant ? Richesse et puissance ne sont des qualités qu'à l'échelle des hommes, elles ne signifient rien à l'échelle de Dieu. On Lui attribue aussi des désirs, des craintes, des irritations et des humeurs, certains Le disent jaloux d'une statue, offensé d'un geste, préoccupé de notre façon de parler, d'éternuer, de nous vêtir ou de nous dévêtir. Moi, Mani, je suis venu apporter un message nouveau à tous les peuples. Je me suis adressé en premier aux Nazaréens parmi lesquels j'ai passé mon enfance et ma jeunesse. Je leur ai dit : écoutez la parole de Jésus, c'est un sage et un pur, mais écoutez aussi l'enseignement de Zoroastre, sachez trouver la Lumière qui a rayonné en lui avant tous les autres, lorsque le monde entier baignait dans l'ignorance et la superstition. Si mon espoir prévalait un jour, ce serait la fin des haines.

« Je tourne donc mon regard vers le mage Kirdir, et je lui dis avec le respect qui lui est dû : tu as su décrire le mal qui menace l'Empire, et moi, j'ai prescrit le remède. Tu as parlé comme un patient, j'ai parlé comme un médecin.

— Cet homme est habile à endormir nos méfiances, dit le mage. Mais il n'a toujours pas avoué de quelle religion il se réclame.

— Je me réclame de toutes les religions et d'aucune. On a appris aux hommes qu'ils devaient appartenir à une croyance comme on appartient à une race ou à une tribu. Et moi je leur dis : on vous a menti. En chaque croyance, en chaque idée, sachez trouver la substance lumineuse et écarter les épluchures. Celui qui suivra ma voie pourra invoquer Ahura-Mazda et Mithra et le Christ et le Bouddha. Dans les temples que j'élèverai chacun viendra avec ses prières.

« Je respecte toutes les croyances, et c'est bien cela mon crime aux yeux de tous. Les chrétiens n'écoutent pas le bien que je dis du Nazaréen, ils me reprochent de ne pas dire du mal des juifs et de Zoroastre. Les mages ne m'entendent pas lorsque je fais l'éloge de leur prophète, ils veulent m'entendre maudire le Christ et le Bouddha. Car lorsqu'ils rassemblent le troupeau des fidèles, ce n'est pas autour de l'amour mais de la haine, c'est seulement face aux autres qu'ils se retrouvent solidaires. Ils ne se reconnaissent frères que dans les interdits et les anathèmes. Et moi, Mani, loin d'être l'ami de tous, je me retrouverai bientôt l'ennemi de tous. Mon crime est de vouloir les concilier. Je le paierai. Car ils s'uniront pour me damner. Pourtant, lorsque les hommes se seront lassés et des rites et des mythes et des malédictions, ils se rappelleront qu'un jour, au temps où régnait le grand Shabuhr, un humble mortel a fait retentir un cri à travers le monde.

Le souverain était intrigué.

— La religion que tu voudrais propager aurait-elle des temples et des mages ?

— Elle aura des lieux de culte et des Elus. Ils se consacreront à la prière et à l'enseignement, à l'art et à l'écriture, à l'exercice de la justice, comme le font les mages d'aujourd'hui. A la condition cependant qu'ils renoncent à désirer fortune, gloire, ou pouvoir.

Cette réserve suscita chez le monarque une satisfaction évidente. Kirdir agita à nouveau son *padham*, mais Shabuhr s'était déjà tourné vers son *khorram-bash*, le préposé au rideau, qui se tenait en permanence à ses côtés et, d'un frémissement de doigts, il lui adressa un ordre. Dans les secondes qui suivirent, on vit accourir deux scribes qui prirent place aux pieds du souverain. C'était le signe que la délibération avait pris fin et que le monarque s'apprêtait à légiférer, une procédure rodée depuis le temps des Parthes : le roi des rois dictait en langage simple ses désirs que l'un des secrétaires répétait à voix haute, non pas mot à mot, mais en l'adaptant, comme par traduction simultanée, au jargon ampoulé des ordonnances officielles que l'autre scribe s'occupait d'inscrire en belle calligraphie sur le registre réservé à cet effet.

« Nous avons décidé ce jour... », dit le souverain. Le secrétaire amplifiait : « Nous, le divin Shabuhr, roi des rois de l'Iran et du Non-Iran, dieu parmi les hommes, homme parmi les dieux... »

Shabuhr laissa transcrire avant de poursuivre : « ... que nous autorisons notre fidèle sujet Mani à propager en toute liberté dans les villes et les villages de l'Empire son message céleste qui a obtenu notre souverain agrément. Ordre est donné à tous les rois, satrapes, gouverneurs, fonctionnaires de lui offrir assistance comme s'il était en tous lieux notre propre émissaire. »

II

En quittant le palais, Mani ne put faire autre chose que marcher, marcher droit devant lui, martelant de son unique talon valide la chaussée poudreuse de Ctésiphon. Les gens se retournaient sur son passage, montraient du doigt aux gamins ce diable d'étranger hagard, ce criquet disgracieux atterri des nuages, quelle autre idée de lui pouvaient-ils avoir ce jour-là ?

Mais le lendemain, pas plus tard que le lendemain, tous ces gens comprendraient. Dès l'aube, les hérauts viendraient tambouriner sur les places publiques l'édit où était mentionné ce nom, « Mani, médecin du pays de Babel ». On colporterait alors par toute la capitale les récits embellis de son audience au palais, on se plairait à décrire ses accoutrements, et chacun se vanterait alors d'avoir reconnu dans sa rue la démarche inspirée et la cape reflet-du-ciel. Avant dix jours, des courriers seraient partis vers les extrêmes contrées sassanides convoyant les ordres du roi des rois, dûment recopiés et scellés de cire et de sel.

Mani avait vingt-six ans, et ces rues, et cette terre de Mésopotamie, et cet Empire, et l'univers entier n'étaient plus assez vastes pour ses pas. Imagine-t-on Jésus, Jésus qu'il aimait tant, après avoir prêché dans les bourgades de Galilée, partant vers Rome, entrant chez Tibère César et quittant le mont Palatin muni d'un édit l'autorisant à répandre son enseignement dans la Ville et dans les provinces, avec ordre absolu à tous les Hérode, à tous les Ponce Pilate, de faciliter sa mission ?

C'est cette comparaison que Mani avait à l'esprit ce jour-là. L'apparence des choses confortait ses espoirs les plus insensés. Et, incapable de calmer ses idées ou ses pas, il marchait, il marchait encore, ivre, transfiguré.

Ses amis l'attendaient aux grilles du palais, il sortit sans les voir. Il y avait là Dénagh, Pattig, Malchos et Chloé, ils l'appelèrent, mais il était sourd. Ils s'élancèrent vers lui, mais il était lui-même sur sa trajectoire, comme un quartier de roc échappé d'une catapulte. Les femmes, épuisées, ne purent que s'arrêter, ainsi que son père. Seul Malchos le suivit. De l'époque des Vêtements-Blancs il avait gardé cet entêtement à le rattraper toujours.

Arrivé à sa hauteur, l'ayant même dépassé de quelques pas pour tenter de lire par-delà ses yeux hagards s'il courait ainsi de bonheur ou de rage, Malchos, tout essoufflé qu'il était, le supplia de ralentir ses pas, de se tourner vers lui, de répondre enfin. Mais Mani ne lui parla ni de Shabuhr, ni de la Salle du trône. Il lui annonça simplement son intention de partir.

— Partir ? Nous avons parcouru l'Empire, de Ctésiphon à Deb, de Deb à Ctésiphon, sur les routes, sur les fleuves, et sur la Grande Mer. Où aller encore ?

— Sous les quatre climats, à l'extrême horizon des plaines, et plus loin, plus loin, au seuil de chaque créature ! Me suivras-tu ?

Avant même que son ami ne réponde, il reprit, comme s'il ne pouvait s'arrêter, comme si ses mots s'étaient emballés :

188

— Ceux qui viendront à moi désormais, je ne leur dirai plus d'attendre, je les inviterai à rejoindre mon cortège. Nous serons des cents et des mille, nous soulèverons plus de poussière qu'une armée, nous tracerons sur la peau du monde un sillon qui ne s'effacera plus.

Et, disant cela, il pressa le pas. Alors Malchos ne chercha plus à le rattraper. Il s'assit lourdement sur une grosse pierre, pendant que son ami s'éloignait.

« Comment pourrais-je encore le suivre ? », se demanda le Tyrien. Il ne parlait plus de cette course absurde à travers les rues de la capitale, il songeait déjà à ce voyage plus absurde encore, ce périple aux quatre coins du monde auquel Mani venait de l'inviter.

« Inviter... Est-ce bien le mot qui convient ? », s'interrogea encore Malchos, et le sourire qu'il esquissa fut travesti par la fatigue en une grimace de douleur. Depuis cette première rencontre au réfectoire de la palmeraie, il n'avait jamais rien su refuser à Mani. Il lui arrivait de discuter, de ronchonner, de pester, de se jurer que... A quoi bon, il finissait par faire très exactement ce que voulait son ami. Et si, parfois, il cherchait à résister, c'était Chloé, sa propre épouse, qui intercédait en faveur de l'autre.

Pourtant, ni lui ni elle ne partagerait jamais les préoccupations du Messager. Et c'était peut-être là ce qu'il y avait d'unique dans leur amitié. Côtoyer un fondateur de croyance sans qu'il cherche à imposer ses convictions, une telle chose n'était pensable que parce que Mani était ce qu'il était, l'apôtre d'une foi généreuse. Et que son dieu n'était pas en quête d'adorateurs.

Le Tyrien n'avait que faire des idées religieuses, il avait simplement rencontré un sage, un sage épris de beauté, un être dont chaque humain aurait aimé devenir l'ami. Il ne pouvait, lui, mépriser un tel privilège. Tant que ses jambes pourraient encore le porter, il le suivrait.

Pendant que Malchos était ainsi plongé dans ses pensées, Mani était absorbé dans les siennes. Il avait marché jusqu'aux berges du Tigre. Et là, en un lieu moins fréquenté que d'autres, son euphorie était retombée pour laisser place à l'angoisse.

Lorsqu'il n'avait ni protection ni introduction royale, il rêvait d'empoigner le monde de ses mains nues. Mais voici que le monde lui était offert, que les chemins s'aplanissaient, que la conquête devait commencer ! Sans armes, conquérir ? De pays en pays traîner sa jambe infirme, affronter les satrapes, les nations, les castes, les sectes, les confréries, bousculer les troupeaux enrégimentés, les rituels ossifiés, et les opacités de tout homme ? Enseigner, écrire, dessiner, débattre sans relâche, puis repartir vers l'étape du lendemain, rassembler d'autres foules, pour chaque auditoire inventer le ton qui séduit, désempare, console et fouette à la fois, jusqu'à ce que l'humanité entière s'en trouve refaçonnée ?

Comme cela lui arrivait parfois, ses méditations, commencées en monologue, prirent à un moment la forme d'un dialogue avec son *alter ego,* son « Jumeau ».

— Pour tout ce que j'ai à faire combien de temps m'est-il accordé ?

« Cela, tu n'en sauras rien », lui dit l'Autre.

— Pourrais-je au moins savoir si je dispose de sept années encore, si j'atteindrai l'âge du Christ et d'Alexandre ?

« Tu as l'éternité et l'instant, quelle importance ? Le temps est l'hameçon des Ténèbres, ne te laisse pas leurrer, n'aie d'autre souci que ta mission, chaque jour ! »

— Pourrais-je au moins savoir si je verrai l'achèvement de mon œuvre ?

« Confie-moi l'avenir, marche, ton destin galope déjà loin devant toi. Les gens s'impatientent à Beth-Lapat ! »

Depuis que l'édit impérial était publié, il n'y avait pas de ville où Mani ne fût attendu. Mais il ne prit pas le temps d'hésiter. Il emprunta la direction de Beth-Lapat.

Ce n'était qu'un gros village de Susiane, sans passé ni prestige ; seulement, on racontait que Shabuhr, qui y avait parfois séjourné, s'était plu à son air et ses eaux, et qu'il avait chargé ses architectes d'y effectuer des travaux d'agrandissement ; selon certaines rumeurs, le souverain caressait l'idée d'en faire un jour sa résidence d'été. Sans doute espérait-il tirer avantage de son emplacement entre Mésopotamie et Perside et, de ce fait, entre les deux pans de l'Empire sassanide, l'Occident sémite et l'Orient de parler aryen. Fut-ce pour cette raison que Mani s'estima contraint d'entamer son périple à Beth-Lapat ?

Bien qu'il n'eût jamais visité cette bourgade, il savait qu'une active communauté chrétienne s'y était développée, et c'était à elle qu'il comptait s'adresser en premier. Mais il lui fallut très vite accepter l'évidence : il n'en était plus au temps des pérégrinations anonymes, il n'avait plus, comme à Deb, le loisir de diriger ses pas vers le bâtiment de son choix.

A peine apprirent-elles l'arrivée du visiteur et de sa suite, les notabilités de l'endroit accoururent, avec à leur tête le roitelet local qui, à torse bombé, revendiqua le privilège d'héberger sous son toit le protégé du divin

Shabuhr. Si bien que lorsque Mani rétorqua qu'il avait pris l'habitude d'élire résidence dans un jardin, au pied de l'arbre le plus vénérable, l'homme se fâcha, déclina pompeusement sa généalogie qui le faisait remonter aux plus antiques dynastes, et avec l'assentiment des scribes qui l'entouraient, se permit d'insister. Si l'on refusait son invitation, c'est qu'on méprisait son ascendance, ou alors qu'on mettait en doute la piété de sa maison. Malgré l'embarras de Dénagh et la lassitude de Pattig, Mani ne céda pas. C'était au pied de l'arbre que les gens viendraient écouter son enseignement, c'était là et nulle part ailleurs qu'il passerait la nuit.

L'attitude était peu conciliante, il est vrai, peut-être même inutilement blessante, et pourtant la seule sage. Car, tout au long de ses voyages, le fils de Babel devrait faire face à ce genre d'assauts, quelquefois dictés par les plus purs instincts d'hospitalité, le plus souvent par des considérations moins estimables, le désir d'un notable de marquer sa prééminence en recevant chez lui un protégé de Shabuhr, à moins qu'il n'y ait chez lui une volonté d'espionner Mani, ses compagnons et les gens du pays qui se montreraient dangereusement sensibles à son enseignement.

Une ambiguïté apparut, en effet, dès le commencement du périple. Si les dignitaires des provinces ne pouvaient qu'affecter la plus plate soumission dès qu'il s'agissait d'obéir aux ordres du roi des rois, s'ils devaient, en conséquence, réserver le meilleur accueil aux personnes qui avaient su obtenir sa haute bienveillance, ils n'ignoraient pas combien sont passagères les faveurs, celles du souverain plus que les autres, et s'ils contemplaient le visiteur avec envie, ils gardaient constamment à l'esprit sa possible disgrâce ; le moment venu, ils devaient être prêts à prouver qu'ils n'avaient jamais perdu méfiance.

Concernant Mani, la chose était plus patente encore. Les nouvelles couraient vite dans l'Empire. Il suffisait qu'un courtisan chuchote à l'oreille d'un *vitaxe,* que celui-ci laisse traîner un mot dans un banquet de hobereaux, pour que, trois semaines plus tard, l'affaire se discute sur les places des villages. Ainsi, les débats de la salle du trône furent connus, les propos de Kirdir rapportés, qui incitèrent à la plus grande suspicion à l'égard du médecin de Babel.

A Beth-Lapat, Mani fut donc reçu avec les politesses qui convenaient, mais chacun demeurait sur ses gardes. Lorsqu'il s'installa en fin d'après-midi au pied d'un arbre, un néflier, sur la colline les dignitaires, et donc bien sûr les mages, se tenaient aux premiers rangs de la foule. Pendant que des soldats rôdaient. Au demeurant débonnaires et respectueux de l'événement qu'ils côtoyaient.

Le visiteur se fit un devoir de dire, en préambule, à quel point il s'estimait honoré de la confiance que lui avait témoignée le roi des rois, et combien il était touché de l'accueil que lui avait réservé Beth-Lapat. Puis, ayant ainsi présenté en quelques locutions ses lettres de créances, il évoqua son espoir de voir, dit-il, tous les sujets de l'Empire rassemblés autour d'une sagesse commune. « La même étincelle divine est en nous tous, elle n'est d'aucune race, d'aucune caste, elle n'est ni mâle ni femelle, chacun doit la nourrir de beauté et de connaissance, c'est ainsi qu'elle parvient à resplendir, c'est seulement par la Lumière qui est en lui qu'un homme est grand. »

Les auditeurs de marque qui étaient là échangèrent des regards offensés. Eux qui étaient fiers de leur race, eux qu'Ardéshir avait chargés de faire respecter la hiérarchie des castes, afin que chacun regarde avec vénération ceux que la Providence avait fait naître au-dessus de lui, et avec compassion ceux qu'elle avait placés plus bas, eux à qui l'on avait inculqué que telle était la base de l'ordre sassanide, et de tout ordre terrestre ou céleste, voilà donc que ce médecin de Babel venait clamer devant eux, et, pire, devant la foule des sujets, devant les gens du commun, chaudronniers, échoppiers, portefaix ou noueurs de tapis, qu'il fallait ignorer les castes, voire mépriser l'appartenance de race ! Cet homme, en d'autres temps, aurait été arrêté dès ses premières paroles, jeté aux fers, roué de coups, peut-être décapité. Seulement, celui qui parlait ainsi était l'émissaire protégé du roi des rois ! Renonçant à comprendre, certains notables préférèrent s'éclipser silencieusement, mais il en alla différemment des jeunes mages dont certains se retirèrent dans le bruit et la fureur.

Au fil des voyages, Mani finit par s'accoler une indélébile réputation de trublion. Chaque fois qu'il prenait la parole, des provocateurs se manifestaient, cherchant l'incident, s'ingéniant à lui faire prononcer les phrases les plus séditieuses. Lui-même ne répugnait pas à la provocation, elle faisait partie des outils qu'il maniait, et bien qu'il sût parfois la garder en somnolence, atténuer ses critiques, faire l'impasse sur des mots qui auraient semé la division, dès qu'on l'interrogeait avec un peu d'insistance, il répondait, quels que fussent les desseins de l'interlocuteur. Qu'il fût question de l'esprit de race, des barrières de caste, du rituel des mages, ou des divinités jalouses, il parlait droit, sans complaisances ! Et si la réunion dégénérait, il se contentait de hausser les épaules.

— Ce sont les craquements de la vieille peau du monde ! disait-il. Je commencerai à m'inquiéter quand mes paroles seront aussi douces aux oreilles des hommes que les plumes d'un oreiller.

D'ordinaire, c'était à Dénagh que s'adressaient de telles explications. Elle était désormais l'être proche. Au déclin du jour, lorsque Mani s'allongeait au pied de son arbre ou, quand les intempéries l'y contraignaient, sous le toit d'un fidèle, Dénagh n'était jamais loin. Chacun, dans le cortège, pouvait observer la fervente attention dont l'entourait sa compagne, chacun devinait la place particulière qu'elle occupait, bien que nul ne sût avec certitude ce qu'ils étaient devenus l'un pour l'autre, ni de quels mots, de quels yeux, de quelle amitié ils s'enveloppaient quand ils se retrouvaient seuls.

Qui, d'ailleurs, aurait eu l'audace de demander ? Un jour Pattig tenta d'aborder la question. Avec détours et précautions.

— Béni sois-tu, mon fils, béni soit le jour où la Providence m'a poussé dans ton sillage. Mon cœur s'emplit de joie chaque fois que j'entends les gens évoquer tes mérites, ta vie d'ascète, toutes ces privations que tu imposes à ton corps de jeune homme.

— Quel mérite aurait-on, l'interrompit Mani, à se priver d'un plaisir auquel on n'aurait pas goûté ?

Pattig préféra s'éloigner, se contentant, pour retrouver contenance, de marmonner une formule de bénédiction. Mani ne l'avait même pas regardé en jetant sa réponse, mais après qu'il l'eut laissé faire quelques pas, il le rappela, de la manière la plus respectueuse :

— *Mar* Pattig !

Son père accourut, à nouveau empressé. Mais ce fut pour s'entendre dire :

— *Mar* Pattig, quand donc cesseras-tu d'être un Vêtement-Blanc ?

Le ton désabusé et l'appellation respectueuse rendaient la question plus poignante aux yeux du père qui voulut se défendre :

— J'ai quitté la Communauté et tous mes frères pour te suivre, je me suis agenouillé devant toi, moi qui suis ton père, j'ai écouté avec humilité chacun de tes sermons...

— Tu m'as écouté chaque jour, *mar* Pattig, mais tu continues à parler comme un Vêtement-Blanc. Et tes propos m'insultent.

— Je n'ai rapporté que des propos qui vantaient tes mérites !

— Celui qui s'impose des privations afin de recueillir des éloges ne mérite aucun éloge, car il est plus vaniteux que le pire des débauchés. Le sage ne jeûne que pour être plus proche de lui-même, lui seul est juge, lui seul est témoin. Si tu te prives, ne le fais pas pour te conformer aux exigences d'une communauté, ni par peur du châtiment, ni même dans l'espoir d'amasser des mérites à faire valoir dans un autre monde. Ces comptes-là sont à mes yeux sordides.

Pattig s'obligea à sourire.

— Mon fils, si tu me dis qu'il faut faire le bien pour le bien, sans même attendre de récompense, ton mérite est plus grand encore.

Mani le regarda enfin, mais d'un regard de désolation.

— M'as-tu jamais entendu parler de bien ou de mal ? Ces mots pervertis n'appartiennent pas à mon langage !

« Mon « jumeau » céleste m'a prévenu. Je dirai une chose, et les hommes, même les plus proches, comprendront autre chose. J'ai dit qu'en tout être se mêlerait Lumière et Ténèbres, et qu'il faut toute la subtilité du sage pour les démêler...

Puis il respira longuement, comme s'il attendait de retrouver sa sérénité.

196

— En réalité, tu étais venu me demander ce qu'est Dénagh pour moi.

Pris de court, Pattig éleva ses deux mains, comme dans un geste de défense. Son fils poursuivit :

— Ses habits dessinent les contours de mon royaume vagabond.

Et cette fois, ce fut Mani qui se leva, et s'éloigna, d'une démarche plus sautillante que jamais, laissant son père retourner indéfiniment dans sa tête cette confession à deux visages.

Plus personne n'osa interroger le fils de Babel au sujet de sa compagne. Surtout pas Chloé, que pourtant la curiosité tenaillait. Elle demeurait à Ctésiphon pour s'occuper de sa famille et des affaires de Malchos pendant que ce dernier était sur les routes, mais c'est chez elle que Mani résidait quand il passait par la capitale de l'Empire, et elle ne pouvait s'empêcher de l'observer, pensive. Pourquoi lui avait-il affirmé jadis qu'aucune femme ne prendrait jamais place à ses côtés ? Etait-elle apparue trop tôt dans sa vie ? Lui avait-il simplement menti par amitié pour Malchos ? Autant de questions dont la fille du Grec ne pouvait s'ouvrir à personne, à peine à elle-même, qu'elle croyait chasser de son esprit en s'empressant davantage auprès de Dénagh, mais qui revenaient la hanter chaque fois qu'elle voyait l'autre femme assise près de Mani, les yeux rivés à ses lèvres.

Dénagh. Sa tresse rabattue vers l'avant voilait le brun rosâtre de son cou incliné. Elle dégageait une jeunesse sans arrogance, une beauté sans fard et sans miroir, mais une beauté définitive, comme le dernier argument d'un débat. Autour de la taille, elle portait une sorte d'épaisse ceinture de laine, enroulée et nouée. Un après-midi, alors que le ciel s'assombrissait et qu'un vent frais se levait, Dénagh frissonna, dénoua la ceinture, la déroula et s'en couvrit les épaules. Et l'on vit, peint en touches fines sur l'étoffe, un visage, le sien, encadré de fleurs. Chacun reconnut là le pinceau de Mani, et l'étoffe devint pour les fidèles comme une relique vénérée. Ceux qui s'approchaient pour la frôler respiraient le parfum qui s'en dégageait, un mélange de bois d'aloès, d'ambre, de nénuphar et de musc tibétain, que Mani avait composé lui-même.

N'a-t-il pas dit un jour que dans les Jardins de Lumière tout serait parfum et couleur, que rien ne demeurerait substance ?

Dans le cortège de Mani, si l'on abordait en permanence des thèmes austères, il régnait cependant une atmosphère de fête paisible. Chacun s'estimait contraint de cultiver un art, la musique souvent et le chant, puisqu'ils étaient à l'honneur en pays sassanide, la poésie également, et bien évidemment la peinture et la calligraphie, à l'imitation du maître, le maître qui les autorisait à se grouper autour de lui lorsqu'il tendait le tissu ou ponçait le parchemin, lorsqu'il préparait enduits et couleurs, et même lorsqu'il traçait les contours et se mettait à peindre. Jamais il ne se laissait distraire par la présence des disciples, leurs regards ne semblaient pas peser sur sa main ; et souvent, tout en dessinant, il se mettait à parler, ses mots se laissant ponctuer par les touches du pinceau. Ces moments étaient les plus intenses, les disciples auraient voulu qu'ils se prolongent à l'infini, des heures durant ils restaient à la même place, retenant leur respiration, de peur que le charme ne soit rompu.

En dépit de la vénération muette dont tous ses compagnons l'entouraient, la présence de Mani n'était jamais oppressante. Si le fils de Babel demandait à ses plus proches disciples, ses Elus, ceux qu'on appellerait un jour les Parfaits, de se consacrer à l'art, à l'enseignement, à la méditation, et de se défaire de toute possession, il répétait inlassablement qu'on pouvait venir vers lui sans abandonner travail ni propriétés, sans se détourner de ses coutumes et de son mode de vie. A condition de ne pas nuire aux créatures et de ne pas laisser mourir les sages.

— Ainsi donc, s'effrayait un jour un contradicteur, il y aurait dans ta religion deux morales ?

Mani ne songea pas à le nier.

— Il y a une voie ardue qu'empruntent ceux qui aspirent à la perfection. Et une voie aplanie, pour l'ensemble des humains.

— Mais si les deux voies mènent au salut, quels avantages aurais-je à choisir la voie difficile ?

— Si tu prononces le mot « avantages », c'est que tu as déjà choisi.

Au fil des étapes, les fidèles se multipliaient, surtout dans les villes, parmi les artisans, les commerçants, les étrangers, les sang-mêlé. A n'en pas douter, Mani séduisait ceux qui vivaient à l'étroit dans l'ordre strict des religions et des castes, ceux qui souffraient d'être tiraillés entre diverses appartenances, ceux qui ne s'estimaient pas assis depuis toujours et pour toujours sur un épais coussin de privilèges.

Pourtant, c'est au sein de la caste la moins nantie que son enseignement se propageait le moins vite. Lorsqu'il disait : « Ne tuez pas l'arbre, ne blessez pas le sol ! », comment aurait-il pu obtenir l'adhésion enthousiaste des paysans ? A l'inverse, il gagna à sa cause quelques illustres représentants de la caste des guerriers. Tels Peroz et Mihrshah, deux frères de Shabuhr. Et surtout, bien évidemment, le précurseur de tous, le fils cadet du roi des rois, Hormizd, qui se proclamait à présent très ouvertement disciple de Mani et qui, tout en continuant à honorer Ahura-Mazda, faisait battre à Deb des monnaies qui portaient sur le revers l'effigie du Bouddha. Il est vrai que, dans leur majorité, ses pairs le réprouvaient, ainsi que les mages. Des réunions émues se tenaient dans les pyrées de Ctésiphon, de Perside et d'Atropatène. Bouddha sur des monnaies sassanides, y entendait-on ! Et pourquoi pas, demain, la croix du Nazaréen ?

Des exclamations et des interrogations qui ne s'adressaient évidemment pas à Mani. Qu'il veuille bouleverser ainsi l'ordre de l'Empire, secouer les fondements sur lesquels avaient été établies la dynastie sassanide et la Religion Vraie, voilà qui confirmait à leurs yeux le jugement constant de Kirdir, « un Nazaréen de l'espèce la plus sournoise, un loup à deux pattes ». Mais Shabuhr ? Pourquoi le divin roi des rois, maître de l'Empire, voudrait-il détruire de ses mains ce qui constituait le fondement de sa puissance ?

Dans les conciliabules des nobles et des mages, on préférait croire qu'il avait été abusé. Dès qu'il serait convenablement informé des ravages causés par l'hérétique, il lui retirerait à coup sûr sa protection et lui infligerait le châtiment exemplaire que la loi avait prévu. Une délégation fut formée, comprenant des princes de sang et des mages de haute dignité qui se présentèrent devant le Trône, chargés de doléances.

— Ce Mani conduit une horde de mendiants qui s'abattent sur chaque localité de l'Empire comme des sauterelles sur une oasis, il défie les commandements célestes et incite les gens du commun à mépriser ceux que la naissance a placés au-dessus de leurs têtes. L'artisan veut devenir scribe, le scribe veut devenir chevalier, le respect et l'autorité se perdent, l'ordre de la dynastie s'effondre, et l'on répand de par l'Empire

200

que c'est notre divin maître en personne qui a voulu qu'il en soit ainsi...

Shabuhr écouta. S'absorba dans une longue méditation. Puis il se leva de manière inattendue. Les courtisans n'eurent que le temps de plonger, face à terre. Quand ils osèrent à nouveau regarder vers le trône, la tenture était déjà refermée.

Le roi des rois aurait-il été ébranlé par ce qui lui avait été révélé ? Le ton employé par les princes et les mages l'aurait-il incommodé ? En tout cas, aucune sanction ne frappa les membres de la délégation. Mais aucune mesure non plus ne fut prise à l'encontre de Mani.

Quelques semaines passèrent, rien n'arriva. Les conciliabules et les discussions reprirent. Puisque le divin Shabuhr n'avait pas réagi, pensait Kirdir, c'est qu'il appréciait mal l'ampleur des périls, ou qu'il hésitait. Qu'un incident grave se produise, et le monarque serait contraint de prendre résolument parti.

III

L'incident grave, Kirdir n'eut guère besoin de le susciter, c'est Mani qui en créa toutes les conditions en décidant soudain de se rendre à Ecbatane, ville d'où son père était originaire, mais surtout métropole de la Médie et fief séculaire des mages. La visite en elle-même avait des allures de provocation, d'autant que le fils de Babel prit soin de l'annoncer plusieurs semaines à l'avance dans un sermon public sur la grand-place de Séleucie, faubourg de Ctésiphon. En précisant que ce voyage serait éprouvant, et qu'il n'encouragerait pas ses fidèles à l'y suivre. Mais ils le suivirent, par centaines.

Chez ses adversaires, c'est Kirdir qui décida de s'y rendre en personne, non sans avoir pris la précaution de se faire accompagner de Vahram, le fils aîné de Shabuhr. Ni la caste des mages ni celle des guerriers ne comptait de plus féroce ennemi de Mani. Kirdir voyait dans le fils de Babel une menace pour le nouvel ordre religieux que les mages cherchaient à imposer à l'Empire, tandis que Vahram voyait surtout en lui un allié de son frère cadet Hormizd, auquel l'opposait une tenace rivalité. Bien entendu, le sort de Dénagh n'avait fait qu'envenimer les choses : qu'une fille de la noblesse convoitée par Vahram ait préféré suivre le médecin de

Babel dans ses vagabondages, avec l'assentiment de Hormizd, voilà un affront qui ne pouvait être oublié ! L'épisode d'Ecbatane ne serait qu'un avant-goût des vengeances à venir !

La première épreuve que le cortège de Mani eut à affronter fut le froid. On était à la fin de l'automne. Les journées restaient douces tant qu'on se trouvait dans les plaines de Mésopotamie, mais dès qu'on s'engagea dans les chemins de montagne, le besoin se fit sentir d'épaissir ses vêtements. A six parasanges d'Ecbatane, on rencontra les premiers parterres de neige que les natifs des marais venaient palper avec émerveillement.

Fort heureusement, le cortège ne ressemblait guère à la « horde de mendiants » que les mages se plaisaient à brocarder. Parmi les fidèles se trouvaient en effet des marchands prospères qui se faisaient un devoir de vêtir, chausser et nourrir les ascètes. L'un d'eux n'était autre que Malchos qui, à l'heure où les discussions religieuses s'animaient, trouvait toujours à s'occuper ailleurs, généralement du côté des montures, s'étant fixé pour tâche d'épargner à Mani tous les soucis terrestres. Lui qui avait l'expérience des caravanes, il se révéla le plus efficace des organisateurs. On pouvait même voir, empilés sur le dos des mules, des manteaux et des couvertures de laine gardés en réserve pour de plus grandes rigueurs. Elles n'étaient pas superflues, ce que signalait à l'entrée d'Ecbatane un gigantesque lion portant au sommet de la crinière une touffe blanche, minuscule mais humiliante pour la statue la plus célèbre de l'Empire, précisément sculptée en guise de talisman pour protéger la ville contre l'enneigement.

A l'arrivée de Mani, les rues d'Ecbatane étaient vides. Ou paraissaient telles. Le vent matinal s'était calmé ; le soleil, au milieu du ciel, était à peine voilé, ses jeunes rayons s'appliquaient à tiédir l'atmosphère. Le cortège traversa une rue bordée d'échoppes, toutes closes. Ce n'était pourtant ni l'heure du repas ni celle de la sieste. Quel autre moment choisirait la population pour travailler, se promener, faire commissions et emplettes ?

— Où sont les gens ? murmura naïvement Dénagh.

— Derrière les grillages des fenêtres à nous épier, ils ont apparemment reçu ordre de demeurer chez eux.

Mani avait répondu en donnant une petite tape à sa monture, puis il regarda Dénagh d'un air réjoui dont elle pressentit qu'elle devait s'inquiéter. Il poursuivit d'ailleurs, avec un accent de radieux défi :

— Aux portes de la ville, ils nous ont laissés passer sans la moindre question. Maintenant, ils nous observent de loin, sans nous barrer le passage. Je ne sais pas encore quel est l'endroit qu'ils ont choisi pour nous attendre. Peut-être en face de la citadelle.

Dénagh, comme l'ensemble du cortège, apercevait déjà, par-delà les maisons basses, la silhouette sombre de ce qui avait été autrefois le dernier retranchement de Darius. Alors qu'Alexandre envahissait la Perse, le roi des rois avait fait construire à Ecbatane un château de mille pièces, aussi vaste qu'une cité, une sorte de monstrueux coffre-fort où enfermer derrière huit lourdes portes de fer ses femmes, ses jeunes enfants, ainsi que son trésor. L'ensemble était à présent en ruine, mais une aile en avait été reconstruite où de temps à autre venait résider quelque membre de la famille régnante.

Aux abords de la citadelle, des soldats patrouillaient, par groupes de dix, à pied ou à cheval, affairés, comme des manœuvres sur un chantier, sans un regard pour la caravane qui s'approchait. Dénagh demanda à Mani s'il ne serait pas sage de revenir sur ses pas, mais il ne voulut rien entendre. Même s'il était menacé de séquestration et de mort, il passerait la nuit dans la ville, nul ne pouvant ignorer qu'il était muni de la plus haute autorisation. Pour mieux appuyer ses dires, il sauta à terre et lâcha bride. Ses compagnons l'imitèrent. Si bien que les soldats étaient maintenant parmi eux, autour d'eux, comme grouillant au milieu d'eux, même s'ils ne touchaient personne.

Mani s'arrêta et leva les mains, ainsi qu'il le faisait quand il désirait que son cortège s'immobilise. Lui-même reprit sa marche, seul, sur l'esplanade qui menait à la citadelle. Quand soudain, obéissant à quelque signal convenu, cinq escouades de fantassins s'élancèrent vers lui, le cernant de toutes parts et formant avec leurs corps une barrière immobile. Certains fidèles et surtout les femmes cherchaient, avec un acharnement dérisoire, à écarter les soldats pour dégager Mani, mais celui-ci leur demanda de s'éloigner. Seule Dénagh s'entêta à forcer la ligne des militaires, qui, à un moment, lui ouvrirent ostensiblement un passage, comme s'ils avaient des instructions particulières concernant la fille à la tresse. Qui courut rejoindre le Messager.

Monté avec Kirdir sur la plus haute tour de guet, Vahram observait la scène avec délectation : sans qu'on l'eût molesté, sans qu'on lui eût destiné la moindre parole de menace, Mani se retrouvait enfermé avec sa compagne dans cette étrange prison dont les murs s'épaissirent bientôt d'une deuxième rangée de soldats. Ils passeraient la nuit, puis la journée, et à nouveau la nuit au même endroit, sans feu ni eau ni nourriture, sans couvertures non plus, chacun d'eux n'étant réchauffé que par la présence réconfortante de l'autre, tandis que les hommes de la garde seraient relevés à tour de rôle toutes les deux heures.

C'est seulement le surlendemain, quand on lui apprit que « l'hérétique » venait de défaillir dans les bras de Dénagh, que le fils aîné de Shabuhr fit cesser le supplice. Et pendant que les fidèles se précipitaient pour porter soin aux séquestrés et se hâter d'emmener Mani hors d'Ecbatane de peur qu'en reprenant connaissance il ne décidât d'y prolonger son séjour, Vahram s'en fut banqueter, faisant retentir la cité de son rire. Si Mani se plaignait au roi des rois, le prince pourrait toujours protester qu'il n'avait fait qu'assurer de près la protection du visiteur et qu'aucune main n'avait été levée sur lui.

Mais Shabuhr ne l'entendit pas ainsi. Dès que la nouvelle se répandit, il convoqua son fils à Ctésiphon où, devant la foule des courtisans stupéfaits, il l'accusa de désobéissance, le traita de débauché et d'incapable, puis ordonna de l'enfermer dans un pavillon de chasse.

Ce jour-là tandis que des cavaliers de la garde impériale s'en allaient quérir Vahram, un autre détachement prenait la route de Kengavar où se trouvait Mani, afin de le ramener d'urgence vers la capitale. D'urgence, et seul. Shabuhr n'ayant jamais toléré la plus bénigne atteinte à la dignité de sa charge, nul ne se hasardait, dès lors que son propre fils avait été humilié en public, à imaginer quel traitement serait infligé à celui qui était, de l'avis général, le fauteur de troubles.

Avant de quitter ses compagnons, le fils de Babel leur laissa des recommandations pour la poursuite de l'œuvre entreprise. Il voulait dire un mot à chacun de ses proches, mais l'officier le somma d'abréger ses adieux.

IV

Lorsque Mani se présenta au palais, on le conduisit vers le bureau du *darbadh* qui dirigeait la maison impériale. Celui-ci le fit attendre quelques minutes, s'absenta, puis, à son retour, le pria de le suivre. Néanmoins, ce n'est pas vers la salle du trône qu'il le conduisit mais, à travers dédales et jardins, vers une porte ciselée et basse qu'il referma prestement derrière lui.

En l'homme qui était assis dans cette pièce sans faste, Mani eut de la peine à reconnaître Shabuhr. Aucune débauche d'or, cette fois. Des vêtements certes taillés dans des étoffes nobles, exhalant l'harmonie des motifs jumelés, mais qui n'auraient guère détonné sur les épaules d'un courtisan, pas plus que les longs cheveux bouclés et parfumés de santal. Les gestes s'étaient dépouillés de la rondeur précautionneuse des audiences solennelles, et les doigts habitués aux signes brefs de commandement semblaient se consoler de leur inutilité en triturant les billes rosâtres d'un passe-temps.

Découvrant, en un éclair tardif, qu'il se trouvait en présence du monarque divinisé, le fils de Babel posa genou à terre, fouillant sa manche pour en extraire le mouchoir rituel.

— Laisse donc ce *padham,* Mani, il est des souffles

moins purs que le tien. Et redresse-toi, viens t'asseoir à ma droite sur ce coussin.

Même si elle continuait à procéder par ordres successifs, la voix s'était adoucie et s'accompagnait d'un tremblement. Sans doute n'était-ce que l'inconfort de l'acteur fraîchement émergé de son rôle.

— Les rapports parvenus des provinces affirment que ton enseignement se répand, que dans les grandes villes des communautés entières se réclament de toi. Dans ce palais, quelques personnes se réjouissent de tes succès, d'autres s'affolent ou s'indignent à cause des incidents qui se multiplient.

Mani ne songea pas à se justifier. Le souverain ne semblait pas attendre de réponse, mais soupeser la suite de son propos.

— Ce qui s'est produit jusqu'ici m'inquiète peu, je craignais des résistances autrement plus brutales que les gamineries de mon fils.

— Pour moi, cet épisode est oublié, chaque jour qui m'en éloigne est un siècle, je n'en garderai aucune rancune.

— En cela, tu as tort, la vie m'a appris le contraire. L'existence est un collier de dettes, une succession de règlements de comptes, on peut s'en acquitter avec mesquinerie ou magnanimité, mais on a le devoir de s'en acquitter. L'impunité m'est insupportable, même lorsque j'en suis le bénéficiaire. Et en tant que gardien de l'Empire, je n'ai pas le droit de la tolérer. Mon fils paiera longtemps sa faiblesse d'âme et sa désobéissance.

Le ton des dernières phrases remettait Mani en présence du Shabuhr de la salle du trône.

— Ne vous arrive-t-il jamais de pardonner ?

— Uniquement à ceux que ma miséricorde accablerait plus douloureusement que le châtiment. Mon fils

210

aîné n'est pas de cette trempe. A toi également, j'ai des reproches à faire.

La transition était si brusque que Mani sursauta.

— Comment laisses-tu Vahram t'humilier ainsi ? Aurais-tu oublié que c'est avec ma protection que tu voyages et enseignes à travers l'Empire, que c'est ma confiance et mon autorité que tu portes en toi, et qu'en les laissant bafouer, c'est moi que tu rabaisses ?

L'instant de surprise passé, le fils de Babel se redressa, sa voix portant fierté et défi.

— J'ai également un autre mandataire, un protecteur céleste, et qui ne craint pas l'insulte.

Shabuhr lâcha un rire affecté et bref, qui sur son visage prenait valeur d'excuse.

— Ce n'est pas pour te sermonner que je t'ai demandé de venir. Je me suis emporté comme je m'emporte chaque fois que je parle de ce fils. Je lui en veux d'avoir tourné en dérision la protection que je t'avais offerte. Je me désole surtout de le voir devenir un jouet entre les mains des mages de Médie.

« Comprends-moi, je n'éprouve pas d'hostilité à l'égard des mages, un être comme Juvanoé a été plus proche de moi que mon père, il m'a appris tout ce que je sais, il n'est tout entier que pureté, loyauté et sagesse. Mais ils ne sont pas tous de cette trempe. Pour un mage qui se dévoue, il en est quarante qui rêvent de puissance et ne vivent que de complots et d'intrigues. A chacun ils dictent comment s'habiller, manger, boire, tousser, roter, pleurer, éternuer, quelle formule marmonner en chaque circonstance, quelle femme épouser, à quel moment la fuir ou l'enlacer, et de quelle manière. Ils font vivre grands et petits dans la terreur de l'impureté et de l'impiété.

« Ils se sont approprié les meilleures terres de chaque contrée, ils ont amassé des richesses, leurs temples débordent d'or, d'esclaves et de grains ; quand la disette sévit, ils sont les seuls à ne jamais en souffrir. Au fil des règnes, ils ont accumulé les prérogatives. Pas un adolescent qui sache aligner deux caractères sur une tablette sans qu'un mage lui tienne la main. Pas un acte de vente qui puisse être conclu sans qu'ils prélèvent leur part. Pas un litige qui puisse être réglé sans leur arbitrage. C'est encore aux mages de décider si un décret royal est conforme à la loi divine, loi qu'ils interprètent bien évidemment à leur convenance. Mais je me résigne, j'évite de les contrarier, je ne cherche pas à les priver de ces privilèges outranciers. Imaginais-tu le roi des rois capable de tant de patience ?

Mani se surprit à ébaucher un geste de compassion, tandis que le maître de l'Empire poursuivait son réquisitoire.

— Crois-tu que tout cela leur suffise ? Ce serait bien mal connaître les mages de Médie ! C'est le Trône, c'est mon Trône qu'ils convoitent, rien de moins, et s'ils ne peuvent s'en emparer, ils voudraient l'avilir et le soumettre à leur tutelle envahissante.

« Un jour que mon père, le divin Ardéshir, rongé par la fièvre, se sentait proche de la mort, les mages les plus éminents sont venus à son chevet, portant précieusement quelques pages recopiées de l'Avesta qu'ils se sont mis à réciter en grande solennité, dans une étouffante fumée d'encens. Que voulaient-ils ? Réconforter leur maître, lui rendre ces heures moins pénibles à traverser ? Lui décrire un monde meilleur où ses souffrances seraient oubliées, où il pourrait prendre place au milieu des glorieux souverains du passé ? Non, rien de tout cela ne les aurait fait accourir des quatre grands feux de l'Empire. S'ils s'étaient déplacés, c'était dans l'unique but de faire signer à mon père, vieilli et amoindri, un édit autorisant le chef des mages à désigner le successeur au trône ! Bien entendu, la chose était présentée autrement : selon l'Avesta, les anges du Ciel sont seuls habilités à nommer le futur roi des rois, mais, selon un autre passage du Livre, le choix des anges doit être communiqué au chef des mages, lequel se charge d'en informer les humains.

« S'agissant de moi, le problème ne se posait pas, j'ai contribué autant que mon père à bâtir cet Empire et de son vivant il m'avait associé au Trône. Mais, quand je ne serai plus là, les mages remettront à l'honneur cette disposition extravagante. D'ailleurs, ils s'en vont murmurer à l'oreille de mes fils et de mes frères que c'est à leurs désirs que devra se plier quiconque ambitionne d'accéder un jour au pouvoir. Comprends-tu maintenant ma fureur lorsque mon propre fils me désobéit pour se concilier ces prétendus faiseurs de rois ? Comprends-tu ma colère lorsque je vois l'un de mes protégés humilié par Vahram sous les yeux satisfaits des mages ? Tu as sans doute un autre mandataire, Mani, qui plane loin au-dessus des convoitises terrestres, loin au-dessus des rancunes. C'est pourtant ma protection que tu as demandée, médecin de Babel. Je te l'ai offerte. Tu l'as acceptée. Tu en as fait état dans toutes les contrées que tu as visitées. Tu n'as plus le droit de déserter ! Ni de me trahir !

Déserter ? Trahir ?

— Le Ciel a voulu que je vienne vers ce palais, que mon espoir s'épanouisse au sein de cet Empire, sous ce règne béni. Pourquoi voudrais-je trahir ?

— Tu n'as sans doute pas l'intention de me trahir, mais tu me trahis.

Mani comprend d'autant moins que le ton est bienveillant, presque amical, sans rapport, en tout cas, avec une accusation aussi grave.

— Tu es venu me parler, Mani, d'une foi nouvelle

qui, tout en respectant la sagesse de Zoroastre et le culte d'Ahura-Mazda, interdirait aux hommes de religion de posséder terres et or, et les confinerait dans la prière, l'enseignement et la méditation. Cette foi, tu voudrais la voir triompher parce que tel est le message qui t'a été révélé, et moi, je souhaite également la voir propager parce que tel est l'intérêt de la dynastie. Tu prônes l'harmonie entre les peuples et les croyances, pour obéir aux injonctions du Très-Haut, et moi, j'appelle de mes vœux la même harmonie, parce qu'elle est nécessaire à la cohésion de l'Empire et à sa prospérité. Le Ciel et moi, nous poursuivons la même proie, Mani, et c'est toi qui me l'as fait comprendre. Le Ciel et moi retrouvons les mêmes ennemis en travers de notre chemin. Je voudrais les combattre, les anéantir, j'espère trouver en toi l'allié providentiel et tu t'obstines à me trahir.

Mani est dérouté. Dès qu'il croit comprendre, Shabuhr se charge de l'embrouiller. Devant toute autre personne que le roi des rois, il aurait explosé. Mais en la circonstance, il doit signifier sa colère d'une façon détournée.

— Je ne comprends toujours pas en quoi j'ai pu trahir, mais si je l'ai fait, ma punition est la mort, et je suis prêt à l'affronter.

Le souverain renversa la tête. On aurait dit qu'il prenait à témoin le rayon de soleil qui s'introduisait par la lucarne taillée en rosace. Il serra son chapelet de perles autour de ses doigts. Puis il avoua :

— J'ai plus d'affection pour toi que pour mes propres fils. De mon vivant aucune main ne se portera sur toi, ni la mienne ni aucune autre. Mais pourquoi t'obstines-tu à parler d'abolir les castes ?

C'était donc cela, se dit Mani, presque joyeux d'avoir enfin compris où Shabuhr voulait en venir. Déjà il rassemblait ses idées pour se justifier. Mais le monarque l'en dispensa.

— Il est inutile que tu m'exposes ta doctrine en la matière, je pourrais fort bien me ranger à ton avis. Je suis le roi des rois, je n'ai plus besoin de me réclamer d'une caste ou d'une race, ce sont elles qui se réclament de moi. Mais si nous nous battons contre les mages, nous ne pouvons nous aliéner en même temps la caste des guerriers. Les guerriers, ce sont tous les gouverneurs de province, tous les commandants de l'armée, tous les princes ! Si tous ces gens se retrouvaient aux côtés des mages, tu serais écrasé, ton espoir serait balayé, et moi-même, Shabuhr, roi des rois, maître de l'Empire, je ne pourrais rien pour toi. Peut-être même serais-je entraîné dans ta chute. Chaque fois que tu parles, tu gagnes à ta cause des lettrés, des artisans, des bourgeois, des esclaves aussi, m'a-t-on dit, et beaucoup de femmes, et beaucoup d'étrangers. Mais ces adeptes ne vaudront rien à l'heure du grand affrontement.

Puis il poursuivit, sans reprendre son souffle, mais à voix soudain feutrée, légèrement craintive.

— J'ai donné ce matin des ordres te concernant. Un siège sera réservé pour toi dans chacun de mes palais. En salle d'audience, et aussi à mon conseil privé. Où que j'aille, tu m'accompagneras.

— J'ai un message à délivrer aux nations...

— Tes disciples le feront en ton nom. Toi, tu fais désormais partie de mes proches. Ton périple sera une marche triomphale, sans incidents humiliants, sans provocation ni échauffourées ni bousculades. Je veux que des hommes de toutes les castes et de toutes les races se retrouvent autour de toi, mais surtout des guerriers, des princes, des satrapes. Et même parmi les mages, je veux que tu gagnes des adeptes. Si tu réussis...

Shabuhr s'interrompit, sembla hésiter une dernière fois, puis, par une sorte de pudeur, ou quelque sentiment qui s'y apparentait, il baissa soudain les yeux au moment de conclure :

— Si tu réussis, un édit sera promulgué pour annoncer que le roi des rois a décidé d'embrasser la religion de Mani.

De sa première visite au palais, lui donnant seulement le droit de prêcher, Mani était sorti l'allure exubérante et le pas conquérant. De sa deuxième entrevue, alors que le roi des rois lui avait promis de se convertir, l'avait conjuré de réunir l'ensemble de ses sujets autour de lui et de son message, il sortit accablé, comme s'il portait à la fois la croix du Christ et la couronne des Sassanides !

Que lui arrivait-il ? N'était-ce pas son espoir ultime qui se rapprochait, cent fois plus vite qu'il ne l'avait escompté ? Demain, le roi des rois, après demain l'Empire, ses idées animeraient bientôt l'humanité entière. Ce n'était plus seulement un rêve solitaire, une promesse de son « Jumeau » au bord d'un canal du Tigre, il n'était plus ce vagabond mendiant semeur de paroles, le triomphe était à portée de main.

Pourtant, il alla s'emmurer dans la chambre qu'il occupait encore chez Malchos chaque fois qu'il passait par Ctésiphon. Il n'en sortirait plus ce jour-là, ni le lendemain, demeurant prostré dans le jeûne et la contemplation, n'adressant aucune parole apaisante aux adeptes qui peuplaient en foule chaque recoin de la maison et du jardin. Seule Dénagh osa entrer un instant pour, sans un bruit, déposer une cruche d'eau sur le rebord de la fenêtre close.

Etrange, il est vrai, et désarçonnante, cette rencontre entre lui, l'enfant boiteux de la palmeraie, et Shabuhr, que les inscriptions nommaient « descendant des dieux, frère élevé du Soleil et de la Lune, maître des quatre horizons... » Quelle parenté pouvait-il y avoir entre eux, quelle connivence, quelle intimité, quelle pensée commune ? Pourtant, le monarque avait ébauché des gestes d'excuses. Pourtant, il avait rougi et détourné les yeux, puis s'était enfui pour masquer sa timidité dès qu'il avait avoué son désir d'embrasser sa foi.

Embrasser la foi de Mani ? Se convertir ? Lui, le roi des rois, mettre genoux à terre et prier Mani de le bénir par l'imposition de ses mains ? Ne serait-ce pas une vaste et cruelle tromperie ?

Une fois de plus, la perplexité du fils de Babel déboucha sur un échange avec son « Jumeau » qui lui dit du ton le plus assuré :

« Shabuhr a plus d'ambition pour toi que tu n'en as pour toi-même ! Il est en ce jour l'homme le plus puissant de la terre, ses armées sont en mesure de vaincre celles de Rome et de la Chine, il s'intitule déjà souverain de l'Orient et de l'Occident, il se voit successeur d'Alexandre. Et toi, Mani, tu es venu lui annoncer qu'une ère nouvelle a commencé. Il voudrait tant que ce soit vrai ! Que la Révélation ait pu coïncider avec le début de son règne, n'est-ce pas un signe que le Ciel lui aurait adressé à lui, Shabuhr, pour lui assurer que ses ambitions sont légitimes et conformes aux desseins de la Providence ? Il veut croire en toi, il veut que tu sois le digne successeur des plus saints prophètes, que tu sois l'égal de Zoroastre, et même plus grand que Zoroastre. Après tout, les princes qui régnaient du temps de Zoroastre n'étaient pas plus grands que Shabuhr ! »

— Je serais l'ornement du règne de Shabuhr !

« Pourquoi ne serait-il pas, lui, l'instrument de ton

règne ? Et pourquoi parles-tu d'ornement ? Pourquoi te montres-tu si amer et si méprisant ? Ce monarque veut que tu l'aides à réduire la puissance des mages. Et, pour établir l'harmonie entre les communautés qu'il gouverne, il a besoin de toi. Lorsqu'il aura conquis toutes les terres qu'il convoite, qu'il aura sous son autorité tant de peuples divers, comment pourrait-il maintenir la cohésion de l'Empire ? En imposant à tous la religion ancestrale des Perses, en construisant partout des temples du feu pour que s'étale encore davantage l'arrogance des mages ? En laissant proliférer les sectateurs des dieux uniques, toutes ces religions jalouses et querelleuses qui préparent à l'Empire, et à tous les Empires, des millénaires de feu et de sang ? Toi seul Mani, peux éviter ce fourvoiement des hommes ».

— Ce roi voudrait conquérir le monde par les armes, et je devrais m'y associer, moi qui répugne à blesser l'écorce d'un figuier ?

Lorsque au bout de trois jours il sortit enfin de sa retraite, Mani ne gardait ni dans ses mots ni dans sa voix aucune trace des doutes qui l'avaient agité. Aux fidèles qui l'attendaient encore nombreux, il vint annoncer que le triomphe était proche, que l'Empire était en voie d'être gagné, et qu'en raison même de cet espoir le message devait parvenir sans délai aux peuples les plus éloignés. Il demanda à ses meilleurs disciples de se répandre dans les provinces des quatre empires, de la Chine à l'Egypte et Axoum, et de Rome à Palmyre. « Les religions précédentes s'adressaient à une seule contrée, en une seule langue. Ma religion est ainsi faite qu'elle doit se manifester dans toutes les contrées et dans toutes les langues à la fois. »

Lui-même, moins libre à présent de ses déplacements, entreprit d'écrire, avec frénésie. Des centaines d'épîtres,

des hymnes, des psaumes, des livres, qu'il ne se conten-
tait pas de calligraphier de sa main, mais qu'il ornemen-
tait, qu'il illustrait, qu'il couvrait de dorures, l'unique
circonstance en laquelle ses doigts daignaient palper l'or.

C'est de cette période que date l'un des ouvrages les
plus étonnants de tous les temps, un livre que Mani avait
intitulé simplement l'Image, *et dans lequel il expli-*
quait l'ensemble de ses croyances par une succession de
peintures, sans recours aux mots. Quel meilleur moyen
avait-il de s'adresser à tous les hommes, par-delà les
barrières du langage ?

V

La silhouette de Mani appartenait désormais au paysage de la cour. S'il lui arrivait de s'éclipser pour quelque réunion avec ses fidèles, Shabuhr le faisait mander, jusqu'à trois fois dans la même journée, afin de le consulter sur tout ce qui agitait son esprit d'homme et de souverain, qu'il s'agisse de sa santé, des astres, des humeurs de sa sœur-épouse Azur-Anahit, des perfidies quotidiennes des mages, ou des rapports entre l'Empire et les autres puissances, vassales ou adverses.

En tête de celles-ci venait Rome, éternelle rivale des Parthes puis des Sassanides. Son histoire n'était pas faite d'élans dynastiques, mais les plus grands parmi ses empereurs ambitionnaient, comme Shabuhr, comme avant lui son père Ardéshir, de rassembler sous leurs aigles d'airain les deux versants du monde.

Romains et Perses, deux houles ennemies qu'une obsession commune condamnait à déferler l'une vers l'autre, à se briser contre l'autre.

Les Sassanides, dont les terres s'enfonçaient loin dans les steppes d'Asie, avaient voulu que leur capitale demeurât située à l'extrême occident de leur domaine, en une contrée étrangère à leur culture comme à leurs cultes, cette Mésopotamie sémite et déjà partiellement

christianisée ; leur rêve étant de déployer leurs étendards sur l'ensemble des terres qui allaient du Tigre au
fleuve Strymon, près duquel naquit Alexandre. Afin
qu'un jour Ctésiphon ne fût plus une marche de
l'Empire mais son centre.

Rome, en ce même temps, était tout entière tournée
vers l'Orient, l'Orient qu'elle idolâtrait, divinisait, dont
elle attendait gloire et salut. C'est ainsi qu'elle portait
au pouvoir des prétoriens venus de Syrie ou d'Arabie,
que ses rares philosophes étaient formés en Egypte,
que les croyances qu'elle acceptait de voir répandre
étaient celles d'Adonis, d'Hermès Trismégiste, de
Mithra l'Indo-Iranien, du Soleil Invincible d'Emèse et
même, la plus improbable de toutes, celle d'un activiste
juif naguère révolté contre Rome ! De surcroît, on y
caressait déjà l'idée de bâtir, non loin du Pont-Euxin, à
la jonction de l'Europe et de l'Asie, sur l'emplacement
de l'antique colonie grecque de Byzantion, une seconde
capitale pour l'Empire, une métropole d'avenir que
certains osaient déjà appeler — ô présomption sacrilège ! — la nouvelle Rome.

Des deux puissances qui se disputaient le monde,
laquelle saurait prévaloir ? La vague sassanide avait ses
chances. Pendant que l'autorité de la « divine dynastie » s'affermissait sous l'égide des rois fondateurs,
Rome se dissolvait dans l'anarchie. Durant les seuls
règnes d'Ardéshir et de Shabuhr, vingt-quatre Césars
s'étaient succédé, comme s'ils se transmettaient en
guise de sceptre un manche de poignard. Les citoyens
en arrivaient à ne plus connaître le nom de leur
souverain du moment, les légions ne savaient à qui
obéir ; dès que la Ville acclamait un nouvel empereur,
un autre militaire, en Gaules, en Dacie, ou en Italie
même, s'était déjà rebellé. Les eaux du Rubicon
n'avaient plus mémoire de leur virginité.

Si des barbares tels que les Huns, les Sarmates ou les Alains, menaçaient quelque province sassanide, le roi des rois dépêchait contre eux un chevalier de haute lignée, un preux *spahdar* qui, sa mission achevée, avait hâte de venir se prosterner fièrement aux pieds de son souverain pour recevoir quelques mots d'éloge et une robe d'honneur. A l'inverse, quand le *limes* de l'Empire romain était assailli par les mêmes barbares, ou par les Perses, l'empereur se sentait déjà glisser de son trône. Il n'était pas difficile de prévoir que lorsque les légions auraient repoussé l'ennemi, leur commandant, auréolé de sa jeune gloire, marcherait droit sur Rome pour s'emparer du pouvoir. Et si, par extraordinaire, il n'en avait ni le goût ni l'audace, ses centurions le proclameraient *imperator* à son corps défendant. Seule issue pour tout successeur avisé d'Auguste : se mettre en personne à la tête de ses troupes dans l'espoir de cueillir de ses mains les lauriers du triomphe. Mais, à peine s'était-il éloigné de la Ville, des complots se tissaient.

Et au front non plus il n'était pas à l'abri. Les historiens en sont encore à se demander si l'empereur Gordien, troisième du nom, adolescent guerroyant au nord de la Mésopotamie, fut blessé à mort par quelque tireur mercenaire à la solde des Sassanides ou par la diligence de son propre préfet du prétoire, Marcus Julius Philippus. C'est en tout cas à ce dernier que la rumeur de l'*Urbs* imputa le crime. Ce qui faisait de lui, selon les mœurs constitutionnelles de l'époque, le plus logique héritier du défunt. Dans la liste des empereurs romains, il apparaît sous le nom de Philippus Arabs, étant né au sein d'une tribu qui nomadisait sur les rives du désert d'Arabie.

Une tribu très tôt acquise, semble-t-il, à la foi du Nazaréen. L'évêque Eusèbe de Césarée, historien de l'Eglise, affirme que Philippe fut, bien avant Constantin, le premier empereur chrétien, qu'il se rendait en secret dans les catacombes, se confessait avec le commun des pénitents ; seule la fragilité de sa position à la tête de l'Empire l'aurait empêché de clamer tout haut ce qui se chuchotait dans les bas-quartiers d'au-delà du Tibre, comme dans les allées du Capitole.

Il gouverna cinq ans, de 244 à 249. Dits ainsi, selon la tardive datation chrétienne, ces chiffres demeurent anonymes. Il faut les transposer au calendrier romain pour en saisir la portée. 244 correspond à l'an 996 de la fondation de Rome, 249 à l'année 1001. Sous l'auguste patronage de Philippe l'Arabe fut donc célébré, dans un faste inouï, le millénaire de la Ville. Colossales réjouissances qui s'étalèrent sur des mois, jeux du cirque, parades, triomphes, sacrifices, inlassables festivités sur les places publiques, autour d'un thème sans cesse claironné, peut-être pour conjurer l'évidence : l'immortalité de l'Empire et de sa loi.

Un bref instant de règne pour cet énigmatique guerrier bédouin. Mais quel instant !

Désireux de le savourer pleinement, voulant présider lui-même à l'organisation du Millénaire, soucieux également d'écarter ses rivaux et de tenir en respect les turbulentes hordes gothiques, Philippe l'Arabe avait besoin d'un long répit dans le conflit avec les Sassanides. Il délégua à Ctésiphon son propre fils, alors âgé d'une vingtaine d'années.

En recevant l'émissaire dans la solennité imposante de la salle du Trône, en l'écoutant discourir, en grec, avec de la prestance, mais aussi une sorte d'impatience juvénile, sur son fervent souhait d'aboutir à une paix illimitée, le roi des rois songea d'abord à l'Arménie. Elle était, depuis l'époque des Parthes, le champ d'affrontement perpétuel entre Rome et Ctésiphon, ses princes étant contraints de manœuvrer pitoyablement entre les deux géants prédateurs. C'est en Arménie que se situait le fléau de la balance départageant le grand Empire d'Orient de celui d'Occident. C'est donc elle que Shabuhr exigea comme prix de la paix.

Le fils de Philippe concéda tout, et au-delà. Les légions se retireraient d'Arménie et la noblesse locale serait invitée à accepter dorénavant la suzeraineté du roi des rois, avec l'espoir que le « basileus », comme il l'appelait, « dans son incommensurable magnanimité », ne tiendrait rigueur à personne de ses loyautés passées. Shabuhr acquiesça d'un geste condescendant. Puis, se mouvant avec toute la lenteur que requérait sa dignité, il plaça ses deux mains sur ses épaules, les coudes croisés, signe chez lui de réflexion intense. Si cet Arabe de Romain, se dit-il, a renoncé en quelques secondes à des prétentions séculaires, c'est qu'il est prêt à payer cher, éminemment cher, la paix qu'il mendie ! Afin de le sonder plus avant, le Sassanide se hasarda à formuler une demande outrancière. Sans doute le fils de César allait-il s'en offusquer, mais cela permettrait de tracer ensuite les contours d'un accord.

Ne voulant pas impliquer d'emblée sa divine personne, car alors il ne serait plus convenable de transiger sur le moindre détail contentieux, Shabuhr fit signe à son chambellan de s'approcher et il lui dicta à l'oreille la position qu'il le chargeait d'exprimer.

L'Arménie, dit-il en substance, n'a jamais été pour nous objet de litige. Si les légions s'en retiraient, ce ne serait pas générosité de leur part mais simple sagesse, puisque nos vaillantes armées s'apprêtent à rétablir par l'épée nos droits éternels sur cette portion indisputable de notre domaine. Non, si le César de Rome veut réellement la paix, d'un cœur sincère et sans désir de tromperie, il doit choisir la voie qu'ont suivie tant d'autres rois qui ont su obtenir notre bienveillance.

L'émissaire attendit, son *padham* à la main, que le chambellan formulât la volonté de son maître.

— Rome devra verser chaque année au divin Shabuhr, roi des rois, frère du Soleil et de la Lune, souverain de l'Orient et de l'Occident, cent mille pièces d'or.

Un tribut ! L'empereur romain paierait au Sassanide un tribut annuel ! Il deviendrait son vassal, au même titre que le khan des Saces, le grand-chamane des Vertes ou le marzpan des Gédrosiens ! Le jeune émissaire s'empourpra, ses ongles s'enfoncèrent dans ses paumes, son poing serra rageusement le mouchoir blanc, l'envie le saisit de le jeter, en boule froissée, à la face de celui qui venait de l'insulter. Les courtisans retenaient leur souffle, ils s'attendaient à voir le Romain prendre congé et courir informer son père de l'affront qui lui avait été infligé. Alors les guerres reprendraient de plus belle. Mais le fils de Philippe ne quitta pas sa place, son poing peu à peu se desserra, ses joues se décongestionnèrent au point de perdre toute couleur de sang. Il sut reprendre contenance, il s'efforça même de simuler un sourire. Et lorsque, au bout d'interminables secondes de silence, on entendit de sa bouche quelques phrases cohérentes, il ne chercha pas à rejeter le principe d'un tribut, mais se borna à négocier le montant et les modalités de paiement.

Shabuhr n'osait pas y croire. Il imputa l'ensemble de cet épisode incongru à l'inexpérience de l'émissaire. Nul doute qu'à son retour auprès de son père il serait sermonné, puis désavoué.

Et pourtant non, Philippe allait payer. Chaque année. La somme convenue. La précaution prise serait de faire porter l'or par une caravane d'hommes de sa tribu, afin que le nom de Rome et l'habit de ses légionnaires ne fussent pas exposés à l'humiliation. Les apparences étant ainsi sauves, il fit publier, dès son intronisation, un édit en vertu duquel il s'octroyait, en sus des titres d'*imperator* et d'*augustus,* celui de *persicus maximus,* « grand vainqueur des Perses ».

Bien évidemment, Shabuhr ne sut pas un mot de ces fanfaronnades, et au lendemain de la trêve il exultait. S'il avait jamais eu le moindre doute sur sa glorieuse destinée, le doute était dissipé. Rien ne l'empêchait plus de penser qu'il avait été désigné de tout temps par la Providence pour gouverner l'ensemble des créatures. Comment le blâmer ? Qu'aurait-il pu espérer de mieux que de se retrouver suzerain de son unique rival ? Chaque année, en hiver, lorsque arrivait la caravane convoyant à Ctésiphon l'or de la soumission romaine, trois journées de fête étaient observées, les temples sacrifiaient, et des vivres étaient distribués par jarres entières aux nécessiteux. Dans la capitale, puis dans les provinces et les royaumes associés, la nouvelle était répandue à grand bruit par les hérauts, afin que chacun l'entende, du plus puissant satrape au modeste chef de village.

Ce qui assurait à Shabuhr la soumission de tous : l'homme auquel le César de Rome payait tribut, quel mortel oserait lui tenir tête ?

VI

Le roi des rois paraissait comblé. Même si, de temps à autre, une parole lasse trahissait sa frustration grandissante. Puisque les Romains étaient à ce point désemparés et vulnérables, n'était-ce pas légèreté de sa part que de se contenter de percevoir un tribut alors qu'il pourrait abattre une fois pour toutes l'ennemi moribond ? Pourquoi laisser aux Romains le temps de se ressaisir, perdant lui-même des années précieuses ? Il avait déjà largement passé la quarantaine, allait-il attendre d'avoir vieilli avant de se lancer à la conquête de l'Occident ? Mais un pacte est un pacte, Shabuhr n'était pas homme à trahir sa parole et son sceau. Lui dont l'autorité était faite de mille serments d'allégeance, il aurait eu tort de donner un pareil exemple de félonie.

Son dilemme parut résolu le jour où il apprit la mort de Philippe, massacré, comme il était d'usage, par ses légions révoltées, en même temps que son fils et la plupart de ses collaborateurs. Et aussi un grand nombre de chrétiens, coupables de l'avoir soutenu.

Convoquant les principaux dignitaires de l'Empire sassanide et quelques hommes de bon conseil, Shabuhr leur demanda de s'exprimer librement sur la voie à suivre. Le premier à bouger son *padham* fut Kirdir.

— Notre Maître, dit-il, s'est montré d'une générosité extrême à l'égard des Romains. Lui, dont les armées victorieuses auraient pu avilir les infidèles et anéantir leur Empire, il a fait preuve d'une patience, d'une bonté, d'un scrupule moral qui l'honorent, mais que nos ennemis ne méritaient pas ! Un pacte a existé entre notre maître et le César Philippe. Si ce dernier s'y est conformé, ce n'est pas par sens de l'honneur, mais par pure fourberie, en raison de la terreur que lui inspirait la puissance de la divine dynastie. Maintenant que Philippe a réintégré les Ténèbres d'Ahriman, Rome va pouvoir goûter à notre juste colère comme elle a trop longtemps goûté à notre magnanimité.

Même enrobée dans l'éloge, la critique à l'égard de la politique suivie jusqu'alors n'échappa à personne. Elle n'était d'ailleurs pas le fait du seul Kirdir, puisque tous ceux qui intervinrent, qu'ils fussent mages, princes ou secrétaires, recommandaient le recours aux armes.

Bien qu'il fût interdit de poser son regard sur la personne du roi des rois, les uns et les autres levaient parfois un œil furtif pour tenter de jauger ses sentiments et son humeur. A n'en pas douter, ce que disaient les dignitaires rejoignait ses plus intimes préoccupations. La guerre contre Rome avait été longtemps, trop longtemps, retardée. Désormais, elle s'imposait, et le motif en était trouvé. Le souverain s'apprêtait à parler et cherchait seulement les mots adéquats, ne voulant pas donner l'impression de céder aux injonctions du mage quand Mani, qui s'était fait discret jusque-là, agita son mouchoir. S'appuyant sur son bras droit pour s'extraire de l'épais coussin qui lui servait de siège, il commença par énumérer les avantages qu'avait obtenus le roi des rois « grâce à son habile politique de trêve », s'étendant sur les années de prospérité que venait de traverser l'Empire sassanide, et sur la place prépondérante qu'avait acquise aux yeux de toutes les nations « le premier des hommes ». Le préambule était astucieux qui atténuait les remords de Shabuhr et le plaçait en meilleure posture face à tous les donneurs de leçons. Puis il prévint :

— Si les troupes de la dynastie partent à l'assaut de l'Empire romain, sans doute remporteront-elles des victoires, mais elles contraindront les légions à s'unir sous un même commandement. Plutôt que d'achever l'ennemi, comme certains le réclament, on lui aura administré une médecine vigoureuse, douloureuse, mais efficace, et pour lui salutaire. Est-ce le but que visent ceux qui ont pris la parole avant moi ? Est-ce par cette folie qu'ils voudraient remplacer la judicieuse politique suivie par le maître de l'Empire ?

Shabuhr parut troublé, l'hésitation était même par trop lisible sur ses traits, et des mouchoirs s'agitèrent autour de lui en désordre. Mais il ne donnerait plus la parole, il était temps pour lui de reprendre son ascendant et de prononcer les mots décisifs :

— Pour nous, rien n'a changé encore concernant le traité avec les Romains. Quand un César remplace l'autre, il lui faut tenir les engagements pris par son prédécesseur. Auquel cas, Nous-même continuerons à respecter loyalement les nôtres. Mais si le paiement du tribut était interrompu, Nous répondrions avec toute la vigueur dont Nous sommes en droit d'user envers les félons. Afin de parer à toute éventualité, Nous avons l'intention de battre le rappel de tous Nos vassaux, des peuplades soumises et des soldats mercenaires. Dès le premier acte de traîtrise, Nos armées invincibles déferleront vers le littoral d'Occident, vers l'Anatolie et la Cappadoce. Et, bien au-delà, continueront à dévaster les provinces des Romains jusqu'à ce qu'ils viennent Nous renouveler leur humble soumission.

Une fois congédiés, les dignitaires s'égaillèrent dans les couloirs du palais, épiloguant sur la fourberie native de l'ennemi, sur la lâcheté proverbiale de ses troupes et de ses chefs, comme sur l'invincibilité avérée du roi des rois. Seul Mani demeurait à l'écart, sombre, bientôt oublié de tous. Dès que la salle du conseil se fut vidée, il se rendit chez le chambellan pour demander une audience privée auprès de Shabuhr. Qui le reçut sans délai.

— J'aurais eu un mot à ajouter, mais la parole avait déjà échu à celui qui s'exprime en dernier.

Le monarque lui fit signe de poursuivre.

— Le maître de l'Empire a bien précisé qu'il sévirait contre les Romains au seul cas où ils cesseraient de payer tribut. Ai-je bien compris ?

— Tu sais que les adversaires de Philippe lui avaient reproché d'avoir signé un accord indigne et dégradant. Peut-être même l'ont-ils tué à cause de cela.

— Peut-être. Mais si, pour quelque raison que j'ignore, le nouveau César choisissait de continuer à payer, lui ferait-on malgré tout la guerre ?

— J'ai été tout à fait clair à ce sujet. S'ils respectent leur parole, je respecterai la mienne !

— Mais alors pourquoi faire encourir au trésor, aux vassaux, aux chevaliers, ainsi qu'à tous les sujets, les lourdes dépenses qu'implique la mobilisation avant même de connaître la position des Romains ? Une fois l'armée rassemblée, une fois engagées les tribus vassales et les troupes mercenaires, elles voudront se battre, trouver du butin, on ne pourra plus les renvoyer chez elles les mains vides. Cela s'est déjà vu par le passé, on bat le rappel à cause d'une menace de guerre, puis, même si la menace est écartée, on finit par faire la guerre parce que l'armée a été rassemblée.

— La question ne se posera pas. Chacun sait quelle

sera l'attitude des Romains. Et puis, j'ai déjà annoncé ma décision, il n'est pas question pour moi de revenir là-dessus.

— Le maître n'a pas besoin de revenir sur quoi que ce soit. Il a dit qu'il réunirait ses troupes, il peut le faire, mais nul ne peut l'obliger à convoquer au même moment tous les satrapes, toutes les tribus, tous les vassaux. Les préparatifs peuvent se faire lentement. Et si les Romains choisissaient la voie du défi, la mobilisation pourrait s'accélérer.

— Ce n'était pas mon intention, mais je veux bien accepter tes arguments et suivre tes conseils. Fasse le Ciel que je n'aie pas à m'en repentir. Le sais-tu, Mani, de toutes les personnes présentes au Conseil, aucune n'aurait pu me faire changer d'avis. Si je t'écoute ainsi, si je me rends à ton opinion, c'est que tu as auprès de cette dynastie, et dans ma propre destinée, une place que toi-même ne soupçonnes pas.

Au cours des semaines qui suivirent, Shabuhr évita de mentionner les préparatifs militaires ; pourtant, dans les couloirs du palais, rares étaient ceux qui devinaient un quelconque changement de politique ; on s'expliquait l'attitude du roi des rois par son désir de paraître serein et méprisant face au risque d'une guerre que chacun, à Ctésiphon, estimait gagnée d'avance. On disait déjà que le souverain commanderait lui-même la grande armée, secondé par l'un de ses fils. Mais lequel ? L'aîné, Vahram, de nouveau en grâce, et que la plupart des mages et des guerriers favorisaient ? Ou bien Hormizd, réputé le plus vaillant et le plus réfléchi, mais que sa fréquentation de Mani et de ses idées aurait, disait-on, quelque peu ramolli ?

Les spéculations se tarirent lorsque arriva inopinément un ambassadeur romain, porteur d'une missive du nouvel empereur, Decius, « à son frère, le divin Roi des rois », lui assurant que le pacte conclu avec Philippe serait respecté, même dans ses clauses inavouées ; d'ailleurs l'or était déjà en chemin, convoyé cette fois, non par le pudique intermédiaire des caravanes bédouines, mais, le plus ouvertement, par un détachement de prétoriens !

A Ctésiphon, on aurait dû s'en féliciter. Jusqu'alors, l'allégeance consentie par Philippe était le fait d'un homme seul, un usurpateur parvenu par les caprices de la fortune au sommet de l'Empire et prêt à brader trésor et provinces afin de conserver le pouvoir. A présent, c'était Rome entière qui reconnaissait la primauté du roi des rois !

Pourtant, à la cour sassanide, l'humeur était au deuil. Ceux qui souhaitaient l'affrontement se sentaient frustrés, certains songeaient même à tendre une embuscade à l'émissaire romain dans l'espoir de provoquer l'irréparable. Cependant le parti de la guerre, aussi puissant fût-il, redoutait de s'attirer par de telles actions les foudres de Shabuhr. Lequel demeurait partagé. Si l'action militaire continuait de le séduire, il mesurait la signification de la nouvelle allégeance romaine, et celle-ci le flattait et surtout le rassurait quant à la faiblesse persistante de l'ennemi.

Nombreux sont ceux qui, comme Kirdir, expliquaient l'indécision du souverain par l'influence croissante du « maudit Nazaréen de Babel ». Nul n'ignorait en effet les tête-à-tête quotidiens entre les deux hommes. Shabuhr, qui ne pouvait oublier que Mani avait été le seul à prévoir le comportement des Romains, faisait confiance à son jugement ; chaque fois qu'il ressassait des idées de guerre, il s'en ouvrait à lui. Et le fils de Babel savait trouver les arguments qui portaient.

— Sans doute les Romains sont-ils terrifiés à l'idée de voir votre armée envahir leurs provinces et menacer leurs métropoles. Cette terreur qui les habite est pour vous source de grands avantages. Faites durer la situation, obtenez de votre ennemi tout ce que sa faiblesse le contraint de vous accorder, laissez-le confirmer, année après année, aux yeux de toutes les nations, la prééminence de votre dynastie et de votre personne. Pourquoi le premier des hommes quitterait-il la position providentielle qui est aujourd'hui la sienne pour se soumettre aux hasards d'une entreprise guerrière ?

Le monarque voulut bien se satisfaire de ces arguments tant que l'ennemi continua à verser le tribut. Mais à Rome, rien ne s'arrangeait. Deux ans après la mort de Philippe, son successeur fut tué à son tour. Pas moins de quatre prétendants se disputaient à présent le pouvoir. De temps à autre, l'un d'eux envoyait un émissaire auprès du roi des rois pour s'attirer sa bienveillance et solliciter ses faveurs. Ce qui ne manquait pas d'amuser Shabuhr. Suzerain de Rome et, de surcroît, arbitre des querelles entre ses généraux ? Le Sassanide n'avait jamais rêvé d'un privilège aussi saugrenu.

Seulement, à l'échéance de l'hiver suivant, l'or n'arriva plus. Non qu'il y eût à Rome une volonté délibérée de dénoncer le pacte conclu avec Ctésiphon ; seulement, aucun des quatre Césars n'était en mesure d'effectuer un tel paiement. Dans la lutte contre ses rivaux, chacun des prétendants avait grand besoin de l'or dont il disposait.

A la cour sassanide, la guerre se retrouva à l'ordre du jour. Mages et guerriers s'activaient, Shabuhr ne chercha plus à leur résister. Et lorsque, dans ce branle-bas, il s'isola une fois de plus avec Mani, ce ne fut pas pour l'entendre discourir à nouveau sur les bienfaits de la trêve.

— Je t'ai constamment écouté, médecin de Babel, au point de suivre tes conseils aux dépens de mes propres inclinations. C'est maintenant à toi, mon protégé, mon compagnon, de te ranger à mon avis, je veux que, dans cette bataille qui commence, tu sois à mes côtés, pleinement, avec toute ton âme et toute ton intelligence, toi dont j'ai fait un pilier de mon règne et de la dynastie.

« Cette guerre m'est imposée. Je me suis longtemps montré patient et magnanime, je n'ai pas voulu rompre la trêve, alors que cela m'était possible, alors que les mages m'assuraient, au nom de l'Avesta, que ce serait légitime et méritoire. Je t'ai donc écouté, j'ai renoncé à mobiliser mes armées afin de donner aux Romains une chance de respecter leurs engagements. Maintenant ils ont cessé de payer tribut, ils ont violé eux-mêmes le pacte qui les protégeait. Quelles que soient les raisons de cette félonie, je ne peux la tolérer sans perdre l'estime et l'allégeance de mes propres sujets. La sévérité du châtiment doit être à la mesure de ma patience et de ma générosité.

« Si je parviens à abattre l'Empire des Césars, cette guerre sera la dernière. Un âge de paix s'installera parmi les hommes. Je sais que tu répugnes à verser le sang, fût-il celui de mes ennemis. Mais en te retrouvant à mes côtés dans cette bataille, tu ne trahiras aucun de tes principes ; car par la perte de quelques vies, d'autres, beaucoup plus nombreuses, seront préservées.

« Bien des gens m'ont prévenu contre toi, Mani, tout au long de ces années. Des envieux, des jaloux, mais aussi certains hommes que je crois dévoués et sincères. " Ce Parthe, m'ont-ils répété, restera à vos côtés tant que vous temporisez. Mais dès que sera venu le temps des conquêtes, il vous abandonnera. Comment pouvez-vous compter parmi vos intimes un être qui se réjouit de vos tergiversations et qui se désolera demain de vos victoires ? " Ont-ils parlé vrai ? Je l'ignore. C'est pourtant ton appui que j'espère, c'est avec toi que je veux mener cette conquête.

Jamais Shabuhr ne s'était adressé à lui sur ce ton ; ni à lui, ni à aucune autre personne. Jamais il n'avait attendu avec autant d'impatience la réaction d'un interlocuteur. Et les premières phrases de Mani le rassurèrent.

— Il est vrai que je répugne à verser le sang, mais je ne répugne pas à la conquête. Bien au contraire, je rêve de conquête ; si le maître de l'Empire envisage aujourd'hui d'envahir le pays d'Aram ou la Cappadoce, ou l'Ibérie, mon ambition à moi, Mani, est de conquérir Rome, rien de moins que Rome, Rome avec tout son Empire, je ne me contenterai d'aucune province, aussi vaste et prospère soit-elle. Je veux conquérir Rome et je la sais mûre pour la conquête. J'ai maintenant dans cette ville des dizaines de disciples qui me rapportent dans leurs épîtres tout ce qui s'y fait ou dit. Rome a soif d'une foi nouvelle. Longtemps elle s'est persuadée que son Empire était immuable, que sa loi était éternelle, que la Terre et la Mer lui appartiendraient à jamais et que le Ciel la protégerait sans faille. Aujourd'hui, Rome doute d'elle-même, de ses souverains éphémères, de son Empire assailli sur toutes ses frontières, de ses divinités qui oublient de la protéger ; elle doute de son opulence en contemplant ses quartiers qui s'emplissent de miséreux. Rome attend des contrées du Levant un conquérant, comme une femme mûre attend l'amant, ce n'est pas par le glaive qu'elle sera prise, mais par la parole envoûtante, oui, ce sont des paroles d'amour qui lui feront ouvrir les bras.

« Je suis prêt à aller à Rome. Comme j'ai pu rassembler autrefois à Deb les adorateurs du Bouddha et ceux d'Ahura-Mazda, j'y rassemblerai les adeptes du Nazaréen comme ceux de Mithra, sans pour autant persécuter les philosophes ni dénigrer Jupiter. J'y prêcherai une foi pour tous les humains, une foi dont le centre sera Ctésiphon, dont je serai l'humble messager et dont le roi des rois sera le protecteur. Ne serait-ce pas là une ample conquête, digne de Darius et d'Alexandre, et même plus grande, plus noble, plus durable surtout, que les conquêtes du passé ?

Shabuhr était perplexe. Mais il ne voulut pas s'arrêter aux malentendus. Il préféra prendre Mani au mot.

— Tu parles de conquête, je parle de conquête, il est normal que nous n'usions pas des mêmes armes, mais nous avons les mêmes ambitions. Nous pouvons, ensemble, bâtir en ce monde ce qu'aucun être n'a pu bâtir auparavant. Il s'est trouvé des rois conquérants, soucieux de conduire l'ensemble des créatures vers un sort meilleur, mais ils n'avaient pas à leurs côtés un Messager ; il s'est trouvé des prophètes saints et éloquents, capables de décrire aux hommes un avenir d'espoir, mais ils n'avaient pas auprès d'eux un souverain puissant et animé des mêmes ambitions. Pour la première fois, un message céleste coïncide avec un grand règne !

« Un monde nouveau va prendre forme sous nos yeux. Ensemble, le roi des rois et le Messager de Lumière, nous irons en Arménie, au pays d'Aram, en Egypte, en Afrique, en Cappadoce et en Macédoine, à Rome même j'établirai le règne de la dynastie juste, tu proclameras la foi universelle qui embrassera toutes les croyances. Partage donc mon rêve comme j'aspire à

238

partager le tien, je rassemblerai l'univers par ma puissance, tu l'harmoniseras par ta parole.

« Les mages se pressent à ma porte, ils voudraient que cette guerre, que cette conquête soit la leur. Ils voudraient, dans chaque pays envahi, abolir les croyances qui leur déplaisent et imposer à tous la religion des Aryens. Ailleurs, les sectateurs des dieux jaloux s'apprêtent à bondir sur le monde pour établir partout le règne de l'intolérance. Moi et toi, toi et moi seuls, pouvons encore l'empêcher.

» Viens, avance à mes côtés à la tête des armées, tu n'as qu'un mot à dire, je laisserai les maudits mages dans leurs pyrées, et je te désignerai à mes vassaux, à mes chevaliers, à tous mes sujets, je leur annoncerai que cette conquête se fera en ton nom, au nom de la foi nouvelle dont tu es le Messager.

Le souverain était maintenant exalté, presque suppliant, Mani était paralysé de surprise et d'émotion. Aucun mot ne sortait de sa bouche. Après s'être tu quelques secondes, Shabuhr enchaîna, sur le ton de ta majesté retrouvée.

— Je sais que tu ne décides de rien sans consulter cette voix céleste qui te parle. Va, recueille-toi, médite, converse avec ton ange. Puis reviens me porter la réponse.

*

C'est ainsi que Mani s'en fut déambuler seul dans les jardins du palais. Les gardes reconnaissaient maintenant son boitement, sa cape bleue, son bâton, ils le laissaient vaquer selon le rite de ses visites coutumières. Il avait en effet ici des habitudes, des sentiers apprivoisés, il fréquentait certains arbres, et une mare plus particulièrement au bord de laquelle il venait s'asseoir, une jambe pliée sous lui, l'autre tendue, de la manière dont il trônait, enfant, au bord du canal du Tigre, retrouvant même, dans l'antre du souverain le plus puissant du monde, cette alchimie de paix et de tourmente qui lui permettait de s'abstraire dans la méditation.

Pour que sa voix intérieure puisse se faire entendre.

« Il est ainsi des moments, Mani, où l'on se découvre une épée à la main. On a honte de s'en servir, pourtant elle est là, froide, tranchante, prometteuse. Et la voie est tracée. D'autres Messagers avant toi se sont trouvés dans des situations semblables. Chacun a dû faire son choix, seul. Et seul, tu es. Plus que jamais. Seul contre l'opinion de Shabuhr et de ses courtisans. Seul contre le boulier de la Providence. Sans autre lanterne que la parcelle de Lumière qui est en toi, tu devras discerner et choisir. »

— Il suffirait que je dise « oui » pour que l'épée du roi des rois m'ouvre les routes du vaste univers.

« Ton nom serait alors vénéré par les hommes siècle après siècle, on élèverait des prières à Mani, on sacrifierait en son nom, on gouvernerait en son nom, on tuerait sans remords en invoquant son nom. »

— Je peux encore refuser...

« Tu refuses, tu mets ta chair friable et tes naïvetés en travers des chemins de la guerre, tu t'interposes, tu t'obstines, tu t'accroches à chaque lambeau de paix ou de trêve. Et ton nom sera maudit, effacé, et ton message défiguré. »

— Longtemps ?

« Peut-être jusqu'à l'extinction des feux de l'univers. Et tu n'entreras pas dans Rome. Et tu devras fuir Ctésiphon. Que choisis-tu ? »

Sa réponse, Mani la donna debout, en regardant le Ciel droit en face :

— Mes paroles ne verseront pas le sang. Ma main ne bénira aucun glaive. Ni les couteaux des sacrificateurs. Ni même la hache d'un bûcheron.

QUATRIÈME PARTIE

Le bannissement du sage

Contemplez-moi, rassasiez-vous de
mon image,
car sous cette apparence vous ne me
reverrez plus.

Mani

I

Sans Mani, le roi des rois partit en campagne. Avec quarante mille bras d'archers, avec les Immortels de sa garde alignant dix mille bonnets de sparterie rouge sang, avec la noble cavalerie cuirassée, corps et montures, en écailles de fonte, avec aussi la piétaille boueuse des paysans corvéables, pieds nus, mains nues, sans autre bouclier qu'une peau de chèvre tendue sur deux roseaux croisés, avec la troupe bigarrée des peuplades domptées, Gèles, Cadousiens, Vertes, Daïlamites, Huns, Albans, avec les éléphants et leurs mahauts, avec les tambours, les cors et les porte-drapeaux, Shabuhr s'ébranla, hissé par soixante épaules sur son trône de combat, emmenant à sa suite ses femmes, ses musiciens, ses médecins, ses cuisiniers, ses amuseurs, ses devins, ses scribes, ses flatteurs, ses hommes de conseil. Mais sans Mani.

L'host prit d'abord le chemin du nord, vers l'Arménie. Il ne s'agissait pas encore, au sens plein, d'une guerre extérieure, la main sur ce pays était concédée aux Perses par le César de Rome, la noblesse locale s'y était pliée. L'Arménie demeurait néanmoins un royaume, vassal mais distinct, et rallié seulement dans l'attente que se relâche un jour l'étau des Sassanides.

La geste ancienne des Arméniens rapporte en quelles

circonstances leur vénérable roi Khosrov, en la qua-
rante-neuvième année de son règne, fut attiré hors de
son palais de Khalkhal sous prétexte d'une chasse à
courre et traîtreusement poignardé par deux agents à la
solde de Ctésiphon, quelles sanglantes dissensions
s'ensuivirent, et comment Shabuhr, ses troupes déjà
opportunément aux frontières, s'estima contraint d'envahir le territoire pour mettre fin au désordre intoléra-
ble ; comment la dynastie régnante fut dépossédée et
son fief prestement annexé au domaine sassanide ;
comment, aussi, les mages d'Atropatène, munis de
pyrées ambulants montés sur des chars de prière,
pénétrèrent dans le pays derrière les cavaliers et,
parcourant une à une les satrapies arméniennes,
s'acharnèrent à éteindre les croyances locales et à
humilier les divinités dissidentes. Comment, enfin, les
plus illustres familles du pays choisirent alors l'exil,
rejoignant d'abord Mélitène, le Pont, puis Rome elle-
même, pour tenter d'émouvoir par le récit de leurs
souffrances prétoire et sénateurs. On les écouta, on
compatit, on s'indigna, on promit. Mais on ne bougea
pas une lance.

C'est bien de cela que Shabuhr voulait s'assurer
avant d'entraîner ses hommes à travers les monts
Amanus et les sources de l'Euphrate, jusqu'en Cappadoce, en Cilicie et en Syrie romaine. Il conquit aisément sur les Romains trente-sept villes avec leur plat
pays, parmi lesquelles Batna, Barbalissos, Hiérapolis,
Alexandrette ; également Hama, Chalcis, Germani-
keia ; et surtout Antioche, la plus grouillante, la plus
prospère de toutes, qui fut abondamment pillée, ses
vergers dévastés, ses jeunes femmes enlevées et ses
artisans déportés par milliers vers Ctésiphon où un
faubourg leur fut assigné.

Un proconsul romain qui n'avait pas eu le temps

d'embarquer pour l'Egypte dut figurer, chaînes aux pieds, dans le cortège de triomphe que le roi des rois fit défiler dans les artères pavoisées de la capitale. De tous les horizons de l'Empire sassanide les délégations affluaient, encombrées de présents, pour acclamer le vainqueur.

Mani n'était pas de la fête. Tout au long de ces années de guerre, il marchait sur ses propres sentiers, avec ses propres troupes, porté par l'ambition d'une conquête différente. Plus tard les historiens supposeront qu'il s'était préoccupé en ce temps-là de bâtir pierre à pierre son Eglise. Un mot qui l'inconfortait. Il disait de préférence « mon Espoir », « les miens ». Affectueusement, « ma Caravane ». Ou encore « les fils de la Lumière ». Pour ceux qui l'observaient du dehors, il s'agissait pourtant bien d'une Eglise, avec bergers élus et troupeau adepte ; mais l'autorité y appartenait seulement à ceux qui vivaient en mendiants, et aussi à ceux dont les mains et l'esprit prodiguaient la beauté. Une hiérarchie du dénuement et de l'inspiration à l'exclusion de tout autre mérite, telle était, telle aurait dû se perpétuer l'Eglise conçue par Mani.

L'Espoir du fils de Babel fleurissait alors le long des routes, et sa croyance s'avérait conquérante sans feu ni fer ni châtiment. Quand les captifs romains originaires de Norique, de Maurétanie ou des Gaules étaient conduits en terre sassanide, les disciples du Messager venaient à leur rencontre pour leur dire la vanité des fortunes guerrières, pour offrir à chacun sa part de réconfort dans l'humaine confusion des divinités et des langues. Et beaucoup d'artisans, de femmes, beaucoup de légionnaires défaits, embrassèrent la foi généreuse.

Egalement parmi les sujets de Shabuhr, nombreux étaient ceux qui souffraient de la guerre, qui avaient perdu un proche, ou que la rupture prolongée des voies caravanières affectait. En eux aussi, la parole de Mani résonnait. Cocasses années où le roi des rois était constamment en campagne alors que son protégé faisait dans les provinces de l'Empire l'éloge de la paix et prônait rien de moins que « le mépris des glaives et des bras qui les ont brandis ».

Un propos séditieux, insupportable aux oreilles des chevaliers et des mages. Mais que faire ? « A chaque roi son fou », persiflait Kirdir dans la discrétion de ses temples du feu, « plus grand le roi, plus vaste sa folie ! ». Car Shabuhr refusait de sanctionner, ne fût-ce que par un reproche public, les égarements de Mani. Si quelqu'un osait effleurer ce sujet devant lui, il s'en montrait ostensiblement contrarié, et soudain menaçant ; alors le hardi courtisan se taisait, se tassait à l'abri de son *padham* flageolant.

Cela étant, il allait de soi qu'en ces années de guerre le fils de Babel n'avait plus sa place à la cour. Le monarque en avait pris acte et avait renoncé à le consulter, sans toutefois lui ôter sa protection. Par fidélité à la parole donnée ? Ce n'était pas l'unique raison. Depuis qu'il s'était lancé dans ses campagnes, le souverain se voyait entouré de mages va-t-en-guerre, ils occupaient autour de lui la totalité de l'espace respirable, ils avaient investi son conseil privé, sa chancellerie et sa maison militaire, où les opinions de Kirdir, devenu *mobedhan-mobedh,* c'est-à-dire chef suprême des mages, prévalaient désormais sans débat, les chevaliers et les scribes se hasardant rarement à les contredire. Si, aux yeux de Shabuhr, Mani était alors coupable, c'était de l'avoir laissé ainsi seul à seul avec des personnages qu'il abhorrait, c'était de n'être plus à ses côtés pour faire contrepoids, pour lui permettre d'écouter parfois une voix différente.

Il arrivait au monarque, lorsqu'il s'accordait, entre deux expéditions, quelques semaines de répit, de demander à l'un de ses familiers, son fils Hormizd, ou son frère Peroz, ou encore Zerav, son joueur de luth favori, trois fidèles admirateurs de Mani, si l'un d'eux avait eu récemment des nouvelles de lui; ils répondaient d'ordinaire qu'il se trouvait en tournée avec ses adeptes en Characène, en Perside, ou du côté d'Abarshahr. Fallait-il le faire convoquer? Le souverain écartait la question d'un claquement de doigts désinvolte, et aussitôt se détournait de son interlocuteur, parlant d'autre chose, comme si les allées et venues du fils de Babel ne l'intéressaient en aucune manière, comme s'il n'avait jamais posé la moindre question sur ce personnage.

Vers la quatrième année de la guerre, le roi des rois reçut d'un de ses espions, qui avait parcouru sous un déguisement de marchand certaines provinces romaines, un rapport inquiétant. Les légions qui se battaient jusque-là pour imposer chacune l'*imperator* de son choix avaient, semblait-il, brusquement résolu leurs rivalités meurtrières; sur les quatre prétendants au trône, trois auraient été massacrés par leurs propres troupes. Fouetté par les humiliations subies en Orient, l'Empire romain se retrouvait, du jour au lendemain, miraculeusement soudé autour d'un César unique, un patricien du nom de Valérien, septuagénaire, ancien président du Sénat, un politique avisé mais aussi un soldat aux vertus célébrées, qui dès son accession à la dignité impériale s'était fixé pour tâche de mettre un terme à l'avancée sassanide.

Espérant décourager ainsi chez ses ennemis toute velléité de revanche, Shabuhr dirigea ses troupes une deuxième fois vers la Syrie romaine, occupa d'autres villes, dévasta certaines contrées jusque-là épargnées et renforça la garnison d'Antioche. Puis, de retour à Ctésiphon, il parada dans un nouveau cortège de triomphe. Avec, cette fois, en vedette et trophée, six cents légionnaires enchaînés deux par deux derrière le char du vainqueur.

Plus confiant que jamais, le roi des rois envisagea alors de se lancer sans tarder à l'assaut de la Grèce, ou peut-être de l'Egypte, lorsqu'un accès de fièvre quarte le contraignit à retarder ses projets jusqu'à l'année suivante. Dans l'intervalle, il décida de laisser ses hommes prendre leurs quartiers.

Il venait de renvoyer chez elles les troupes auxiliaires, repues et riches de butin, il avait également dépêché certains régiments d'élite vers la Drangiane afin de réduire quelques chefferies turbulentes, quand de nouveaux messages de ses espions lui parvinrent : Valérien s'approchait à la tête de la plus puissante armée romaine jamais rassemblée ! Il venait de franchir la Corne d'Or et progressait à travers l'Asie Mineure. Son avant-garde était signalée en Commagène. Ses légions cherchaient à se grouper sous les murs de Samosate, d'où elles pourraient déferler en dix jours sur les plaines côtières, ou même remonter vers les vallées du Caucase.

Shabuhr en était encore à se demander quel crédit il fallait prêter à des rapports aussi alarmistes lorsqu'on lui annonça la chute soudaine d'Antioche et le massacre de sa garnison sassanide. Il convoqua à la hâte le conseil des grands du royaume, en insistant cette fois pour qu'on mette la main sur le fils de Babel.

Le page qui se rendit en litière officielle au domicile de Malchos apprit par les voisins que Mani était parti le matin même pour son village natal. Son père, Pattig, était décédé dans la nuit, après avoir exprimé la volonté d'être enseveli à Mardinu, dans le jardin de sa maison abandonnée, aux côtés de celle qui avait été, trop brièvement, son épouse adulée, ensuite la victime de ses pieuses lubies. Mani allait donc revoir le village de sa prime enfance, pèlerinage intime auquel bien des fidèles avaient désiré s'associer.

Occurrence déroutante, à vrai dire, pour un messager, un prophète, un fondateur de croyance que de garder son père aussi longtemps. Dans la vie de Moïse, du Bouddha, de Jésus ou de Zoroastre, le géniteur est absent, fantomatique, ou tôt éclipsé, comme si les temps des orphelins étaient plus aptes à recevoir l'onction du Ciel. Pas dans le cas de Mani. Son père fut constamment proche, le talonnant jusque dans l'âge adulte ; aventurier de la foi raide, puis disciple et apôtre, son parcours fonde, explicite et illustre celui de son fils et maître.

Debout près du caveau de Mariam et Pattig, non sans un regard parfois, à quelques sillons de là, vers celui de la fidèle oubliée Utakim, Mani semblait dépouillé de sa naturelle contenance, il n'avait plus rien du meneur ou du guide. Sa pensée, barque grêle, se trouvait submergée par la montée chaotique des sensations et des souvenirs, et c'est à peine s'il rassembla assez de mots pour demander à l'Elu le plus proche, un disciple édessénien du nom de Sissinios, de conduire la prière à sa place et de prononcer le sermon. Une élégie courte et sobre, mais le fils de Babel ne put la suivre jusqu'au bout, il se sentait défaillir. Dénagh accourut, ainsi que Malchos, Chloé, puis Sissinios et quelques autres, qui le soutinrent et l'entraînèrent avec précaution jusqu'à la maison, jusqu'au lit qui avait été celui de ses parents, où il s'étendit, encore ébloui, la conscience aussi lourde que les brumes de l'aube sur les marais de Mésène.

Le lendemain, en dépit d'une nuit troublée, Mani insista pour repartir. Il tenait à quitter au plus tôt cet endroit où il se sentait tellement vulnérable, si peu maître de lui-même, assurant ses amis qu'il supporterait sans dommage les deux journées qui les séparaient de Ctésiphon. Mais au bout de trois heures de routes caillouteuses il défaillit encore et dut poursuivre le voyage couché dans un chariot sous un baldaquin de femme, à l'abri du soleil et du regard des siens. Seule Dénagh demeurait à son chevet, lui aspergeant sans cesse le front, la nuque et les lèvres d'une eau fraîche et parfumée.

Bien avant qu'ils ne soient en vue de la capitale, l'émissaire du palais vint à leur rencontre pour signifier à Mani la convocation impériale. Le fils de Babel le pria, d'une voix faible, de transmettre au souverain ses excuses, et la promesse d'obéir dès qu'il serait quelque peu rétabli et en état de se présenter devant le roi des rois. Le page s'apprêtait à insister mais, constatant par lui-même l'état d'épuisement où se trouvait Mani, il tourna bride et s'éloigna, si contrarié qu'il en négligea de prendre poliment congé.

Quand, au bout de quelques heures, la caravane arriva enfin devant la maison de Malchos, l'émissaire du palais attendait de nouveau. Mais il n'était plus seul. Shabuhr avait dépêché avec lui le *drusbadh*, chef des médecins de l'Empire, dignitaire considérable, engoncé dans ses atours réglementaires, accompagné de toute une armée de saigneurs, d'apothicaires, de fumigateurs, de poseurs de sangsues, chacun portant en évidence ses instruments de soin ou de supplice. Insistant jusqu'à la bouffonnerie, le monarque avait également fait joindre à cet équipage trois devins sacrificateurs et le chœur attitré des prieuses guérisseuses.

Mani aurait dû s'en douter, lorsqu'on est convoqué par le divin Shabuhr, roi des rois, dieu parmi les hommes et homme parmi les dieux, frère du Soleil et de la Lune, ni le deuil, ni la maladie, ni l'infirmité ne sont des excuses recevables... Il accueillit donc tout ce monde avec un sourire livide mais courtois.

— Allez dire au maître de l'Empire que sa sollicitude m'a guéri sans recours à votre médecine. J'irai me prosterner ce soir même aux pieds du trône. Mais peut-être aurai-je besoin de deux gardes vigoureux pour m'aider à me relever.

II

Avant tout, Shabuhr ordonna qu'on le laissât seul avec Mani, Mani qu'il fixait interminablement du haut de son siège monumental, dans un silence partagé. Puis :

— J'avais autrefois un ami, dit le roi des rois en détournant le regard de son pâle visiteur du soir. Je l'avais pris en affection, je le traitais avec considération bien qu'il ait l'âge d'être mon fils. Mais lorsqu'il m'est arrivé un jour de ne pas suivre l'un de ses conseils, il m'a quitté, il a fui, il s'est désintéressé de mon sort comme si je ne l'avais jamais aimé ni protégé, comme si ce palais était occupé par l'usurpateur barbare d'un royaume sans loi.

Il se tut. Le silence occupa l'espace. Puis la réponse de Mani se fit entendre. A peine.

— J'ai constamment prié, au cours de ces années, pour que le Ciel accorde longue vie au maître de l'Empire.

Shabuhr poussa du fond de la gorge une sorte de ricanement rocailleux.

— Honte à toi qui te prétends messager de paix ! Tu pries pour que vive celui qui commande à tous les glaives de l'Empire, tu pries pour que ma vie se prolonge, quand tu sais que je vais poursuivre la guerre et qu'à cause de moi des milliers d'hommes vont périr ? N'est-ce pas contraire à ta foi de contribuer ainsi par tes prières à la poursuite du carnage ?

Le ton de Mani se fit neutre et didactique, comme s'il s'efforçait de répondre aux préoccupations sincères d'un disciple scrupuleux.

— Un médecin qui soigne un patient, fût-il roi ou chamelier, n'a pas à se soucier de ce que fera cet homme une fois debout. Il en va de même pour mes prières.

— Tu pries donc pour ma santé, mais tu n'irais pas jusqu'à prier pour que je puisse repousser l'ennemi qui menace aujourd'hui l'Empire !

— Mon souhait est que tous les envahisseurs soient repoussés, que partout dans cet univers, les maisons, les temples, les hommes, les arbres, ainsi que tous les corps célestes, soient préservés de toute brutalité et de tout abaissement, que les souverains retrouvent le chemin de la quiétude, pour eux-mêmes comme pour ceux dont le sort dépend de leurs actes.

— A quoi servent tes souhaits quand l'ennemi est aux portes ?

— A quoi ont servi les entreprises guerrières si l'ennemi est maintenant à nos portes ?

Shabuhr eut une grimace de douleur, un frisson parcourut ses traits amincis par les fièvres. Son expression pourtant se radoucit.

— Il est vrai que de tous ceux que j'avais consultés, tu avais été le seul à prédire que les Romains ne tarderaient pas à se ressaisir, et qu'alors ils s'acharneraient à tirer vengeance des humiliations qu'ils auraient subies. Tu peux te vanter à présent d'avoir eu raison !

Mani eut une moue désabusée.

— Avoir eu raison ou tort, quelle importance ? Je me souviens à peine des avis que j'ai pu émettre. Les conseillers ne font que bavarder, c'est le maître seul qui décide et commande.

— Souviens-toi, médecin de Babel, j'ai longtemps hésité, pesé, temporisé. Ton insistance m'a fait revenir sur des décisions que j'avais déjà annoncées. J'ai même tellement tergiversé que mon autorité a failli être compromise, la cour se levait et se couchait au son du mécontentement. Il a fallu trancher, c'était mon devoir souverain et ma prérogative. Ton devoir était de demeurer près de moi.

Son ton avait monté, le temps de ces derniers mots, avant de retomber, comme par lassitude.

— Oui, Mani, je ne t'ai pas suffisamment écouté avant de m'engager dans ces saisons de guerre, mais tu aurais quand même dû m'accompagner à chaque étape de ma route, car en Arménie, et devant Antioche, je t'aurais peut-être mieux écouté, grâce à toi j'aurais sans doute refréné le zèle démolisseur de Kirdir, j'aurais empêché les mages de martyriser les populations et de les dresser contre nous. En ton absence, mon fils Hormizd, et tous les courtisans qui avaient coutume de t'écouter, étaient comme orphelins de toi et muets. Moi aussi j'ai regretté ta voix juste et droite. Maudit sois-tu, Mani, est-ce ainsi que tu montres ta gratitude à celui qui t'a toujours protégé et qui te protège encore malgré ta traîtrise ? Si un autre de mes sujets s'était comporté de la sorte, si un autre homme avait proféré les phrases séditieuses que tu propages à travers l'Empire, je l'aurais fait empaler ! Pourquoi faut-il que je faiblisse ainsi quand il s'agit de toi, médecin de Babel ?

Il se tut, comme surpris par sa propre interrogation, comme si un étranger venait de lui poser une question à laquelle il n'avait jamais songé. Et qui le troublait. Et qui le défaisait. « Peut-être... », commença-t-il. Une fois encore, il s'interrompit. Avant de reprendre sur un ton saccadé.

— Quand on est assis sur ce trône, parmi les milliers de regards que l'on croise ou qui se dérobent, il en est toujours un dans lequel on se redécouvre mortel. Pour moi, ce regard est le tien.

Les deux hommes se contemplèrent, ils paraissaient l'un et l'autre vieillis et livides. Si proches. Shabuhr fit signe à son ami de gravir les premières marches du trône monumental et de venir s'asseoir sur le coussin tapissé qu'occupait d'ordinaire le préposé au rideau quand le souverain désirait lui parler longuement à l'oreille. D'un geste qu'il n'avait jamais eu auparavant, le roi des rois posa la main sur l'épaule du Messager. Pour lui confier :

— Tant d'hommes cherchent à flatter mes pires penchants, et les voix amies s'éteignent.

Ses mots demeurèrent en suspens. Il avait le buste plié, quelque peu affaissé sur son piédestal.

— J'ai perdu Antioche, où j'avais laissé ma seule garnison importante, désormais les Romains vont reprendre une à une toutes les villes que j'ai conquises ; et ce soir même, on est venu m'apprendre que l'avant-garde romaine avait franchi l'Euphrate et qu'elle se trouve déjà au nord de la Mésopotamie ! Dans vingt jours Valérien pourrait faire irruption ici même, sous les murs de Ctésiphon !

Le fils de Babel ne croyait pas la situation à ce point dégradée. Il détourna les yeux, de crainte que Shabuhr ne devine chez lui quelque irrévérencieuse compassion. Le monarque poursuivit, le souffle court.

— Il faut que je conduise l'armée au plus vite vers Edesse. Il faut préserver la Mésopotamie et, si possible, garder l'Arménie. Maintenant encore, si tu m'accom-

258

pagnais, peut-être m'aiderais-tu à prendre les décisions justes.

Mani eut un geste imperceptible comme pour se dégager, mais le corps de Shabuhr pesait de plus en plus sur son épaule.

— Ce matin, dit le roi des rois, j'ai signé un décret confiant à mon fils Hormizd le gouvernement de l'Arménie, avec le titre de grand-roi. Il va ordonner aux mages de quitter le royaume. Toutes les croyances anciennes ou récentes seront à nouveau respectées. N'est-ce pas ce que tu souhaitais ?

Le ton de Mani se fit à peine interrogatif :

— Les lieux de culte seraient tous reconstruits ? Et les divinités seraient rétablies sur leurs socles ?

— Il en sera ainsi.

Le roi des rois eut une nouvelle grimace de douleur, il sembla vaciller et ne tenir en place qu'en s'appuyant sur son visiteur. Sa voix était à chaque mot un peu plus lasse.

— On me vénère matin et soir en tant qu'être divin, dis-moi donc, Mani, est-il conforme aux décrets du Ciel que les êtres divins souffrent de la fièvre quarte ?

Mani eut un soupir d'impuissance.

— Ces médecins qui s'occupent de moi, poursuivit Shabuhr, ils se rassemblent à sept ou huit autour de mon lit, ils répandent une fumée de camphre et d'encens, marmottent quelques formules sacrées, puis me saignent et me saignent jusqu'à ce que je blêmisse et tremble. Est-ce bien ainsi que se traite la fièvre quarte ?

Mani s'indigna.

— De quelle médecine s'agit-il là ! Dans quel manuel de sorcellerie enseigne-t-on de telles pratiques !

— Comment le saurais-je ? Kirdir me répète que cette médecine est la seule qui soit conforme à la Loi, et qu'elle seule peut me guérir. Mais je me sens chaque jour plus faible. Ah, Mani, médecin de Babel, toi qui possèdes les secrets des plantes, si tu voulais rester à mes côtés, si tu pouvais me prodiguer tes soins, je me débarrasserais à l'instant de tous ces empoisonneurs.

— Le maître peut-il douter un instant de ma réponse ?

A peine Mani avait-il prononcé ces mots que Shabuhr se redressa, retrouvant soudain toute sa stature impériale. Et l'accent.

— Je savais que je pourrais compter sur ton dévouement. Demain à l'aube je partirai vers le nord à la rencontre des Romains, et tu seras l'unique médecin de ma suite.

Mani comprit à cet instant seulement où le monarque avait voulu l'entraîner. Mais il était trop tard pour se dédire. Il lui fallait faire bonne figure.

— Mon humble médecine n'a-t-elle pas toujours été au service de la dynastie ?

Shabuhr s'était déjà levé, et se dirigeait vers la porte qui menait aux quartiers de ses femmes.

— Que tes paroles sont soumises, Mani, et que tes pensées sont rebelles !

*
**

Si, l'espace d'une audience impériale, Mani s'était efforcé d'oublier sa propre maladie, pour se montrer seulement préoccupé par celle de Shabuhr, il éprouva, dès la sortie, un affaiblissement redoublé, au point qu'il fallut le soutenir, le porter presque jusqu'à la litière, lui qui, quelques minutes plus tôt, soutenait le monarque. Et, lorsqu'il arriva chez Malchos, on dut le porter encore jusqu'à sa chambre, où il dormit d'un sommeil

260

fiévreux et agité, sans avoir dit le moindre mot de son entrevue.

Lorsque le Tyrien vint aux nouvelles le lendemain, la porte de la chambre était entrouverte. Il la poussa lentement d'une main, en frappant timidement de l'autre, tandis que s'offrait à lui une scène qui ne s'effacerait jamais de sa mémoire.

Dénagh était agenouillée, et assise sur ses talons, le dos tourné vers Mani qui, d'une main habituée, lui renouait sa tresse défaite. Malchos en resta sans voix. D'ordinaire, se dit-il, ce sont les jeunes filles qui nouent les tresses des guerriers ; quel est donc ce descendant de guerrier parthe qui s'applique ainsi à nouer la tresse d'une femme ! Cela faisait plus de trente ans qu'ils se connaissaient, et Mani parvenait encore à l'ébahir ! Lorsque Dénagh remarqua sa présence, elle rougit, et lui-même fit un pas en arrière, mais Mani le rappela, l'obligeant presque à s'asseoir et à poser ses questions, auxquelles il répondit tout en poursuivant, comme par bravade, sa curieuse occupation.

— Shabuhr a fini par obtenir de moi par la ruse ce que je lui avais toujours refusé : suivre son armée en campagne. Et de cela, vois-tu, j'ai plus honte que d'être en train de nouer cette tresse.

Malchos ne put s'empêcher de raconter cette scène aux fidèles, qui conçurent désormais à l'endroit de Dénagh et de sa chevelure un respect qui, chez certains, frisait la vénération. Et c'est à force de contempler la tresse jour après jour qu'on découvrit qu'elle avait un langage : lorsque la compagne de Mani était paisible, sereine, elle ramenait, d'instinct, sa tresse vers l'avant, du côté droit ; lorsqu'elle éprouvait de la joie, mais une joie mêlée d'attente, d'impatience, elle la rabattait sur son épaule gauche ; enfin, lorsqu'elle était inquiète, angoissée, malheureuse, sa tresse demeurait à l'arrière.

Durant la période à venir, la tresse de Dénagh ne resterait pas longtemps à la même place.

III

Face à face dans le pays d'Edesse, les deux grands empires se guettaient, les Romains tenant la cité fortifiée, les Sassanides l'assiégeant à distance, sans se résoudre à mener l'assaut, ayant eux-mêmes sur leurs arrières au nord, au sud et à l'ouest, les légionnaires de Valérien. Des légionnaires qui se déplaçaient en permanence, masquant ainsi leurs intentions et leur nombre.

C'était la fin de l'automne, on gelait la nuit si loin de toute mer, si près des montagnes. Les vivres se faisaient rares, les terres alentour étaient arides, ou incendiées, ou déjà moissonnées. Shabuhr sentait monter l'impatience des chevaliers, de temps à autre il suscitait une escarmouche savamment circonscrite. On ramenait au camp un cadavre héroïque et imberbe, autour duquel on s'assemblait pour une fête mortuaire. Le quotidien de la guerre était servi, le minotaure nourri. Demain, s'il le fallait, on le nourrirait de nouveau, et chaque fois que le sang des guerriers serait prêt à déborder. Mais personne ne pouvait contraindre le roi des rois à engager le combat avant la minute mûrement choisie. Pour le moment, il maintenait ses troupes sur les collines en position défensive. Il resserrait l'étau autour d'Edesse. Et attendait.

Qu'attendait-il, au juste ? Même parmi ses proches, nul ne le savait avec certitude. Il est vrai qu'il était monté vers le nord avec les seules troupes disponibles qu'avait rejointes Hormizd à la tête de sa cavalerie arménienne. Sans doute le souverain espérait-il des renforts. Mais rien ne disait que Valérien n'en recevrait pas de son côté, en provenance d'Emèse, de Gaza, de Palmyre ou du Pont. Shabuhr savait tout cela. Il cherchait à en dégager une stratégie, pesant et soupesant les différentes options qui s'offraient à lui. Les rares moments où une lueur d'excitation animait ses yeux, c'était lorsque son chambellan faisait entrer dans sa yourte un officier d'éclaireurs, ou quelque espion déguisé en chevrier d'Osrohène. Avec eux, le souverain pouvait passer de longues heures en tête à tête, décourageant rarement leurs bavardages, les interrogeant avec fébrilité, les honorant même parfois d'un repas à sa table.

Mani n'avait jamais observé Shabuhr en campagne. Lui qui l'avait suivi pour veiller en principe sur sa santé, il le trouvait soudain ragaillardi, rajeuni, ses fièvres évaporées. Le roi des rois donnait à tous l'impression de maîtriser le moindre élément de la situation et de savoir chaque jour avec certitude ce qui se passerait le lendemain. Impression excessive, sans doute, mais c'est ainsi que tous les combattants le voyaient en cet instant, c'est ainsi qu'ils le reconnaissaient comme chef et s'en remettaient à lui pour la vie pour la mort. Mani l'observait donc, non sans admiration. Et bien qu'il rencontrât le souverain à diverses occasions, notamment à la cérémonie du réveil, on le consultait rarement.

Un jour, pourtant, à l'heure habituelle de la sieste, un garde vint le convoquer d'urgence à la yourte impériale. Où se trouvaient déjà rassemblés, autour de

Shabuhr et de ses deux fils Vahram et Hormizd, le commandant de la cavalerie cuirassée, le préposé à l'arsenal, les principaux dignitaires de la Chancellerie, Kirdir, le chef des mages, et au milieu de ce conseil, un Romain, officier de haut rang, centurion ou peut-être même tribun de cohorte, paré de son habit militaire.

Tous les regards étaient rivés sur ce dernier, et les langues demeuraient liées en attendant que fussent révélées son identité et la raison de sa présence. La première idée qui vint à l'esprit de tous, c'est que Valérien avait envoyé un émissaire, pour une sommation, ou quelque proposition de trêve. Mais l'homme n'avait pas pris la posture affectée des ambassadeurs, il se tenait aux côtés des dignitaires sassanides comme s'il était l'un d'eux.

Le roi des rois commença d'ailleurs à parler sans prendre la peine de présenter l'intrus. Et vu la nature des questions qu'il évoquait, l'assistance en fut pétrifiée. Car Shabuhr annonçait le plus tranquillement du monde qu'il avait l'intention d'attaquer les Romains par surprise, cette nuit même, au bris de l'aube, et qu'il avait convoqué les hommes de plus haut rang et de meilleur conseil pour écouter leur avis. Il s'exprimait avec tant de sérénité que personne n'osa demander, même par un signe, qui diable pouvait bien être cet officier romain que le souverain incluait ainsi parmi ses proches et les grands de son Empire, et avec lequel il partageait un si grave secret.

Une fois dévoilée sa décision, le monarque précisa le lieu de l'attaque, un terrain surélevé sur la route de Harran, un endroit que les militaires appelaient « le plateau de la tour de guet » parce que les Romains y avaient construit un échafaudage du haut duquel ils observaient les mouvements des troupes sassanides. Shabuhr précisa encore que la cavalerie cuirassée serait la seule à attaquer, les archers n'ayant pas d'autre rôle que de barrer la route à tout renfort ennemi.

Ayant fourni ces renseignements, le monarque se tourna vers Kirdir :

— Que disent les astres ?

La réponse fut immédiate :

— Cette nuit, et la journée de demain, et toute la semaine à venir, seront fastes pour entreprendre.

— Et les augures ?

— Chaque matin je sacrifie, pour le cas où le maître poserait cette question tant espérée, et aujourd'hui, les augures n'ont jamais été aussi évidents, il semble que toutes les voies s'aplanissent devant les armées d'Ahura-Mazda et de la divine dynastie.

— Et toi, Mani, que t'ont dit ces voix célestes qui te parlent ?

— Je ne les ai pas interrogées.

Sur le visage de Kirdir se manifesta une joie de gamin en voyant son rival ainsi pris en flagrant délit d'indifférence aux affaires de l'Empire. Mais Shabuhr vint au secours de son protégé.

— Si le médecin de Babel a besoin de se retirer quelques moments pour solliciter une réponse, nous l'attendrons.

Ce n'était pas une suggestion et Mani dut s'exécuter sur-le-champ.

Une fois dehors, il repéra un sentier menant vers un arbre solitaire, sous lequel il alla s'asseoir. C'est dans de semblables environnements qu'il parvenait d'habitude à s'extraire des bruissements proches comme du lointain brouhaha, afin d'invoquer celui qu'il appelait son « Jumeau ».

Mais aucun visage n'apparut, ce jour-là. Aucune voix familière.

Depuis leur rencontre initiale, face à face dans l'eau

du canal, au temps de la palmeraie, il y avait maintenant trente ans, son compagnon céleste lui avait constamment répondu. Entre Mani et cet autre lui-même, il pouvait y avoir des crises, des tiraillements, son double pouvait lui dissimuler certaines vérités, jusqu'aux limites de la tromperie et de la mystification. Mais il apparaissait, toujours, sans défaillance, à l'instant où Mani le réclamait.

Jusqu'à ce jour-là, dans le pays d'Edesse.

Privé de son reflet céleste, le Messager eut le sentiment d'avoir lui-même cessé d'exister. Tout lui sembla soudain dérisoire, superflu, il ne se souvenait même plus de la question qu'il était venu poser. Il demeura sur le rocher, immobile, prostré, anéanti. Jusqu'à ce qu'un garde vienne le secouer, le tirer par le bras. Le souverain s'impatientait.

— Alors, médecin de Babel, as-tu la réponse ?

— Non.

Shabuhr attendit la suite. Il n'y avait pas de suite.

— Qu'a répondu la voix céleste ?

— Rien. Elle n'a même pas voulu écouter ma question.

— Nous avons attendu bien longtemps pour si peu !

Malgré l'importance des personnages qui l'entouraient, c'était d'abord à lui-même que Mani parlait.

— Ce silence ! Rien ne m'inquiète plus que ce silence. Un silence d'obscurité et d'infinie colère.

Il n'avait pas ses manières habituelles, il paraissait effrayé, sans doute donnait-il à ceux qui l'observaient l'impression d'avoir eu la vision d'un malheur qu'il n'osait décrire. Shabuhr, jusque-là confiant, fut ébranlé par le désarroi du Messager.

Obéissant à une invite discrète de Kirdir, Vahram tenta de ramener son père à ses dispositions antérieures.

— Les devins et les astrologues ont tous perçu la bénédiction d'Ahura-Mazda pour cette entreprise, le médecin de Babel aurait-il donc un Ciel différent du nôtre ?

Shabuhr ne l'entendit même pas. Soucieux, troublé, il fixait Mani, le contemplait encore et se troublait davantage.

— Crois-tu que nos troupes vont tomber dans quelque piège ?

Mani s'empressa de réagir, guère moins embrouillé :

— Je ne sais rien, je n'ai aucune réponse, le Ciel a refusé de m'écouter, je n'ai aucune certitude, aucun argument, aucune opinion, je n'ai que des appréhensions.

Le Romain, jusque-là silencieux, jugea nécessaire d'intervenir. Dans un grec châtié.

— Si le divin maître redoute quelque piège, j'en réponds sur ma vie. Je resterai ici pendant que l'attaque se déroulera, et qu'au moindre soupçon de traîtrise de ma part ma tête soit le prix.

Joignant le geste, il prit sa tête casquée entre les mains et la tendit vers le souverain comme une cruche. Le geste était grotesque, bouffon, mais qui donc était d'humeur à sourire ? Shabuhr avait posé ses mains sur ses épaules, coudes croisés, et pendant qu'il s'interrogeait ainsi et évaluait et hésitait, tous autour de lui demeuraient recueillis, la respiration sourde. Enfin la décision tomba :

— Notre attaque ne sera pas reportée. Que soient déployés les étendards couleur de feu, mais sur des piques plantées au ras du sol. Il ne faut pas que l'ennemi puisse les voir de loin.

L'officier romain fut à nouveau l'objet de quelques regards inquiets. Mais Shabuhr les ignora. S'adressant à Hormizd, il dit :

— Toi qui as tant d'amitié pour le médecin de Babel, toi qui partages si souvent ses avis, n'es-tu pas troublé par ses inquiétudes ?

— Elles me rendront plus vigilant, mais non moins audacieux. Je me battrai comme je l'ai toujours fait, comme mon divin père m'a appris à le faire.

Shabuhr eut plusieurs mouvements de tête, très lents, comme s'il réfléchissait encore tout en admettant les arguments de son fils cadet.

— Demain, ton audace te sera plus utile que ta vigilance, car c'est toi qui conduiras la première charge. Tu reviendras triomphant ou martyr. Fais distribuer à tous tes soldats une double ration de pain, de lait et de viande, puis rassemble les chevaliers de haut rang, j'ai à leur parler. Quant à toi, Vahram, mon fils aîné, tu occuperas mon siège sur l'estrade impériale pour présider au décompte des hommes.

Ainsi que l'exigeait le rituel des combats, les guerriers sassanides défilèrent devant le représentant du souverain en jetant, l'un après l'autre, une flèche dans d'immenses paniers en osier, aussitôt refermés et scellés. Après le combat, ils seraient ouverts, dans un cérémonial comparable, chaque soldat venant ramasser une flèche, permettant ainsi au monarque de connaître avec précision le nombre de ses hommes tués ou capturés.

Les pertes ne furent pas lourdes au combat d'Edesse. On s'attendait à un affrontement titanesque entre les deux grands empires du siècle, entre les deux armées les plus redoutées, entre deux hommes d'exception. Shabuhr n'était-il pas le vrai bâtisseur de l'Empire sassanide, le maître de toutes les terres qui s'étendaient du désert d'Arabie jusqu'à l'Inde ? Valérien n'était-il pas l'unificateur providentiel des Romains, le sauveur qui devait conjurer la décadence, renouer avec l'époque glorieuse des conquêtes et de la prospérité ? Tout se résolut en un coup de main hardi, minutieux et chanceux : lorsque la cavalerie cuirassée menée par Hormizd fondit sur le camp romain situé sur la route de Harran, l'une de ses premières proies fut Valérien en personne, cueilli dans sa tente avec son préfet du prétoire, son trésor de campagne, la fleur de son état-major, ainsi qu'un certain nombre de sénateurs qui s'étaient joints à sa suite. Dépouillée de ses chefs, l'armée romaine était vaincue avant même d'avoir combattu et, lorsque quelques cohortes, quelques centuries accoururent, elles furent taillées en pièces l'une après l'autre à mesure qu'elles se présentaient ; le reste préféra franchir l'Euphrate au plus vite pour échapper au désastre.

Shabuhr fit graver dans le roc, par les mots et l'image, le souvenir de son triomphe. Le texte se plaît à préciser que les troupes du César Valérien venaient « de Germanie, de Rhétie, de Norique, d'Istrie... » et aussi de « Phrygie, de Phénicie, de Judée, d'Arabie, une force de soixante-dix mille hommes » que le roi des rois avait taillée en pièces. Un bas-relief représente Shabuhr à cheval, la main gauche sur la poignée d'un glaive encore dans son fourreau, le bras droit étendu en signe de clémence vers Valérien, représenté à genoux, implorant, vêtu du manteau romain et la tête encore ceinte d'une couronne de laurier.

A côté du César vaincu, un autre Romain, debout, l'allure fière, bien que soumis au roi des rois. Il s'agit de l'officier transfuge, un nommé Cyriadès. Il a bien mérité de figurer sur la stèle du triomphe, puisqu'on devait à son concours d'avoir cerné Valérien et remporté une aussi facile victoire.

En échange de sa précieuse trahison, il avait

demandé à être reconnu par Shabuhr comme nouvel empereur de Rome. Promesse tenue, on l'introduisa très solennellement à Edesse dès que la ville eut capitulé. Et lorsque, dans la foulée de sa victoire, Shabuhr envahit une troisième fois les provinces romaines d'Orient, il chercha à lui gagner l'allégeance des autorités locales. Peine perdue, Cyriadès ne parvint jamais à se faire accepter. Dès que les troupes sassanides refluèrent, quelques mois plus tard, il se retira prudemment avec elles.

Il devait poursuivre sa carrière dans une villa de Ctésiphon, entouré d'une cour de pacotille. Avant de tomber dans les oubliettes de l'Histoire.

Valérien lui aussi terminerait sa vie en terre sassanide. Shabuhr aurait voulu monnayer chèrement sa libération, d'autant que le pouvoir à Rome était détenu par le propre fils de l'empereur captif, Gallien. Mais celui-ci refusa toute négociation, affirmant qu'il ne se prêterait à aucun marchandage, qu'il ne consentirait jamais à céder une province ou à vider les caisses de l'Empire pour payer la rançon d'un homme, fût-il son propre géniteur. Ce qu'il présenta aux sénateurs comme le comble de l'abnégation fut toutefois interprété par la plupart des Romains comme un odieux lâchage, presque comme un parricide.

Lorsque Shabuhr eut désespéré de tirer profit de sa capture, il fit transférer Valérien en Perside avec le reste des prisonniers, sans égards particuliers mais sans cruauté excessive. C'est là que l'empereur déchu allait passer les dernières saisons de sa vie, mieux disposé, semble-t-il, envers son vainqueur qu'envers son fils indigne.

Le roi des rois lui confia la construction d'un barrage sur le fleuve Karoun, non loin de Beth-Labat, avec pour main-d'œuvre les légionnaires appréhendés en sa compagnie. Il s'y attela avec rigueur et dévouement. Dix-sept siècles plus tard, cet ouvrage est encore debout. Il porte le nom de Band-é-Kaïsar, la Digue de César.

*
**

L'autre perdant de la bataille d'Edesse fut Mani.

Shabuhr lui avait tendu sa chance ultime, il ne l'avait pas saisie. Lorsqu'il avait fallu dire au monarque que la fortune était de son bord, que la victoire lui était promise et qu'il pouvait sans crainte donner l'ordre d'assaut, la voix prophétique en lui avait choisi de se taire. Il y avait des complaisances qu'il ne s'accordait pas, même par le biais commode des astres et des augures. N'est-ce pas lui qui enseignait aux disciples : « Sois traître à l'Empire, s'il le faut, et rebelle aux décrets du Ciel, mais fidèle à toi-même, à la Lumière qui est en toi, parcelle de sagesse et de divinité. »

Les idéaux meurent pourtant de n'avoir pas été bafoués, c'est par les pudiques compromissions des maîtres, c'est par la trahison des disciples que les doctrines survivent et prospèrent au milieu du monde et de ses princes.

Chaque religion aura eu ses légions. Pas celle de Mani. S'était-il trompé d'âge ? Se serait-il trompé de planète ?

IV

Plus encore que le titre de conquérant, les grands rois sassanides convoitaient celui de bâtisseur, soucieux d'imiter en cela, comme en tant d'autres actes, l'exemple immortel d'Alexandre. N'avait-il pas semé en terre antique d'innombrables « Alexandries » ? Shabuhr aurait voulu perpétuer sa gloire de la même manière, emplissant les contrées soumises de cités homonymes, toutes à lui dédiées. Remportait-il quelque victoire, il tenait à la commémorer sur-le-champ en posant dans l'herbe fraîchement dévastée la première pierre d'une cité qu'il baptisait « Triomphe-de-Shabuhr », « Honneur-à-Shabuhr », ou encore « Vaillant-Shabuhr ». A qui voulait s'y établir il prodiguait titres, privilèges et exemptions, et s'il lui arrivait de repasser par l'endroit un ou deux ans plus tard, il enrageait de voir « sa » ville trop lente à s'agrandir, comme si l'auguste nom dont il l'avait gratifiée était un gage d'immédiate prospérité.

Cependant, à chaque campagne succédait une autre. Les victoires se suivaient. Comme autant de maîtresses, chacune prenait ombrage des splendeurs de celle qui l'avait précédée. Sitôt fondées, sitôt délaissées, bien des villes promises à la pérennité redevenaient vergers ou pâturages. Tout juste marquées d'une stèle, elles attendraient dans le temps immobile la pelle savante de quelque archéologue.

Tel fut le sort de la métropole nouvelle projetée au voisinage d'Edesse, à l'endroit même où Valérien fut pris.

Au lendemain du combat, une cérémonie eut lieu pour consacrer le site. Avec, pour invité fétiche, le César captif en personne, attaché à un poteau, hébété, grelottant, ignorant encore l'épilogue de son destin, redoutant peut-être que la cérémonie ne prélude à son immolation. Une chaîne argentée s'enroulait autour de son cou avant d'aller se perdre sous l'estrade où trônait Shabuhr.

Venus en procession, les mages officiaient. Fumées, danses, psalmodies avestiques pour les oreilles initiées, murmures incantatoires pour dompter les profanes, chaque souffle était inscrit dans les tablettes des précurseurs. L'assistance se laissait envoûter.

Ce fut à Kirdir, le premier des mages, qu'il revint de prononcer le sermon. Il rendit grâces à Ahura-Mazda pour avoir accordé la victoire à ses adorateurs, et au premier d'entre eux, au plus noble, au plus pieux, au plus avisé.

— Gloire à l'être divin qui a conduit notre race vers ce triomphe et avili les infidèles !

— Gloire ! hurlaient toutes les poitrines.

— Qu'il soit éternel, celui qui s'est élevé par cette victoire au rang des plus majestueux souverains du passé !

— Qu'il soit éternel !

Le monarque était radieux, hautain, confiant d'avoir mérité ce triomphe et ces ovations.

Cependant l'homélie était devenue harangue.

— Quelle victoire aurions-nous remportée si, au Ciel

ne plaise, le divin maître de l'Empire, plutôt que d'écouter les voix sages de la Religion Vraie, avait prêté l'oreille aux bavardages des hérétiques, des renégats et des traîtres ? Bénie soit l'oreille qui sait distinguer en toutes choses le vrai du faux !

— Bénie !

Les yeux de Mani cherchèrent ceux de son protecteur, lui seul pouvait, d'un geste, ou d'une simple moue agacée, imposer silence à Kirdir. Mais les yeux de Shabuhr étaient rivés sur le mage, il semblait pour une fois l'écouter sans déplaisir.

Encouragé, le prédicateur s'acharna :

— Maudite soit la bouche venimeuse qui a tenté de semer le trouble dans les esprits nobles au moment de la décision suprême.

— Maudite !

Il n'y avait toujours pas un signe d'irritation sur les traits du monarque. Que le fils de Babel regardait maintenant droit en face, avec un reste d'imploration et un commencement de révolte. Comme à l'heure de la mort défilent les souvenirs, tant d'images de leur amitié défilaient dans son esprit, confessions, promesses, confidences, un monde à bâtir ensemble, ensemble contre les mages. Et maintenant ce silence. Et ces yeux qui désertaient.

— Damné soit le traître hérétique, ennemi de la dynastie et de la Religion Vraie !

— Damné !

— Que soient anéanties les bêtes malfaisantes qui rampent sous les pieds des êtres divins !

Soudain retentit une voix, un grondement :

— Mage de Médie, devrai-je te faire avaler ton *padham* pour ne plus entendre tes imprécations ?

Ce n'était pas Shabuhr qui avait parlé. Encore moins

Mani, ce langage n'était pas le sien. Kirdir arrêta subitement de pérorer. Son regard errait.

— Ne cherche pas à gauche et à droite, dit la voix, c'est moi, Hormizd, qui t'ai fait taire ! Et hier, à l'aube, c'est moi, Hormizd, fils du divin Shabuhr, qui me suis battu. Cette victoire dont tu te gargarises, c'est moi qui l'ai remportée, ce sont mes chevaliers, mes compagnons d'armes, qui sont morts en martyrs. Et toi, tu te sers de leur sang pour assouvir tes vengeances mesquines. C'est ainsi que vous êtes, mages de Médie, comme les oiseaux charognards vous attendez que les guerriers soient exposés sur les tours mortuaires pour vous repaître de leurs cadavres. Comment oses-tu offenser les oreilles de notre maître par ces paroles infâmes à l'égard d'un homme qu'il a pris sous sa divine protection ?

C'était maintenant au tour de Kirdir d'implorer du regard une réaction de Shabuhr. Qui se décida enfin à intervenir. Sur un signe de lui, le préposé au rideau se pencha, écouta. Puis se redressa pour communiquer les phrases du souverain.

— L'heure n'est pas aux querelles mais aux célébrations. Nous avons remporté une victoire que nos fils évoqueront avec orgueil jusqu'à la trente-troisième génération. Le maître ordonne que l'on festoie durant dix jours dans l'armée et dans tout l'Empire. Que chacun oublie les vaines rivalités, et toute parole blessante qui a pu être proférée en un moment d'abandon. Notre maître s'est montré clément envers chacun de vous en ce jour de bonheur, mais que vos langues ne se hasardent plus à offenser ses oreilles.

La cour entière avait la face contre terre. Seul Valérien était debout, debout dans ses chaînes.

Que Mani ait failli le priver de la plus belle victoire de son règne, Shabuhr ne le lui pardonna pas. Comme Mani ne pardonna pas à Shabuhr son mutisme face aux invectives de Kirdir. Entre eux, l'amitié était rompue. Sans doute était-elle contre nature, sans doute n'avait-elle jamais été exempte de calculs. Il serait néanmoins abusif de penser que le roi des rois était constamment demeuré insensible aux idéaux du fils de Babel. Convergence d'intérêts ? Mais aussi rencontre d'espérances. Et une affection vraie.

Il devait d'ailleurs en rester quelques traces. En dépit de la rupture, le souverain ne retira pas sa protection à Mani et aux siens. Lorsqu'un Elu était condamné après un bref procès d'hérésie ou d'apostasie devant un tribunal de mages, lorsque des fidèles étaient chassés d'une ville et leurs demeures incendiées, ce qui arrivait de plus en plus fréquemment, le fils de Babel chargeait l'un de ses proches d'effectuer une démarche pressante à la chancellerie ou auprès du *darbadh* qui dirigeait la maison impériale. Aussitôt que le message lui parvenait, le roi des rois rappelait en public son édit de protection. Alors la répression s'apaisait. Avant de reprendre, sous d'autres formes, dans d'autres contrées de l'Empire. Nul doute que le souverain aurait pu sévir plus fermement, par quelque châtiment exemplaire, comme celui infligé jadis à son fils Vahram, et mettre ainsi un terme aux persécutions au lieu de se contenter de les tempérer. Mais sa fougue protectrice s'était attiédie, la faute devant en être attribuée à la vieillesse autant qu'au ressentiment.

Mani lui-même ne se rendait plus au palais. Il séjournait d'ailleurs rarement à Ctésiphon. Il avait repris ses périples de Messager à travers l'Empire. Il était souvent en Arménie où Hormizd gardait pour lui les mêmes attentions filiales. Au roi des rois le fils de Babel ne demanda plus jamais audience. Et Shabuhr ne le convoqua plus.

A une exception, toutefois. Onze ans étaient passés. Mani se trouvait à Suse lorsqu'un émissaire vint l'appeler auprès du monarque qui prenait ses quartiers d'hiver dans sa résidence de Beth-Lapat.

Ce ne fut pas sans nostalgie que Mani retrouva la ville par laquelle il avait entamé autrefois son périple dans l'Empire sassanide. La bourgade portait alors son vieux nom biblique et sa dérisoire enceinte en boue séchée qu'il fallait raffermir après chaque pluie. Hors les murs s'étendaient à perte de vue les champs de pistachiers qui faisaient sa modeste richesse. Les projets du maître de l'Empire n'étaient guère plus qu'une rumeur, les habitants la colportaient avec ravissement et orgueil, sans trop oser croire à pareille bénédiction.

Quand le fils de Babel s'y rendit à nouveau, le site était méconnaissable. De la vieille bourgade que restait-il ? Un taillis de briques ébréchées et brunies, ramassé sur lui-même, rongé par tous les bouts, éventré. Tout autour, un chantier sans fin, des palais, des ménageries, des pyrées, des avenues pavées, bordées d'arbrisseaux chétifs, des cantonnements pour la troupe, l'ensemble ceint d'une muraille à tours crénelées, neuve et blanchie comme pour une parade.

La ville se nommait désormais Gundeshabuhr. C'était en tout cas la désignation officielle, les indigènes répugnant à l'appeler ainsi. Pour eux, leur cité serait toujours Beth-Lapat. Quant à la ville neuve, où ils ne s'aventuraient que par nécessité, ils l'appelaient « Bil », du nom de l'architecte qui l'avait conçue. Appellation ricanante et frondeuse que nul n'aurait osé répéter aux oreilles du roi des rois.

278

Si la fierté accueillante des gens de Beth-Lapat s'était muée en hostilité, c'est que leur terroir était désormais abondamment piétiné par deux engeances de prédateurs. Les soldats d'abord — comment élever famille, comment mener commerce honnête au voisinage de baraquements qui dégorgeaient chaque soir dans les rues leurs cohortes de soûlards ? Et puis les grands du royaume — à peine le souverain avait-il dévoilé ses désirs concernant la ville, les princes, les ministres, les secrétaires, les grands eunuques, les doyens des castes avaient déferlé, s'appropriant à vil prix les meilleures terres. La capitale se trouvait où se trouvait le souverain, les courtisans suivaient, avec leur bourdonnement, leurs intrigues, leurs préséances.

Le palais commandé par Shabuhr fut achevé en vingt mois. Il est vrai que des milliers de prisonniers étaient affectés au chantier, des manœuvres, mais aussi d'habiles artisans, maîtres maçons, maîtres carreleurs, ébénistes, graveurs, tapissiers, capturés pour la plupart à Nisibe, Hatra et Singare, comme dans d'autres cités marchandes, au cours des diverses campagnes menées par les troupes sassanides aux confins de l'Empire romain. Grâce à ces bâtisseurs requis par la force et cependant consciencieux, le palais se comparait sans honte à celui de Ctésiphon. Peut-être la salle du trône était-elle moins haute de voûte. Mais plus délicatement ornementée, et les fentes par où passait la lumière un prodige de finesse et d'habileté, distillant à chaque heure de la journée les rayons les plus éclatants, avivant toutes les couleurs sans pourtant éblouir, illuminant sans chauffer, laissant planer en permanence une brise bruissante et fraîche.

Avant de se rendre au palais, Mani commença par visiter dans la vieille ville le lieu de culte où se rassemblaient maintenant ses fidèles. Les murs avaient été peints par des artistes locaux à la manière du Messager dont l'art, déjà, faisait école. Et dans l'abside, en guise d'autels, trois livres sur des lutrins, ouverts comme des paumes de mains vers le ciel. Dès qu'il eut terminé prières et sermon, les gens s'empressèrent de lui présenter leur chapelet de doléances afin qu'il les portât à l'attention du souverain. Mani compatit avec un soupir d'impuissance. « L'amour des rois n'est guère moins dévastateur que leur haine, murmura-t-il. Heureuse l'eau que nul ne boit ! Bienheureux l'arbre qui fleurit loin des routes, mais comment saurait-il son bonheur ? »

Le monarque reçut Mani dans une pièce à la porte basse, réplique fidèle de celle où ils s'étaient vus pour la première fois en tête à tête. Il avait une couverture de laine sur les genoux. Ses cheveux longs bouclés et sa barbe avaient le teint rouge cigale des vieillesses déguisées. Ses premiers mots dégageaient une solennité plus conforme au langage des scribes qu'à celui du roi des rois, peut-être était-ce sa façon de masquer l'émotion des retrouvailles.

— Notre coutume, depuis les temps anciens, veut que chaque souverain fasse faire son portrait par le plus habile des peintres de son règne. On me dit que c'est toi, médecin de Babel. Aurais-tu encore la main ferme ?

— Ma main demeure obéissante.

— J'ai fait porter ici le livre qui réunit les images de mes prédécesseurs afin que tu voies de quelle manière tu dois t'y prendre.

— J'ai ma propre manière de peindre.

— Je croyais avoir entendu que ta main était obéissante ?

— Ma tête dessine et ma main obéit. N'importe quel

peintre saurait imiter la façon des anciens, mais on ne distinguerait alors un souverain d'un autre que par la taille de la barbe ou de la couronne. Si le maître désire que je le peigne tel qu'il est, pour qu'on reconnaisse à jamais les traits qui sont les siens, et la valeur qui se dissimule sous ces traits, je le peindrai à ma manière.

— Fais comme tu voudras ! Ai-je besoin de poser, ou bien as-tu encore mes traits en mémoire ?

— Ma mémoire a gardé des images, mais ce ne sont pas celles que mes yeux voient.

— Peut-être aurait-il mieux valu que tu me représentes selon les images du souvenir, mais telle n'est pas la tradition de mes divins ancêtres. Je poserai.

Ainsi, pendant sept jours, et deux heures par jour, Shabuhr posa en habit d'apparat. Immobile. Et muet. Mani non plus ne dit mot. Son œuvre terminée, il la montra au souverain qui eut un sourire de dépit.

— Hélas, c'est bien ainsi que je suis à présent.

A cette étape du parcours de Mani, une parenthèse doit être ouverte. Enigmatique en elle-même, mais peut-être la clé d'une énigme ancienne.

Il était une fois une reine, n'est-ce pas ainsi que se content les légendes ? Belle, riche, lettrée, ambitieuse jusqu'aux cimes et dotée d'une puissante intelligence, mais rongée par un mal qu'aucun remède ne parvenait à soigner. Elle s'en plaignit un jour à sa sœur qui lui rapporta les dires des caravaniers sur les prodiges d'un médecin du pays de Babel. La reine exprima son désir ardent de le rencontrer, et la nuit même, dans son sommeil, elle vit son image et entendit sa voix. Au réveil, elle était guérie. Et convertie.

Telle est l'histoire consignée dans les écrits mani-chéens. Mille miracles similaires émaillent le parcours des prophètes, ce sont souvent les mêmes récits qui se colportent sur divers personnages, comme si les mythes appartenaient à un fonds commun où l'on puise d'un siècle à l'autre, d'un peuple à l'autre, d'une croyance à l'autre. Mais on y trouve parfois un grain de réalité, le reflet embelli d'un événement vrai.

On sait aujourd'hui que la reine s'appelait Zénobie, que son royaume était Palmyre, qu'elle embrassa la foi de Mani et entreprit de la diffuser vers l'Egypte, et bien au-delà. Saura-t-on jamais à la faveur de quelle rencontre? Quoi qu'il en soit, d'autres mystères se sont dissipés. Ainsi, on s'était longtemps demandé quelles pouvaient être les croyances de la grande dame du désert, elle qui accueillait dans sa cour les philosophes, les juifs, les Nazaréens, et laissait honorer dans les temples de sa capitale les divinités de toutes les nations. Ce souffle de tolérance était celui de Mani.

Palmyre était en son siècle bien plus qu'une riche cité caravanière. Elle ambitionnait de devenir la métropole universelle et, l'espace d'une décennie, elle faillit éclipser et Rome et Ctésiphon. En la personne de Zénobie, c'était donc la rivale commune des empereurs d'Orient et d'Occident que Mani avait gagnée à sa cause. Reine libre d'une cité libre, elle devait subir, en fin d'itinéraire, la loi des deux colosses.

Mais son nom est resté, plus lumineux que celui des vainqueurs.

Quelques semaines séparèrent la chute de Zénobie de la disparition de Shabuhr. Si Mani avait jamais eu à choisir entre deux loyautés, le dilemme était clos.

C'était en 272. Le fils de Babel avait alors cinquante-six ans. Eprouvé? Frêle? Meurtri? Sa fougue était intacte.

V

Quand les hérauts vinrent crier par les rues de Ctésiphon qu'aucun habitant ne devait recourir à la médecine dans les jours à venir afin que le Ciel ne soit pas sollicité pour d'autres guérisons que celle du roi des rois, et que la Grâce ne soit pas dispersée, on comprit que Shabuhr se mourait.

Le lendemain, le deuil était proclamé. Solennel et révérencieux, mais sans larmes ni lamentations, sans tristesse apparente. Pleurer un mort, selon l'Avesta, c'est douter du Salut, c'est la plus vulgaire expression d'incroyance. Les gens pieux s'imposaient même d'afficher leur joie puisque le souverain, en tant qu'être divin, aurait dans l'Au-delà plus de privilèges qu'en ce monde. Le monarque gisait encore tout près du trône, dans une épaisse fumée de genièvre que l'on dit agréable aux narines des morts. Avant le soir il serait conduit au sommet d'une tour de brique et livré aux oiseaux de proie, le sol ne devant jamais subir la souillure d'un corps décomposé. Quand les os du défunt maître de l'Empire auraient été dépouillés et blanchis, les mages les déposeraient dans l'urne qui faisait office de cercueil.

Avant même que le souverain n'ait quitté une dernière fois son palais, trois hommes se réunirent dans une pièce attenante à la salle du trône. Ils représentaient les trois castes qui s'occupaient des affaires de l'Etat, les mages, les guerriers et les scribes. A chacun le souverain avait remis en main propre une lettre scellée où il exprimait ses volontés quant à la dévolution du trône. Trois documents que l'on devait supposer identiques et dupliqués à la seule fin d'éviter les falsifications.

Le message demeurait jusqu'au dernier instant un mystère. Car si sa formulation se conformait toujours à certaines conventions de style, le contenu obéissait aux seuls désirs du souverain. Qui pouvait se borner à énumérer les qualités requises chez son successeur, « droiture », « vaillance », « piété », sans nommer personne ; les dirigeants des castes se muaient alors en électeurs pour choisir le membre de la dynastie qu'ils jugeaient le plus conforme à ces vagues exigences ; s'ils ne parvenaient pas à s'accorder, le chef des mages avait le dernier mot, « après consultation des anges ». Telle était la tradition consignée dans les écrits saints et confirmée par le fondateur de l'Empire.

S'agissant de Shabuhr, on se serait attendu à ce qu'il désignât son successeur de son vivant et l'associât même au pouvoir, comme Ardéshir avait agi avec lui. Il ne l'avait pas fait. Sans doute parce qu'il avait gardé un souvenir amer de cette époque où une aversion sournoise s'était installée entre son père et lui ; à peine l'avait-il nommé, Ardéshir s'était mis à le haïr, comme s'il lisait dans son regard sa propre mort. Et l'on peut imaginer que Shabuhr avait craint de vivre la même expérience avec son propre héritier.

Peut-être aussi avait-il hésité jusqu'au bout sur la personne à désigner. Ne disait-on pas qu'il avait convoqué, lors de sa dernière maladie, les trois futurs électeurs pour leur reprendre les messages qu'il leur avait confiés quelques années auparavant, et les remplacer par d'autres, plus conformes à ses récents changements de cœur ?

Dans la salle du trône, la tenture fut ramenée pour cacher la couronne suspendue. A l'endroit où se prosternaient d'habitude les visiteurs, un socle funéraire fut élevé en pente afin que la tête du souverain mort restât haute. Tout autour se tenaient les mages fumigateurs et prieurs. Et, à leurs places coutumières, les gens de la cour. La vraie foule était dehors, dans les jardins du palais et près de la grille. Le peuple citadin contemplait l'agitation feutrée des puissants, s'amusant à deviner le nom de son futur maître.

La salle des conciliabules s'ouvrit enfin. Les trois dignitaires sortirent dans l'ordre qui convenait à leur rang, d'abord le grand mage Kirdir, puis le doyen des guerriers, ensuite le chef des scribes. Chacun portant sur les paumes de ses mains ouvertes un cylindre de parchemin descellé. Qu'ils déroulèrent à l'unisson, mais seul Kirdir le lut à voix haute, ses partenaires se contentant de vérifier leur copie des yeux.

— « Moi, l'adorateur d'Ahura-Mazda, Shabuhr, roi des rois de l'Iran et du Non-Iran, fils du divin Ardéshir, j'ai conquis plus de contrées que je ne puis nommer et servi la divinité avec dévouement. Veuille le Ciel que mon souvenir demeure.

« En cette heure où je m'apprête à rejoindre la réplique céleste de mon Empire, aux côtés de mes glorieux prédécesseurs, j'ai choisi de confier le sceptre et la couronne au plus méritant des membres de la dynastie, mon fils bien-aimé... »

Le mage s'éclaircit la gorge, et le silence, déjà total, n'en fut que plus résonnant.

— « ... mon fils bien-aimé, le divin Hormizd, grand

287

roi d'Arménie, puisse-t-il acquérir le même renom de vaillance... »

Les derniers mots se perdirent dans le vacarme des acclamations. Les courtisans n'eurent d'yeux que pour la travée des princes, d'abord le nouveau souverain, qui, d'instinct, fit deux pas hors du rang. Puis son frère aîné Vahram, qui s'appuya sur l'épaule la plus proche. Un bref regard s'échangea entre lui et Kirdir qui ébaucha un rictus d'impuissance.

Mani lui aussi fut sur le point de défaillir, pour de tout autres raisons. Jusqu'à cet instant, il était persuadé, comme l'ensemble des sujets de l'Empire, que le Trône reviendrait à Vahram, qui s'était récemment rapproché de son père et qui bénéficiait du soutien des mages, alors que Hormizd vivait en semi-disgrâce dans son lointain royaume d'Arménie, en si mauvais termes avec le roi des rois qu'il n'aurait même pas songé à venir le voir s'il n'avait su qu'il était mourant.

Ce matin-là encore, en apprenant la disparition du vieux souverain, Mani avait eu l'impression que le monde autour de lui s'assombrissait. Les persécutions s'étaient intensifiées au cours des semaines précédentes, y compris dans la capitale, à la faveur de la maladie de Shabuhr qui était demeuré, face aux zélateurs, le dernier rempart, peu empressé mais toujours loyal à sa promesse de protection.

Avant de se rendre au palais, le fils de Babel avait fait part de ses inquiétudes à son « Jumeau » céleste qui n'avait guère cherché à le rassurer. « Si la fin est proche, lui avait-il dit, il faut s'y résigner, et préparer tes disciples à l'affronter. Est-ce pour tes seuls contemporains que tu as écrit et peint et enseigné ? »

Et voilà que le cauchemar se dissipait, voilà que l'espoir renaissait, grâce à des mots sortis, ô paradoxe, de la propre bouche de Kirdir : « ... mon fils bien-aimé, le divin Hormizd... »

Le mage dépité poursuivit d'ailleurs son office, sans entorse au rituel consacré.

— Les anges ont agréé pour souverain le divin Hormizd, fils du divin Shabuhr. Soumettez-vous à lui, créatures, et réjouissons-nous !

Il fit signe au prince élu de s'approcher, lui saisit la main en l'interrogeant à voix haute :

— Acceptes-tu du Très-Haut la religion de Zoroastre, qu'a affermie Vishtasp et qu'Ardéshir a ranimée ?

— Je servirai la divinité et ferai le bien de mes sujets.

Le nouveau souverain fut porté jusqu'au trône, une cérémonie hâtive, sans grande pompe, seulement destinée à écourter la vacance du pouvoir. La véritable solennité aurait lieu au jour du couronnement, bien plus tard, et ailleurs. La coutume exigeait qu'il se déroulât à la prochaine fête du Norouze, commencement de l'année nouvelle. Loin de Ctésiphon, sur un site consacré en Perside, berceau de la dynastie sassanide.

Pour Hormizd, cependant, le pouvoir était déjà acquis. Ses sujets se précipitèrent à ses pieds. Vahram lui-même s'obligea à se prosterner, et son frère l'invita à gravir les marches du trône pour le serrer contre lui sous les ovations. Dans la bousculade des félicités courtisanes, Mani ne bougeait pas. Ailleurs, ses fidèles et tous ceux qui participaient du même espoir auraient pourtant envie de se réjouir, de chanter et de célébrer ; Dénagh, pour qui le nouveau souverain était un second père, rabattrait vers l'avant, sur son épaule gauche, sa tresse parsemée de longs fils argentés... Ici même au palais, parmi les dignitaires de l'Empire, le bonheur des amis du Messager avait des accents distincts.

Hormizd en personne, émergeant du tourbillon,

chercha des yeux celui qu'il appelait en privé « Maître ». Il le fixa un moment, s'évertua à lui faire
discrètement signe, mais le fils de Babel ne regardait
qu'en lui-même. Soucieux, en cette minute de bonheur,
et comme torturé.

Ses pas le conduisirent vers la dépouille de Shabuhr,
dont chacun s'était détourné à l'exception des fumigateurs. Il aurait voulu découvrir dans les traits figés de
celui dont il avait été si proche la clé du mystère qui se
déroulait sous ses yeux. Il s'attarda dans cette contemplation, sourd à tout, absent. Puis, sans un regard pour
le nouveau roi des rois, il se faufila vers la sortie.

Le préposé au rideau le rattrapa en haletant à
l'extrémité du vestibule d'attente. Le souverain désirait
le recevoir, demain, au lever du soleil.

— Aurais-je déjà perdu le maître et l'ami ? lança
Hormizd en l'accueillant. Hier, on aurait dit que la face
d'onagre de Kirdir était plus réjouie que la tienne, et
mon frère Vahram moins désolé. Aurais-tu donc peur
de toutes les victoires ? Serais-tu méfiant envers tous les
bonheurs ?

Mani se montra contrit. Et il l'était, car depuis leur
première rencontre sur les rives de l'Indus, une tren-
taine d'années plus tôt, Hormizd n'avait jamais eu pour
lui autre chose que la plus droite affection, dût-il se
brouiller à cause de lui avec la terre entière.

— Mon attitude ne s'explique que par l'extrême
surprise. A moi, à Dénagh, à tous les miens, comme à
l'ensemble de l'Empire, le Ciel a fait un cadeau. Nous
redoutions le règne de la persécution, nous obtenons
celui de la générosité. N'y a-t-il pas là de quoi nous
étourdir de bonheur ?

— Ton Compagnon céleste ne t'avait donc pas
averti !

290

— Il ne m'avait rien laissé espérer.

— Sans doute ne voulait-il pas t'enlever la joie de la surprise.

Bien qu'il eût dépassé la cinquantaine, Hormizd avait dans les yeux une candeur d'enfant qui suscitait chez le fils de Babel une immense tendresse.

— Maintenant que ta surprise est passée tu peux bien me témoigner ton bonheur !

— Le maître de l'Empire peut-il en douter ?

Hormizd promena ostensiblement son regard autour de la pièce vide.

— Est-ce à moi que tu parles ainsi, Mani ? Le maître de l'Empire ! Dans les séances publiques, il est convenable que tu t'adresses à moi par ces mots, mais lorsque nous sommes seuls, je t'ordonne, en tant que maître de l'Empire, de me parler comme tu l'as toujours fait. Par tous les Cieux, cherches-tu vraiment à t'éloigner de moi au moment où j'ai le plus besoin de ta présence, de ton amitié et de tes conseils ? Mon père avait raison de t'appeler déserteur, c'est bien ce que tu es. Mais je n'aurai pas autant de patience que lui, ni la même maîtrise de moi-même. Je veux que tu me dises à cet instant, sur ton honneur, et au nom de Celui qui t'a fait Messager, si tu vas être ou non, jusqu'au dernier balbutiement de ta vie, l'ami, le soutien, l'inspiration, la Lumière de mon règne. Réponds-moi, ou alors disparais pour toujours, et que je n'entende plus jamais ton nom ni celui de tes proches !

— Hormizd, tu es l'ami qui m'a défendu contre l'injustice du monde. Même si ta main me frappait à mort, je ne la maudirais pas.

— Te frapper ? Ma main ?

Le roi des rois avait les yeux embués.

Il prit la main de Mani et la porta à ses lèvres, comme

il l'avait déjà fait quelquefois dans le passé. Mais alors il n'était pas roi des rois !

— Ton compagnon céleste t'aurait-il dit de te méfier de moi ?

— Non, Hormizd, s'il avait seulement mentionné ton nom mes inquiétudes seraient apaisées.

— Le sont-elles à présent ?

— De toi, je n'ai jamais douté.

— Le temps du doute est passé, Mani. Et aussi le temps de l'indécision. Nous avons à bâtir ensemble. Dès ce soir, je ferai annoncer par la voix des hérauts que le roi des rois adhère à la foi de Mani.

— Non, Hormizd ! C'est ainsi que nous avions fait fausse route, ton père et moi. J'ai trop attendu de lui, il a trop attendu de moi. Telle n'est pas la voie raisonnable. Un jour, tu voudras me faire prendre des décisions de roi, je voudrai te faire adopter des scrupules de Messager. Et l'amertume s'installera, nous deviendrons étrangers l'un à l'autre, peut-être ennemis. Sans l'avoir jamais souhaité, tu te retrouveras en train de tuer celui que tu aimes. Puis tu me pleureras avec des larmes sincères. Non, Hormizd, ne me pousse pas à commettre deux fois la même faute, le Ciel ne me pardonnerait pas un nouvel échec.

— Tu m'avais dit un jour que le règne de la Lumière n'avait pu coïncider avec celui de Shabuhr, j'espérais qu'il coïnciderait avec le mien.

— Il ne s'agit pas de toi, Hormizd, ni de Shabuhr ni de moi. La faute est à ce siècle. Partout se dressent autour de nous les sectateurs des dieux jaloux, et je porte la voix de la divinité généreuse. Ma foi sera, longtemps encore, celle d'une poignée d'Elus détachés des choses de ce monde. Elle ne peut être embrassée par l'Empire. Mais nous pouvons bâtir bien des choses ensemble, si chacun de nous tient son rôle. Si tu gouvernes en justice, si tu agis pour le bien de tes sujets, comme tu en as fait le serment, et préserves pour tous la liberté de croyance. Et si, de mon côté, avec les disciples qui ont rejoint mon Espoir, je m'emploie à enseigner la Lumière aux nations.

— Cela nous interdirait-il de demeurer amis ?

— J'ai bien été l'ami du grand roi d'Arménie, pourquoi ne serais-je pas l'ami du maître de l'Empire ? Chaque fois que tu le désireras, nous nous rencontrerons, seul à seul comme en cette matinée, nous parlerons du monde et des Jardins de Lumière, et de peinture, et de médecine, et d'harmonie. Mais à l'instant où je quitterai le palais, je redeviendrai Messager et rien d'autre, tu redeviendras roi des rois, chacun sur sa voie, avec ses propres armes et ses propres fardeaux.

Dans les mois qui suivirent, la foi de Mani connut à travers l'Empire, et au-delà, l'essor le plus spectaculaire. Des chevaliers en grand nombre, des mages hostiles aux dogmes de Kirdir, des gens de toutes castes rejoignirent les Elus, les adeptes ou les simples auditeurs. Le Messager ne s'expliquait pas cette poussée soudaine. La sympathie évidente de Hormizd y était pour beaucoup, couplée de l'affection des gens pour leur nouveau souverain qui s'était révélé clément sans faiblesse et dont la présence sur le trône semblait répandre, par quelque sortilège béni, abondance et bonheur. Aucune épidémie, aucune disette, aucune inondation destructrice, aucune de ces calamités qui sévissaient d'ordinaire. Le règne s'annonçait sous les meilleures étoiles.

Les préparatifs du couronnement avaient été généreux, certes dispendieux, mais le peuple ne se plaignait pas, on avait veillé à distribuer aux pauvres de quoi le fêter dignement. A l'approche du Norouze, Hormizd s'impatientait. Chaque matin, avant les audiences, il réclamait Mani pour lui confier ses enthousiasmes de la veille et ses attentes. Il aurait tant voulu qu'il fasse à ses côtés le voyage en Perside. Mais le fils de Babel le persuada de l'en dispenser, il n'avait pas sa place dans pareille cérémonie.

Le site se présentait comme une gorge entre deux falaises, c'était là qu'Ardéshir puis Shabuhr avaient fait graver dans le roc les images de leur couronnement. A quelques pas des fondateurs, une surface vierge et lisse était prête à garder la marque du nouveau souverain, le troisième de la lignée sassanide. D'un bout à l'autre du corridor sacré, le sol pierreux avait été feutré de tapisseries, et la paroi rocheuse jusqu'à la hauteur de trois hommes recouverte de soieries frappées aux emblèmes de la dynastie, soleil, feu, lune, boucs, onagres, chiens, lions, sangliers. Au milieu, là où le défilé s'évase et s'éclaire, une estrade était dressée, dont les bords s'inclinaient en pente douce vers le sol. Et sur l'estrade, un trône inoccupé.

De chaque horizon un cortège s'avançait. L'un conduit par Hormizd, à cheval. Sa longue chevelure bouclée débordant sous une couronne en forme de casque surmontée d'une sphère, et à laquelle étaient attachés des rubans colorés qui voltigeaient à l'arrière ; l'anneau qui enserrait sa barbe était maintenant d'or et de perles. Le suivaient, mais à distance, les officiers de sa garde, les princes de sang, les familiers, les musiciens, puis l'ensemble des courtisans ; de l'autre côté arrivaient les mages, avec à leur tête Kirdir. C'est lui qui, l'espace d'une onction, se substituerait au Très-Haut, à Ahura-Mazda, pour conférer au monarque la dignité suprême.

Les deux cortèges allaient au pas, leur lenteur étirant la fête. Fards, fumées, parfums, rengaines. Chants épiques dans le sillage du souverain, danses sacrées dans la foulée du grand mage. A l'extrémité de la procession quelques débordements attendus, rixes bénignes, ivrogneries. Pompe bardée de carnaval.

Et tout alla ainsi jusqu'à la rencontre des chevaux de tête sur l'estrade. Jusqu'au brusque silence. Dans la main droite, Kirdir tient l'anneau à rubans, symbole de la royauté divine, et dans la gauche le sceptre. Hormizd prend alors l'anneau de la main gauche et tend la droite en avant, index recourbé en signe de soumission à Ahura-Mazda ; puis il saisit le sceptre, et c'est au tour de Kirdir, redevenu simple mortel, d'accomplir le geste de soumission en direction de celui qui est désormais investi de la divinité.

Le roi des rois lâche alors la bride de sa monture, le chef des mages saute à terre, la ramasse, et fait tourner Hormizd lentement sur lui-même sous les acclamations des sujets. Puis le souverain va s'asseoir sur le trône. Kirdir lui offre avec une extrême solennité un rhyton en or, qu'il porte à ses lèvres. C'est le geste ultime de la cérémonie publique. Les deux cortèges refluent, cette fois à la hâte. Le site redevient désert. Le monarque reste seul. Avec son rhyton. Avec, pour unique compagnon, un vieil esclave sourd muni d'un chasse-mouches. Et face à lui, partout autour de lui, et bientôt en lui, les ancêtres et les divinités.

Car le rhyton contient la boisson des dieux, le *haoma,* préparé la veille par Kirdir et ses aides selon un rituel millénaire. Les branches de la plante *haoma* ont été purifiées, réduites en poudre dans un mortier bénit, puis mélangées à du lait ainsi qu'à des herbes dont seuls les mages de rang supérieur se transmettent le secret. Breuvage sacré de l'Inde antique et de la Perse, il fait pénétrer l'être divin qui le boit dans l'extase mystique par laquelle il s'unit aux autres divinités.

Sous l'effet du *haoma*, le souverain est secoué de convulsions, mais aucun mortel n'est censé interrompre ces outrances miraculeuses. Le souverain s'abandonne au délire, mais aucun mortel n'est censé entendre ce qu'il hurle ou bredouille ; les croyants le disent en conversation sibylline avec ses ancêtres.

Le roi des rois a rendu l'âme dans l'exercice de sa divinité, sous les yeux impassibles et bienveillants du vieux serviteur sourd.

Dans la nuit, alors que le peuple et les dignitaires s'enivraient encore à la santé du divin Hormizd, les trois chefs des castes réunis en conclave ont désigné un nouveau roi des rois. Vahram. Celui que les mages préféraient.

Qui donc pouvait se méprendre sur l'identité des empoisonneurs ? Mais qui, aussi, pouvait les châtier, ou apporter la preuve de leur culpabilité ? On décréta que le souverain avait mal supporté la boisson des dieux, peut-être n'était-il pas digne de la boire, peut-être l'ange du *haoma* n'avait-il pas agréé son couronnement. L'évidence du crime fournit même un argument pour les meurtriers : si Kirdir voulait tuer, aurait-il agi de ses propres mains devant le pays rassemblé ?

VI

Si Hormizd fut tué, c'est parce que son avènement apparaissait aux mages et aux guerriers comme un prélude au triomphe de Mani. Mais ce dernier n'avait jamais voulu croire à un tel miracle. Quand Dénagh se montrait ivre d'espoir et de bonheur, il s'efforçait de lui faire comprendre que la perversité du monde ne se laisserait pas terrasser ainsi, il lui parlait de souffrance, de patience et d'épreuves. Les longues années passées au voisinage de Shabuhr lui avaient appris à se prémunir contre toutes les illusions. A quoi avait servi l'alliance prometteuse avec le grand Sassanide, puisque le Messager n'avait pu empêcher les guerres ni les persécutions, puisque le souverain le plus puissant de son siècle n'avait pas osé défier les castes ni tenir sa promesse de se convertir ?

Il y avait de l'amertume, chez Mani, en cette année mouvementée. De la lassitude, aussi. Et une constante lucidité. Le règne de Hormizd n'avait jamais été à ses yeux autre chose qu'une éclaircie tardive et éphémère dans un ciel de ténèbres. Et si, en apprenant sa disparition, il fut attristé, affligé et révolté, il voulut empêcher ses proches de s'abandonner aux lamentations.

— La grande épreuve va commencer, leur dit-il.

Mon désir est qu'aucun de vous ne m'accompagne sur ce pénible bout de chemin que mon corps doit encore parcourir.

Malchos ne voulait pas s'éloigner. Mais Mani lui demanda fermement d'emmener Chloé avec toute leur descendance pour aller vivre à Tyr. Ils furent nombreux à regagner ainsi leur pays d'origine.

Quand Vahram, couronné, regagna Ctésiphon, un page vint signifier au Messager l'édit le concernant. « Mani, fils de Pattig, de la race des Parthes et de la caste des guerriers, médecin de son état, ayant professé diverses opinions contraires à la Religion Vraie, sera, à dater de ce jour, banni des terres de Mésopotamie, d'Arménie, de Perside... »

Banni ? Seulement banni ? Dénagh et tous ceux qui avaient choisi de rester auprès de Mani vinrent le toucher à l'épaule et au genou, puis ils portèrent leurs doigts crédules à leurs lèvres. Eux qui avaient passé des journées à le supplier de s'enfuir, eux qui le voyaient déjà massacré par le monarque fratricide, ils l'avaient retrouvé.

Et surtout, il leur tenait des propos de défi qui les réjouissaient. Quitter la Mésopotamie, l'Arménie, la Perside, pourquoi seulement ces contrées, leur lançat-il ? C'est de l'Empire entier qu'il allait s'éloigner ! Il s'était bien trop attardé à l'ombre des Sassanides, son âge s'était gâché sur leurs terres ! A Palmyre, il n'avait pas voulu se rendre, pour ne pas irriter Shabuhr. A Rome non plus, où pourtant il se sentait appelé. Ni en Egypte, ni au pays des Axoumites. Désormais, il ne se laisserait plus entraver par les promesses des rois, il partirait ! Et d'abord vers l'Inde, dont il n'avait fait qu'effleurer le sol prometteur. Puis le Tibet, le Tourfan, la Kashgarie, la Chine.

Banni ? Libéré plutôt des boulets sournois qui l'attachaient à un seul Empire, à une dynastie.

Suivi des plus fidèles, il reprit sa route. Non comme un condamné en fuite, mais du pas d'un conquérant. Il ne s'arrêtait qu'aux heures de sommeil, trouvant à chaque étape, comme par le passé, une maison ouverte, fière de l'abriter, reconnaissante.

Il avait emprunté la direction de l'Orient, dépassé Kengavar et Ecbatane, il s'engageait sur le chemin des caravanes vers Abarshahr lorsqu'en pleine journée, lors d'une halte près d'un cours d'eau, se prenant à méditer, il se retrouva face à face avec son « Jumeau ».

« Tu cours, tu cours, lui dit l'Autre, est-ce ainsi que tu penses échapper à ta lassitude ? »

— J'ai hâte de découvrir toutes ces nations auxquelles je n'ai pas encore porté mon message. N'est-ce pas toi qui m'as dit...

« Non, Mani, il est tard. Ton chemin s'est perdu. Il faut que tu reviennes. »

— Vers les contrées dont je viens d'être banni ?

« Tu traverseras les villes où ton nom est le plus vénéré, Kerkha, Suse, Gaukhaï, Kholassar... Partout les gens se presseront sur ton passage, des milliers d'hommes et de femmes voudront se joindre à ton cortège. Mais tu leur diras seulement : Contemplez-moi, rassasiez-vous de mon image, car sous cette apparence vous ne me reverrez plus ! »

*
**

Sous la muraille de Kholassar, des deux côtés de la porte de Suse, se tenait la foule. La foule quotidienne des adieux. Les ovations de la veille étaient devenues à présent des larmes, en dignité. Le Messager passa, puis sa suite. Une escouade de cavaliers les attendait depuis l'aube. L'officier s'approcha.

— J'ai ordre de conduire Mani, fils de Pattig, auprès du divin Vahram, roi des rois.

— Où se trouve ton maître ?

— Dans sa résidence d'été.

— A Beth-Lapat ? C'est justement là que se boucle ma tournée. Va dire à ton maître que Mani est en route !

Le fils de Babel avait parlé d'un ton sans réplique. D'une tape au flanc de sa monture, il se remit en marche, sans plus se soucier de son interlocuteur. Ce dernier, stupéfait, observa une vaine minute d'hésitation, puis il tourna bride avec ses hommes. Venu appréhender le Messager rebelle, il s'était satisfait d'une promesse de sa bouche.

C'est libre que Mani atteignit Beth-Lapat. Libre qu'il parcourut les rues bordées de fidèles, libre jusqu'à la grille du palais, jusqu'aux appartements du monarque. Un vieux scribe de la chancellerie s'était contenté de lui frayer le passage à travers les vestibules gardés ; puis, d'une voix déférente, il le pria de s'asseoir, le temps d'avertir le roi de sa présence.

Vahram était attablé pour le repas du crépuscule, avec ses familiers. Le fonctionnaire se courba jusqu'aux dalles de marbre.

— Que Sa Divinité veuille pardonner mon intrusion. Mani vient d'arriver.

Le premier mouvement du monarque fut de s'appuyer sur le bras de son siège pour se lever. Mais ses yeux rencontrèrent ceux de Kirdir, son conseiller de toujours, et il se laissa rasseoir.

— Je sais que le maître avait exprimé le désir de le recevoir. Dois-je le faire entrer ?

— Le faire entrer ? L'obliger à se déplacer jusqu'ici, un personnage si renommé ? Quelle impardonnable faute de jugement ! C'est moi en personne qui viendrai le voir !

Pour le cas où le scribe se serait mépris sur son sarcasme doucereux, il ajouta :

— Que cet homme attende là où il est ! Je le verrai lorsque j'aurai terminé mon repas. Et je prendrai mon temps.

Quand il se présenta devant Mani, le monarque avait eu le temps de manger et de trop boire. Les années l'avaient épaissi et avaient alourdi sa démarche, sans lui conférer pour autant la dignité spontanée qui avait été celle de Shabuhr, ni l'aisance séduisante de Hormizd. Son bras gauche s'enroulait autour des épaules de sa maîtresse adolescente, celle que les chroniques appellent « la reine des Sakas », de quarante ans sa cadette, et mariée par ses soins à son propre petit-fils. A deux pas derrière, se profilait la robe jaune du chef des mages.

— Tu n'es pas le bienvenu !

Tels furent les premiers mots de Vahram. Mani lui inspirait, à l'évidence, un véritable effroi, qu'il surmontait en redoublant d'agressivité. Le fils de Babel observa longuement ce gros vieil enfant mal-aimé, aussi cruel que pitoyable. Et lui répondit sans hargne :

— Certaines personnes se sont toujours montrées hostiles à mon égard, sans que j'aie causé aucun tort.

— Avant même que nous parlions du tort que tu as causé, dis-moi quel bien as-tu jamais fait à notre dynastie ? Tu n'es d'aucune utilité à la guerre ni à la chasse ! Tu te prétends médecin, et tu n'as jamais guéri personne !

— Chacun sait que j'ai soigné et guéri...

— Mon père, le divin Shabuhr, t'avait nommé

médecin du palais, mais tu n'as pas réussi à lui éviter les fièvres ni les souffrances. Et lorsqu'il t'a réclamé sur son lit de mort, tu n'as pas jugé bon de venir !

Ainsi, Shabuhr aurait voulu le voir une dernière fois, et quelqu'un se serait interposé pour empêcher le message de lui parvenir. Qui avait pu commettre une aussi abjecte félonie, sinon Kirdir, Vahram, et leurs complices ? Mani sentit monter en lui un dégoût et une rage qu'il s'imposa de dominer. Il se tut. Le monarque se sentit encouragé à poursuivre.

— Et mon frère, le divin Hormizd ? Tu étais son médecin, tu te prétendais son ami, mais lorsqu'il s'est trouvé mal, tu n'étais pas davantage à ses côtés, n'ayant pas jugé utile de l'accompagner comme il te l'avait demandé. Peut-être aurais-tu su soulager ses douleurs.

Même Kirdir se montra embarrassé de cette allusion, ce nouvel aveu déguisé, mais Vahram lui adressa un clin d'œil confiant. Que pouvaient-ils craindre ? L'un était le chef des mages qui avaient la haute main sur la justice ; et l'autre était souverain.

— Tu ne réponds pas !

Mani soupira.

— D'autres que moi portent les réponses. Dans leur cœur et dans leurs mains.

Il n'en dit pas plus. S'il fallait instruire le procès des meurtriers de Hormizd, ce ne serait pas devant pareil tribunal ! Vahram sembla déçu que Mani se fût contenté d'une réplique si allusive. Il lui décocha un regard où il voulait mettre tout le mépris possible. Puis il s'orienta vers d'autres griefs.

— Quand le roi des rois te réclame, tu n'es jamais là. Mais lorsqu'il t'interdit de visiter telle ou telle contrée, tu te rends aussitôt sur les lieux dont tu viens d'être banni. Curieuse façon de servir tes maîtres !

Mani laissa dire. Il avait de nouveau à l'esprit l'image

obsédante de Shabuhr agonisant et murmurant son nom, tandis qu'à son chevet des êtres d'ombre faisaient mine de n'avoir pas entendu. Image d'angoisse mais également d'intense réconfort. En cet instant, le fils de Babel ne regrettait plus les années dépensées auprès du grand Sassanide.

Cependant que Vahram bourdonnait encore :

— J'ai décidé ton bannissement, et tu m'as désobéi !

— J'ai obéi à une voix céleste qui m'ordonnait d'effectuer un dernier périple.

— Une voix céleste ! C'est ce que tu prétends depuis toujours ! Pourquoi le Ciel t'aurait-il parlé ? Pourquoi aurait-il choisi dans cet Empire un misérable sujet à la jambe torse au lieu de s'adresser directement au roi des rois ?

Depuis le début de l'entrevue, à chaque interrogation de Vahram, et avant de répondre, Mani s'était ménagé quelques secondes d'attente. Sa manière d'indiquer que c'était à l'autorité terrestre qu'il avait bien voulu se livrer, et non au piteux personnage qui l'incarnait. Mais cette fois, il attendit davantage, ses yeux enfoncés dans ceux du monarque.

— Le Ciel doit avoir ses raisons, Lui qui connaît les hommes par-delà les parures.

Vahram ne réagit pas. Il semblait tout à coup ébranlé, désabusé. Kirdir voulut ranimer sa colère :

— Cet homme ne cherche-t-il pas à dire qu'il est plus digne d'honneur que les divins membres de la dynastie ?

Le monarque ne dit rien. Il demeurait absorbé. Le mage s'approcha de lui et, comme par inadvertance, son épaule heurta la sienne. Mani sourit. Jamais personne n'aurait osé agir de la sorte avec Shabuhr ou Hormizd ! Mais Vahram secoua la tête comme s'il émergeait d'une sieste. Et il reprit son interrogatoire là où il l'avait laissé.

— Ainsi, c'est cette voix qui t'aurait ordonné de désobéir au roi des rois. Et de te révolter.

— Personne n'a jamais brandi l'épée de la révolte en mon nom !

— Tu as semé le trouble. Tu as détourné les guerriers de leur devoir et les artisans de leur métier. Tu as appelé les gens à mépriser les barrières des castes et des races. Les marchands regardent maintenant les chevaliers dans les yeux. Les mages ne sont plus écoutés. N'est-ce pas là une révolte ?

— Le divin Shabuhr n'a pas jugé mon enseignement néfaste puisqu'il m'a autorisé à le répandre, puisqu'il a écrit aux dignitaires de toutes les provinces afin qu'ils m'apportent leur aide. Aurait-il favorisé des agissements contraires aux intérêts de l'Empire et de la dynastie ?

— Tu avais endormi sa méfiance.

— Endormi sa méfiance pendant trente ans ? Lui, le conquérant, le monarque le plus redouté de son époque, il se serait laissé abuser par mes paroles pendant trente ans ? Puis, sur son lit de mort, il m'aurait réclamé ? Dans son ultime souffle de vie et de puissance terrestre, il aurait désigné pour successeur légitime le fils que chacun savait être mon ami et mon protecteur, celui que mes ennemis redoutaient ? Est-ce mon nom que l'on cherche à salir aujourd'hui ou bien celui des grands souverains ?

— Plus un mot !

Vahram s'avança vers Mani comme pour l'empoigner, puis, se rappelant sa dignité impériale, il se contenta de cracher une imprécation inaudible.

Le temps que le monarque se calme, Kirdir prit le relais. Pour formuler une accusation précise.

— Mani, fils de Pattig, en abandonnant la Religion Vraie qui était celle de tes ancêtres, tu t'es rendu coupable d'apostasie. En professant des idées novatrices qui ont perturbé les croyants, tu t'es rendu coupable d'hérésie. Deux crimes contre le Ciel.

— Je suis assurément éloigné des opinions de Kirdir, mais je demeure fidèle à Zoroastre.

Le monarque s'était brusquement ressaisi.

— Ce que je viens d'entendre me suffit. L'accusation est claire et la défense autant. Si Mani est reconnu coupable d'hérésie et d'apostasie, son châtiment est la mort. S'il est encore fidèle à l'enseignement de Zoroastre, comme il l'affirme, je renonce à le punir et m'engage à lui pardonner sa désobéissance à mon égard. N'est-ce pas conforme à notre loi ?

Kirdir approuva. Le fils de Babel ne dit rien. Il ne comprenait pas quel était le marché qu'on lui proposait. D'ailleurs le monarque n'attendit pas son consentement.

— Jugeons, dit-il.

Puis il alla s'asseoir. Et invita Mani à prendre place sur un divan en face de lui. Quelqu'un que la scène commençait à amuser, c'était la jeune maîtresse du roi. Elle vint se coller à lui en demandant qu'il lui explique comment les choses allaient se dérouler.

— L'honorable médecin de Babel va exposer ses idées et, si elles sont jugées loyales à la Religion Vraie, il sortira d'ici libre, et bénéficiera de notre protection. Mani, nous t'écoutons.

Mais l'adolescente n'avait pas bien compris.

— Lorsque cet homme aura parlé, qui jugera s'il est fidèle ou hérétique ?

— La seule personne qui ait qualité de trancher en ces matières : le grand mage Kirdir que nous avons la chance d'avoir parmi nous.

Mani eut encore la ressource de rire.

— Plutôt que de me soumettre à votre mascarade, je préfère recevoir de vos mains une coupe de *haoma* à l'antiaris. Ou était-ce de la ciguë ?

— Cette phrase t'a condamné, décréta Kirdir.

— Parce qu'avant de la prononcer j'étais acquitté ?

— Non, avoua Vahram sans détour, j'avais juré par mes ancêtres que tu mourrais. Mais ta perfidie te vaudra de souffrir.

VII

Mani fut livré au supplice des fers. Une lourde chaîne scellée autour du cou, trois autres autour du buste, trois à chaque jambe, et trois encore à chaque bras. Sans autre violence, ni sévices, ni cachot. Il était seulement retenu dans une cour dallée, près du poste de garde. Sous le poids, sa vie allait s'épuiser goutte à goutte. Ordre avait été donné de le nourrir pour qu'il survive plus longtemps. Pour qu'il souffre plus longtemps.

Les visites ne lui étaient pas interdites. A peine la sentence connue dans les quartiers de Beth-Lapat, un défilé commença. Il y avait les disciples, qui s'approchaient autant que les gardes le permettaient pour lancer, aux pieds du Messager, une fleur. Mais il y avait surtout, comme pour chaque souffrance publique, la multitude des badauds. Pas un habitant de la ville ou des environs n'aurait voulu manquer le spectacle d'un supplicié. On venait par familles entières, et si les jeunes enfants s'effarouchaient, leurs parents les rassuraient d'un rire léger.

Quelques-uns se faisaient un devoir d'invectiver le condamné ou de le sermonner. Par zèle, par animosité native, certains par simple scrupule d'honnêteté, ils ne pouvaient se résoudre à profiter ainsi de la distraction offerte par le roi sans débourser un mot.

Au troisième jour de l'ultime passion de Mani, les citadins défilaient encore. Jusqu'au coucher du soleil, quand fut refermé le portail en bois de sa prison à ciel ouvert. Il demeura sous la vigilance de deux soldats glabres qui l'encadraient de près tout en évitant de croiser son regard. Soudain, ils se jetèrent ensemble face à terre, si violemment que leurs paumes en furent écorchées. Devant eux venait d'apparaître le monarque en personne. Seul.

D'un raclement de gorge, il leur commanda de se sauver. Puis, après quelques pas d'hésitation, il choisit de s'asseoir au bord d'une frise en pierre, surplombant Mani et ses chaînes.

— J'ai voulu te parler, médecin de Babel. Une question m'intrigue depuis notre rencontre.

Etrangement, le ton de Vahram semblait dénué de hargne. Amical, ou presque. Le prisonnier daigna lever les yeux.

— Cette voix céleste qui te parle, Mani...

Il y avait de l'embarras dans ses mots, et comme une supplication d'enfant.

— Tu m'as déjà répondu, l'autre jour. Mais ma curiosité n'est pas assouvie.

Mani le contempla encore, sans égards, mais sans éclairs d'hostilité. Puis, patiemment, il se mit à lui raconter les commencements de sa mission, le « Jumeau », la palmeraie, l'Inde, jusqu'à la première rencontre avec Shabuhr. Il avait la voix harassée du porteur de croix. Le monarque s'approcha et se pencha pour mieux entendre. Et quand il l'interrompit, ce fut avec le chuchotement d'un intime.

— Mais pourquoi toi, Mani ? Pourquoi le Ciel n'aurait-il pas parlé directement au divin Shabuhr ?

— Comment les gens auraient-ils compris que la

majesté qui émane de lui vient du Ciel et non de sa propre puissance terrestre ? Tandis que l'homme humble, dès qu'il resplendit, porte témoignage.

Vahram hocha la tête d'un air rasséréné. Avant de poursuivre.

— Une autre question me préoccupe. Qu'as-tu bien pu dire à mon père, à mon frère Hormizd, à mes oncles et à cette femme, Dénagh, pour qu'ils te tiennent en si grande vénération ? Ne leur aurais-tu pas révélé quelque secret de l'univers ?

— Ils ont entendu de ma bouche les vérités qui étaient en eux. On n'écoute jamais que sa propre voix.

Mani avait murmuré cette dernière phrase sur le ton de l'aveu, et Vahram se pencha plus près encore. Ils avaient quasiment le même âge mais le fils de Babel était resté frêle. A les voir deviser ainsi, comment aurait-on soupçonné que celui qui quêtait le réconfort était le geôlier. Et que sa victime pût répliquer avec si peu de ressentiment. Sans complaisance, toutefois, sans aucun mot qui cherchât à susciter l'apitoiement. Ni la grâce. On aurait dit qu'entre les deux hommes, en cette soirée, le supplice de Mani n'était pas un sujet digne d'être abordé.

Au huitième jour, le Messager reçut la visite de Zerav, le joueur de luth, qui avait été pendant quarante ans le musicien favori de Shabuhr et, avant, celui d'Ardéshir. C'était un homme fier, grand, élancé, et ses doigts d'octogénaire n'en étaient que plus noueux. Mais au contact des cordes ils retrouvaient leur verdeur.

Il avait toujours apprécié la sagesse du fils de Babel, il avait eu avec lui autrefois de longues discussions sereines. Sa condamnation l'outrageait. En couleur de protestation, il était venu accompagné de son luth. Son entrée fut remarquable. Il marcha droit vers Mani, baisa sa main prisonnière, puis, assis en tailleur près de lui, il se mit à jouer quelques notes plaintives. La foule fut prise de silence.

Décontenancés par son allure princière, les jeunes soldats n'avaient pas osé s'interposer. Aussitôt vint à leur rescousse un dignitaire de la cour. Lui-même mal à l'aise face à ce monument vivant de l'Empire. Il est inconvenant, balbutiait-il, pour un homme ayant la notoriété de Zerav, de venir jouer en un lieu aussi vil.

— Ne suis-je pas dans l'enceinte du palais ? s'étonna le vieux musicien.

— Sans doute. Mais c'est la cour des supplices !

— Pour moi, cet endroit est aujourd'hui le plus respectable de tout le palais, et le plus parfumé.

— Celui qui a joué pour les rois ne peut jouer pour un supplicié !

Avant que Zerav ne réplique on entendit la voix haletante de Mani. Il n'intervenait pas dans la discussion. Nullement. Il ne donnait même pas l'impression de l'avoir écoutée. Il avait l'air de poursuivre avec le musicien une conversation lointaine.

— Le sais-tu, Zerav, à l'aube de l'univers, tous les êtres baignaient dans une mélodie sublime, le chaos de la création nous l'a fait oublier. Mais un luth accordé à l'âme de l'artiste peut réveiller ces harmonies originelles...

— Douces sont à mes oreilles les paroles du sage ! cria Zerav.

Et, oubliant menaces et arguties, il se remit à jouer, ardent et inspiré, jusqu'au soir.

On dit que Vahram était à la chasse ce jour-là, et qu'en son absence nul n'osa prendre sur lui de maltraiter le vénérable musicien des rois.

Lorsque, au retour du monarque le lendemain, des soldats allèrent chez le joueur de luth afin de l'interpeller, ils découvrirent qu'il s'était éteint, ultime protestation, la nuit, dans l'étroite sérénité de son lit.

Au quatorzième jour, les badauds s'étaient lassés et les fidèles s'assemblèrent plus nombreux. Les gardes leur interdirent de s'asseoir, les contraignant à défiler en silence, longue veillée diurne pendant laquelle Mani paraissait agité. Il s'assoupissait, puis s'éveillait, se remuait, cherchant à déplacer ses membres ankylosés. Mais à peine avait-il trouvé une posture qu'il cherchait à revenir à la posture précédente.

A un moment, on crut l'entendre dire :

— Tu as écrit, écrit, et ils n'ont pas lu. Tu as dit une chose, et ils ont compris autre chose. Les hommes ont voulu autre chose.

Ses larmes coulaient, et les fidèles se regardèrent en se demandant si c'était d'eux qu'il parlait.

Au dix-septième jour, on crut la fin imminente, et les gardes laissèrent les disciples s'approcher. Une question entre toutes devait être posée, mais le cœur de Mani battait dans sa lèvre inférieure, et les fidèles renoncèrent à le faire parler pour ne pas l'essouffler encore.

Comme s'il avait entendu leurs angoisses inexprimées, il ouvrit les yeux. Pour murmurer sur un ton d'évidence :

— Après ? Ce qui en moi était Ténèbres rejoindra les Ténèbres, ce qui en moi était Lumière demeurera Lumière.

Chacun était encore sur sa faim. Mais la parole du Messager était vacillante et les disciples se résignèrent.

Dans l'après-midi, peu avant la fermeture des portes, il eut pourtant un brusque retour de vigueur. Sa tête se tenait haute et sa voix portait. Ou était-ce la voix du « Jumeau » ?

— Lorsque tu fermeras les yeux pour la dernière fois, ils s'ouvriront aussitôt, sans que tu l'aies voulu. Et ton premier instant sera fait d'incrédulité. Quelle qu'ait pu être ta foi. Chez les croyants les plus fermes subsiste le doute ; et dans la plus épaisse incroyance habite l'espoir inavoué. Face à l'au-delà, les hommes ne font que jouer des rôles, leur croyance commune est inscrite dans la fatigue de leurs corps.

On s'attendait à le voir reprendre avec peine sa respiration, pourtant il enchaîna :

— Ensuite vient l'épreuve.

Quelqu'un autour de lui ayant murmuré le mot « Jugement », Mani sursauta, comme s'il avait été offensé.

— Quel Jugement ? Quand tu fermes les yeux, la sentence a déjà été prononcée ! Par tes propres lèvres !

Tout son visage s'était animé. Et ses paumes, ses doigts, sa gorge, son buste.

— Passé l'instant d'incrédulité, chacun retrouve ses travers, ses habitudes. Et le tri s'opère entre les humains. Sans besoin de tribunal. Celui qui a vécu par la domination souffrira de ne plus être obéi ; celui qui a vécu dans l'apparence a perdu toute apparence ; celui qui a vécu pour la possession ne possède plus rien, sa main se ferme sur le néant. Ce qui était à lui appartient désormais à d'autres. Comme un chien au bout de sa laisse il hantera à jamais les lieux de son séjour terrestre, attaché. Mendiant ignoré là où il fut maître.

« Les Jardins de Lumière appartiennent à ceux qui ont vécu détachés. »

Il se tut. Ses yeux se refermèrent. Puis, comme si son sermon se poursuivait pour lui-même, il recommença à bouger les lèvres dans un visage illuminé. De temps à autre, un bout de phrase s'échappait, sans cohérence.

« ... le soleil ne te blessera plus les yeux... toi qui sais contempler le bonheur des autres... tous les parfums de l'amante... cette femme ne vieillira pas... une pyramide dont le sommet se perd... tu y trouveras tous les livres... et ceux que personne n'a écrits... tu apprendras les âges de l'univers... tu t'en iras vers l'Egypte de l'au-delà... »

Ses disciples étaient penchés au-dessus de lui pour recueillir ces bribes. Tous convoitaient l'instant qu'il avait commencé à vivre.

Au vingtième jour, il ordonna à ses fidèles de partir. Tous les hommes et toutes les femmes jeunes, ceux sur lesquels pouvait s'abattre la persécution.

Advint alors ce sublime vacarme. Un mot se répandit, sans que l'on sût jamais quelle bouche l'avait soufflé. Ce n'était pas celle du fils de Babel, il avait seulement murmuré : « Ecartez-vous, dispersez-vous, laissez passer le torrent de la vengeance, plus tard vous vous relèverez. » Mais les adeptes propagèrent une tout autre consigne : « Ecrire le nom de Mani, partout ! »

Ecrire, au charbon, à la craie, mais plus que cela, graver. Graver profond, dans le bois dans le fer dans la pierre, les lettres corrosives. Sur les bornes des carrefours, sur les murs des villes, sur tous les édifices de l'Empire, les prisons, les palais, les casernes, dans tous les lieux de culte, des mains innombrables ont tracé, chacune dans sa langue, le nom de Mani. Avec ferveur, pour qu'on ne puisse l'effacer.

Telle fut l'immense rage des gens paisibles. Contre leur siècle et contre les millénaires à venir. Contre les divinités jalouses et les glaives absous. Contre les quatre empires, les quatre castes, les races, le sang,

contre les mages prédateurs et les souverains bourreaux.

Contre la mort. Contre les chaînes. Contre les
chaînes de Mani.

*

Au vingt-sixième matin s'acheva le dernier acte de sa
passion. Ses disciples parleraient bientôt de supplice,
de martyre, de crucifixion ; Mani aurait simplement dit
« mon bannissement ».

Seules le veillaient encore des femmes aux cheveux
gris. Saisies, muettes, accablées, déjà trempées dans le
deuil à venir. Il ne parvenait plus à bouger, il respirait
avec bruit, mais le regard survivait.

Il croisa celui de Dénagh. Elle comprit, et s'en alla
murmurer aux oreilles des femmes. Qui se redressè-
rent. Qui se refirent un visage.

Parmi elles se trouvait une disciple qu'on appelait la
fille d'Athimar. D'une voix douce elle se mit à chanter
les paroles apprises.

Noble Soleil qui prodigue la chaleur
Et par le même geste prodigue l'ombre qui nous abrite
Soleil qui mûrit les grappes et les corps pour la fête
Puis se retire afin que nous puissions célébrer
Soleil qui ferme les yeux sur nos excès, sur nos folies de
mortels
Et qui est là le lendemain, d'humeur égale, d'égale
générosité
Il n'attend de nous ni gratitude ni soumission
Noble est notre Soleil quand il se lève
Et noble quand il se couche...

La fille d'Athimar en était à ces mots lorsque Mani cessa de souffrir. Dénagh, qui était la plus proche, rabaissa ses paupières. Puis elle posa sur ses lèvres un dernier baiser de vie. Les autres femmes l'imitèrent

C'était en l'an 584 des astronomes de Babel, le quatrième jour du mois d'Addar — pour l'ère chrétienne le 2 mars 274, un lundi.

La passion de Mani se confond depuis avec la nôtre.

EPILOGUE

Le monarque refusa que le corps de Mani soit livré aux siens, de peur que sa sépulture ne devienne un lieu de pèlerinage ; il ordonna aussi qu'avant de faire disparaître sa dépouille on la suspende trois jours à l'entrée de Beth-Lapat, empaillée et nue, reconnaissable à la jambe torse. Pour apporter à tous la preuve qu'il était mort.

Mais le pan de muraille devint lui-même un lieu de pèlerinage, gigantesque dalle tombale dont l'ombre du Messager ne pouvait être décrochée. Et, pour défier la mort, ses fidèles se jurèrent de ne plus l'appeler autrement que « Mani-Hayy », Mani-le-Vivant. Termes devenus inséparables dans leurs récits comme dans leurs prières, au point que les Grecs n'entendront qu'un mot unique qu'ils transcriront « Manikhaios ». D'autres disant « Manichaeus », ou encore « Manichée ».

Déformé, son nom ?

Si ce n'était que cela !

De ses livres, objets d'art et de ferveur, de sa foi généreuse, de sa quête passionnée, de son message d'harmonie entre les hommes, la nature et la divinité, il ne reste plus rien. De sa religion de beauté, de sa subtile religion du clair-obscur, nous n'avons gardé que ces mots, « manichéen », « manichéisme », devenus dans nos bouches des insultes. Car tous les inquisiteurs de Rome et de la Perse se sont ligués pour défigurer Mani, pour l'éteindre. En quoi était-il si dangereux qu'il ait fallu le pourchasser ainsi jusque dans notre mémoire ?

« Je suis venu du pays de Babel, disait-il, pour faire retentir un cri à travers le monde. »

Pendant mille ans, son cri fut entendu. En Egypte, on l'appelait « l'apôtre de Jésus » ; en Chine, on le surnommait « le Bouddha de Lumière » ; son espoir fleurissait au bord des trois océans. Mais bientôt ce fut la haine, ce fut l'acharnement. Les princes de ce monde le maudirent, pour eux il devint « le démon menteur », « le récipient gorgé de Mal » et, dans leur humour rageur, « le maniaque » ; sa voix, « un perfide enchantement » ; son message, « l'ignoble superstition », « la pestilentielle hérésie ». Puis les bûchers firent leur œuvre, consumant dans un même feu ténébreux ses écrits, ses icônes, les plus parfaits de ses disciples, et ces femmes altières qui refusaient de cracher sur son nom.

Ce livre est dédié à Mani. Il a voulu raconter sa vie. Ou ce qu'on peut en deviner encore après tant de siècles de mensonge et d'oubli.

Table

DU MÊME AUTEUR

Les Croisades vues par les Arabes, Éd. Lattès, 1983.

Composition réalisée par BUSSIÈRE 18200 Saint-Amand-Montrond

IMPRIMÉ EN FRANCE PAR BRODARD ET TAUPIN
Usine de La Flèche (Sarthe).
LIBRAIRIE GÉNÉRALE FRANÇAISE - 6, rue Pierre-Sarrazin - 75006 Paris.
ISBN : 2 - 253 - 06177 - 8   ✠ 30/9516/3